ÉCRITS SUR L'ISLAM

SOURCES CHRÉTIENNES

N° 383

JEAN DAMASCÈNE

ÉCRITS SUR L'ISLAM

Présentation, Commentaires et Traduction

PAR

Raymond LE COZ

*Ouvrage publié avec le concours
du Centre National des Lettres
et de l'Œuvre d'Orient*

LES ÉDITIONS DU CERF, 29, Bd de Latour-Maubourg, Paris-7e
1992

*Cette publication a été préparée
avec le concours de l'Institut des Sources Chrétiennes
(U.R.A. 993 du C.N.R.S.)*

Textes grecs de B. Kotter (†), reproduits ici
avec la bienveillante autorisation des Éditions Walter De Gruyter

A Geneviève, mon épouse,
à Rozenn et Morgan, mes filles.

AVANT-PROPOS

L'intérêt porté à l'Islam par les chrétiens n'est pas nouveau, tant s'en faut[1]. Malgré les vicissitudes de l'histoire, qui amenèrent chrétiens et musulmans à s'affronter plus souvent qu'à dialoguer, certains lieux privilégiés ont vu s'établir des échanges fructueux entre les deux religions et les deux cultures : Bagdad sous les 'abbāsides, Tolède après la reconquête, et la Sicile de Frédéric II, furent les points de rencontre les plus célèbres. Mais le premier d'entre eux, dès le VIIe siècle, et peut-être le plus important à cause de l'orientation qui y sera donnée aux rapports islamo-chrétiens, fut sans conteste la Damas des umayyades, à l'époque de saint Jean Damascène.

Les chrétiens de cette ville ont eu à l'égard de l'Islam une attitude identique à celle de nos contemporains : un sentiment de peur s'y trouvait tempéré par un élan de curiosité et une certaine recherche du dialogue. La peur était justifiée, car, après un siècle de présence musulmane, les chrétiens melkites commençaient à perdre leur identité culturelle, la langue arabe prenant peu à peu le pas sur le grec. De plus, les conversions entraînées par les tracasse-

---

1. Pour s'en persuader, il suffit de consulter la recension entreprise dans la revue *Islamochristiana*, dont l'objectif est d'établir la liste exhaustive des ouvrages concernant le dialogue islamo-chrétien depuis l'origine. Ont déjà paru : VIIe-Xe siècle, *Islamochristiana*, t. 1 ; XIe-XIIe siècle, *id.*, t. 2 ; XIIIe-XIVe siècle, *id.*, t. 4.

ries dont les chrétiens étaient alors victimes se faisaient de plus en plus nombreuses. La curiosité manifestée par ses concitoyens amena Jean Damascène à conclure son *Livre des hérésies* par un chapitre fournissant les informations essentielles sur la doctrine musulmane : c'est l'hérésie 100. D'autre part, une amorce de dialogue, à tendance polémique, il est vrai, et dont les musulmans avaient pris l'initiative [1], commençait à s'établir prudemment. Cette tentative n'était pas dénuée de pièges. Jean en dénonce quelques-uns dans sa *Controverse entre un Musulman et un Chrétien*, avant d'y formuler les arguments qui devaient permettre à ses coreligionnaires d'acculer les contradicteurs musulmans à reconnaître la vanité de leurs attaques contre la doctrine chrétienne.

Si les textes de Jean sur l'Islam ont été traduits en anglais par J. W. Voorhis, F. H. Chase et D. J. Sahas [2], ainsi qu'en arabe [3] et en russe [4] pour l'un d'entre eux, ils restaient encore inaccessibles dans leur intégralité aux

---

1. C'est du moins la conclusion que l'on peut tirer de l'ouvrage du moine nestorien Théodore Bar Kōni, intitulé le *Livre des scolies* et qui date de la fin du VIIe siècle. C'est une somme des connaissances philosophiques, théologiques et apologétiques. Au chapitre x, il relate, dans un dialogue simulé, les objections des musulmans cultivés contre les croyances chrétiennes.

2. Le chapitre sur l'Islam, ou hérésie 100, a été traduit en anglais par : J. W. Voorhis, « John of Damascus on the moslem heresy », *MW* XXIV, New-York 1934, p. 391-398 ; F. H. Chase, *Saint John of Damascus, Writings*, The Fathers of the Church 37, New-York 1958, p. 111-163 ; D. J. Sahas, *John of Damascus on Islam, The « Heresy of the Ismaelites »*, p. 133-141. La *Controverse entre un Musulman et un Chrétien* a eu pour traducteurs : J. W. Voorhis : « The Discussion of a Christian and a Saracen », *MW* XV, New-York 1935, p. 266-273 ; D. J. Sahas, *John of Damascus on Islam*, Leyde 1972, p. 143-155.

3. Une traduction de la *Controverse*, en 1968, par M. S. Seale, est signalée par B. Kotter, *PTS* 22, p. 423.

4. A. Sagarda aurait traduit l'hérésie 100 en russe, en 1913. Cf. B. Kotter, *PTS* 22, p. 17.

lecteurs de langue française [1]. Profitant de la parution récente d'une nouvelle édition critique des œuvres du Damascène, réalisée par les bénédictins de l'Institut Byzantin de Scheyern, nous avons entrepris la traduction commentée du passage du *Livre des hérésies* concernant l'Islam, ainsi que de la *Controverse entre un Musulman et un Chrétien*, dans le but de combler cette lacune.

Pour présenter l'enseignement de Jean Damascène sur l'Islam — du moins ce qui en est connu —, il nous a fallu regrouper sous un même titre deux ouvrages différents. Le premier n'est d'ailleurs pas une œuvre complète, mais un extrait de son *Livre des hérésies* : l'hérésie 100. Nous avons joint à ce passage la *Controverse entre un Musulman et un Chrétien* qui lui est complémentaire. Le tout forme une unité thématique, et nous avons donné comme titre à l'ensemble de l'ouvrage : *Écrits sur l'Islam*.

Notre initiative peut être critiquable et demande, sans doute, à être justifiée. Si nous nous sommes permis de présenter seul le chapitre 100 du *Livre des hérésies*, comme s'il s'agissait d'une œuvre autonome — et de lui donner pour titre « l'Islam » —, c'est que ce texte est en fait différent du reste de l'œuvre dont il est extrait :

— *Le Livre des hérésies* n'est que la compilation d'informations puisées dans des ouvrages plus anciens et se présente sous la forme d'un catalogue. Seule l'hérésie 100, l'Islam, constitue un apport personnel du Damascène [2] et bénéficie d'un traitement différent. Au lieu

---

1. A. Ducellier, *Le Miroir de l'Islam, Musulmans et Chrétiens d'Orient au Moyen Age (VIIᵉ-XIᵉ siècle)*, a traduit de très nombreux extraits des textes de Jean.

2. Cf. le chapitre VI concernant l'authenticité des textes.

de citer l'hérésie, l'auteur écrit : « Il y a aussi la religion des Ismaélites qui domine encore de nos jours ». Il marque ainsi une rupture évidente avec les quatre-vingt-dix-neuf hérésies précédentes. De plus, il ne se contente pas d'un rappel succinct ou d'un simple résumé ; il fournit un enseignement détaillé de plusieurs pages. Sans doute Jean a-t-il voulu privilégier la description de l'Islam, sachant qu'il avait beaucoup d'informations originales à donner et que lui seul en était capable.

— La nouveauté du sujet abordé par l'auteur dans ce passage — que l'on peut considérer comme le premier texte grec sur l'Islam — autorise à prendre en compte son originalité, d'autant plus que les auteurs byzantins qui polémiqueront par la suite avec les musulmans puiseront une grande partie de leurs informations dans cette hérésie 100.

— Le chapitre sur l'Islam forme un tout qui se suffit à lui-même. Sa lecture ne suppose pas la connaissance de ce qui précède, et rien, pour la compréhension du texte, ne vient s'opposer au choix que nous avons fait de le présenter seul.

— Enfin, dernier argument en faveur de notre entreprise, il y a l'exemple de tous ceux qui ont suivi une démarche identique à la nôtre et qui se sont intéressés à ce seul chapitre du *Livre des hérésies*. Les articles parus sur l'hérésie 100 (101 dans la PG de Migne) sont nombreux [1], et nous avons déjà parlé de la traduction en d'autres langues, en particulier en anglais, de ce même passage isolé du reste de l'œuvre.

Il nous a paru logique d'y associer le dialogue qui met en scène un musulman et un chrétien, ainsi que l'ont fait avant nous J. W. Voorhis et D. J. Sahas, précédemment

---

1. Cf. la liste des ouvrages et articles cités.

cités. Outre qu'il constitue un témoignage précieux sur l'existence de telles discussions en terre d'Islam au VIIIe siècle, il nous renseigne sur les thèmes abordés au cours de ces débats et nous permet d'admirer l'habileté de Jean Damascène dans ses réponses aux critiques des musulmans, grâce à la bonne connaissance qu'il avait, pour l'époque, de la doctrine de l'adversaire.

*
* *

Les textes de Jean Damascène sur l'Islam appartiennent à deux genres littéraires différents. L'hérésie 100, dans sa majeure partie, s'apparente aux nombreux écrits qui ont vu le jour, dans l'Église, au moment où sont apparues les premières erreurs concernant la Trinité et la personne du Christ. L'auteur y présente l'essentiel de « l'hérésie » musulmane, illustrant son exposé de quelques passages du Coran. C'est une œuvre polémique, écrite pour dénoncer et condamner, comme il en existe tant dans la littérature chrétienne. Elle préfigure les réfutations du Coran qui proliféreront, dans les milieux byzantins principalement, mais aussi en Occident après la prise de Tolède, et qui se développeront essentiellement hors du monde musulman. Leur ton polémique sera particulièrement virulent.

Cependant, aux paragraphes 4, 5 et 6 de cette hérésie 100[1], Jean interrompt son récit pour rapporter des discussions qui avaient lieu entre chrétiens et musulmans. Ces disputes relèvent d'un genre nouveau auquel se rattache également la *Controverse entre un Musulman et un Chrétien.*

Si les premiers chrétiens ont eu à justifier leur foi auprès des tenants du paganisme, de même les contemporains de Damascène ont-ils été amenés à répondre aux nombreuses

---

1. Selon le plan de cette hérésie 100 que nous proposons au chapitre III.

critiques formulées par les musulmans à l'encontre de la doctrine chrétienne. Ces controverses, verbales à l'origine, ont été par la suite transmises par écrit, et ont donné naissance à une abondante littérature de type apologétique. Elles suivent à peu près toutes le même schéma : l'initiative de la dispute revient en général à un musulman qui est soit un personnage politique important, soit un docteur de l'Islam ; le chrétien qui doit répondre aux questions portant sur les croyances contraires à celles de l'Islam est presque toujours un dignitaire religieux, patriarche de préférence. Il convient de noter que Jean Damascène, pour sa part, ne donne aucune précision sur les protagonistes du débat qu'il rapporte. Ce genre d'écrit s'est développé très tôt dans les pays sous domination musulmane, principalement en Orient, et de nombreuses controverses de ce type sont mentionnées ou résumées dans les ouvrages de A.-Th. Khoury [1], de G. Tartar [2] et de R. Haddad [3].

Les genres littéraires différents, auxquels appartiennent les deux ouvrages de Jean, développeront parallèlement leur originalité. Leur tendance polémique sera plus ou moins accentuée, en fonction du contexte géographique et du climat politique dans lesquels évolueront les différents auteurs. Ainsi la relative modération que l'on peut relever dans les écrits du Damascène s'explique-t-elle par l'obligation de réserve imposée aux chrétiens de Syrie dans les débuts du VIIIe siècle [4].

1. A.-Th. KHOURY, *Les Théologiens byzantins et l'Islam*, t. 1, Münster 1969.
2. G. TARTAR, *Dialogue islamo-chrétien sous le calife al-Ma'mūm (813-834)*, p. 76-81.
3. R. HADDAD, *La Trinité divine chez les théologiens arabes (750-1050)*, p. 26-37.
4. Si les musulmans arabes ne connaissaient pas le grec, il leur arrivait de se faire traduire des homélies pour savoir ce qui était

*_**

Nous avons fait précéder les textes et leur traduction d'une introduction en six chapitres. Son importance s'explique par la nécessité de mieux faire connaître la personnalité du Damascène, par la particularité des sujets abordés, comme par les nombreux problèmes que soulèvent ces deux écrits.

Un premier chapitre destiné à renseigner sur la période historique et le milieu damascénien rappelle les divisions qui déchirèrent l'Église d'Orient à la suite des querelles christologiques du VIᵉ siècle. Ces luttes ont, en effet, grandement facilité la conquête de la Syrie par les musulmans. Nous essayons également de faire le point sur les rapports qui ont pu s'instaurer entre chrétiens et musulmans après l'installation de ces derniers à Damas, ainsi que sur leur évolution, en particulier après la prise du pouvoir par la dynastie umayyade qui choisit cette ville comme capitale du nouvel empire.

La biographie succincte de Jean Damascène fait l'objet du chapitre suivant et complète notre information sur cette époque. Beaucoup ignorent que ce grand théologien, Père de l'Église d'Orient, a passé toute sa vie en terre d'Islam. Son grand-père, ainsi que son père, ont joué un rôle politique important auprès du calife et figuraient parmi les grands personnages de la cour. Lui-même a exercé de très hautes fonctions dans l'administration musulmane avant de se retirer au monastère de S. Sabas près de Jérusalem. Cette situation privilégiée a permis à notre auteur de connaître l'Islam mieux que ses contemporains et explique comment il a pu apporter aux chrétiens de son temps des informations contrôlées sur la doctrine de cette nouvelle

enseigné, et les autochtones nouvellement convertis pouvaient, eux, comprendre le contenu de ces écrits.

religion. Nous terminons par un rappel de la production littéraire de Jean afin de pouvoir mieux situer les deux textes sur l'Islam par rapport à l'ensemble de son œuvre et d'en fixer les limites.

Le chapitre trois, qui complète cette approche, est consacré à la présentation détaillée des écrits du Damascène sur l'Islam, forme et contenu. Après avoir fait l'inventaire des thèmes qui y sont abordés, nous essayons de reconstituer le plan de chacun de ces textes, tentative un peu artificielle, il est vrai, dans la mesure où l'un comme l'autre sont des ouvrages composites. Elle nous permet cependant de retrouver les idées directrices qui ont guidé notre auteur dans son entreprise.

Les commentaires présentent un développement d'une longueur inhabituelle et forment la matière de deux chapitres : l'un pour « l'Islam », l'autre pour la *Controverse entre un Musulman et un Chrétien*, car nous avons voulu réduire au strict minimum les notes de la traduction afin de ne pas alourdir la lecture. Pour mieux apprécier la qualité des informations apportées par Jean, et donc la valeur de ses écrits sur l'Islam, il nous a fallu confronter continuellement ces deux textes, soit avec les thèses développées dans les autres ouvrages de l'auteur, soit avec le contenu du Coran lui-même, soit encore avec les doctrines soutenues par les différents courants théologiques qui commençaient à se faire jour dans l'Islam à l'époque du Damascène.

Quelques critiques ont soulevé récemment le problème de l'authenticité de ces textes. Nous consacrons le sixième chapitre de l'introduction à l'examen des arguments avancés pour ou contre l'attribution de ces écrits à Jean, afin d'établir dans quelle mesure il est bien l'auteur de « l'Islam », c'est-à-dire de l'hérésie 100, ainsi que de la *Controverse entre un Musulman et un Chrétien*.

L'exposé des principales éditions, une bibliographie succincte reprenant uniquement la liste des articles et des livres utilisés ou cités dans les notes, ainsi qu'un lexique des termes techniques arabes complètent notre ouvrage. Les références aux écrits de Jean se rapportent à l'édition de B. Kotter [1]. Pour les textes non parus dans cette édition les références renvoient à la *PG* de Migne. Nous utilisons la traduction du Coran de R. Blachère pour les citations coraniques non contenues dans le texte lui-même.

Dernières précisions concernant l'orthographe de certains mots : Pour les mots arabes, le système de transcription retenu se trouve dans les pages qui suivent. Les quelques mots arabes transcrits en grec dans les textes de Damascène sont regroupés dans un index. Lorsque le mot prophète prend une majuscule, c'est qu'il s'agit de Mahomet, le Prophète de l'Islam. Enfin, dans la traduction de la *Controverse entre un Musulman et un Chrétien* nous avons mis une majuscule aux mots Musulman et Chrétien lorsque l'on parle des deux interlocuteurs, car ils peuvent, dans ce cas précis, être assimilés à des noms propres.

*
* *

Dans l'introduction de son ouvrage intitulé *Les Sources de la Connaissance* Jean Damascène précise que son apport personnel est minime. Selon lui, il n'aurait fait que procéder à une simple mise en ordre des doctrines sûres définies par les Pères aux premiers siècles de l'Église. Ainsi en est-il pour nous dans ce livre : nous nous sommes contenté d'utiliser les matériaux mis à notre disposition par les spécialistes de Jean Damascène qui nous ont précédés, sans prétendre apporter d'éléments nouveaux, soit sur les écrits eux-mêmes, soit sur leur auteur, notre seule ambition étant de faire connaître le rôle important joué par Jean Damascène dans l'histoire du dialogue islamo-chrétien.

1. B. Kotter est l'auteur de l'édition des Bénédictins de Scheyern.

SYSTÈME DE TRANSCRIPTION
DES MOTS ARABES [1]

ء	'	ض	ḍ
ب	b	ط	ṭ
ت	t	ظ	ẓ
ث	th	ع	'
ج	j	غ	gh
ح	ḥ	ف	f
خ	kh	ق	q
د	d	ك	k
ذ	dh	ل	l
ر	r	م	m
ز	z	ن	n
س	s	ه	h
ش	sh	و	w
ص	ṣ	ى	y

1. Le système de transcription est emprunté, pour l'essentiel, à l'ouvrage de L. GARDET, *La Cité musulmane*, p. 13. Nous y avons ajouté quelques précisions concernant la transcription des voyelles brèves, de l'article, et des diphtongues.

Voyelles de prolongation : ى et ا = ā, و = ū, ي = ī.

Nous n'avons pas transcrit le ة, sauf quand le mot est en annexion ; il se rend alors par t.

Voyelles brèves : ´ = a ; ¸ = i ; ° = u.

L'article ال se rend soit par al, soit par l-.

Transcription des diphtongues :

و´ = aw   ;   سى´ = ay
و´ = wa   ;   كى´ = ya

La forme francisée a été conservée pour les mots les plus courants (Coran, sourate), en particulier pour les noms propres et géographiques (Mahomet, Bagdad).

LISTE DES ABRÉVIATIONS

AB	:	Analecta Bollandiana, Bruxelles.
AHDLMA	:	Archives d'Histoire Doctrinale et Littéraire du Moyen Age.
AS	:	Acta Sanctorum, Paris-Rome.
ASS	:	Acta Sanctorum, Bruxelles.
BSa	:	Bibliotheca Sanctorum, Rome.
Byz	:	Byzantion, Bruxelles.
CSCO	:	Corpus Sciptorum Christianorum Orientalium, Louvain.
CSHB	:	Corpus Sciptorum Historiae Byzantinae, Bonn.
DACL	:	Dictionnaire d'Archéologie Chrétienne et de Liturgie, Paris.
DOP	:	Dumbarton Oaks Papers, Washington.
DSp	:	Dictionnaire de Spiritualité, Paris.
DTC	:	Dictionnaire de Théologie Catholique, Paris.
EIs	:	Encyclopédie de l'Islam, Leyde.
EO	:	Échos d'Orient, Paris.
JA	:	Journal Asiatique, Paris.
JRAS	:	Journal of the Royal Asiatic Society of Great Britain and Ireland, Londres.
MFO	:	Mélanges de la Faculté Orientale, Beyrouth.
MW	:	The Muslim Word, Hartford, Conn.
NEIs	:	Nouvelle Encyclopédie de l'Islam, Leyde.
OC	:	Orientalia Christiana, Rome.
OCA	:	Orientalia Christiana Analecta, Rome.
OCP	:	Orientalia Christiana Periodica, Rome.
PG	:	Patrologia Graeca (J.-P. Migne), Paris.
PL	:	Patrologia Latina (J.-P. Migne), Paris.
POC	:	Proche-Orient Chrétien, Jérusalem.
PTS	:	Patristische Texte und Studien, Berlin-New-York.

RHPR	:	Revue d'Histoire et de Philosophie Religieuse.
RHR	:	Revue d'Histoire des Religions, Paris.
ROC	:	Revue de l'Orient Chrétien.
RevSR	:	Revue des Sciences Religieuses, Strasbourg.
SC	:	Sources Chrétiennes, Paris.
SEIs	:	Shorter Encyclopedia of Islam, Leyde.
SIs	:	Studia Islamica, Paris.

LA SITUATION POLITIQUE ET RELIGIEUSE EN SYRIE ET EN PALESTINE AUX VIᵉ ET VIIᵉ SIÈCLES

1. A la veille de la conquête musulmane

a. *Sur le plan politique*

L'empereur de Byzance et le roi sassanide de Perse sont en guerre. En l'an 610, les Perses, dont la religion nationale est le mazdéisme, envahissent la Syrie et la Palestine. L'occupation, accompagnée de persécutions contre les chrétiens fidèles à Byzance, se poursuit jusqu'à la victoire finale de l'empereur Héraclius et le traité de paix éternelle du 17 Juin 628. Certes la Perse est soumise à Byzance, mais la guerre a affaibli les deux empires et préparé le terrain à la conquête musulmane.

Mahomet suivait ces événements et ne cachait pas sa sympathie pour les chrétiens. A la suite des premiers revers grecs, ces versets de la sourate intitulée *al-Rūm*, c'est-à-dire « les Romains », lui furent révélés : « Les Romains ont été vaincus aux confins de notre terre. (Mais) eux, après leur défaite, seront vainqueurs, dans quelques années. A Allah appartient le sort dans le passé comme dans le futur. Alors les croyants se réjouiront du secours d'Allah. Il secourt qui Il veut. Il est le Puissant, le Miséricordieux [1]. »

b. *Sur le plan religieux*

Depuis les conciles d'Éphèse en 431 et de Chalcédoine en 451 les chrétiens sont divisés en trois Églises qui se haïssent, cherchant chacune l'appui du pouvoir pour éliminer les factions rivales.

• L'Église chalcédonienne

Les partisans du concile de Chalcédoine sont du côté du vainqueur de 628, après avoir été persécutés et déportés par les Perses. C'est l'Église officielle de l'Empire byzantin. Mais la querelle au sujet de la personne du Christ rebondissant en ce début du VIIe siècle, l'Église chalcédonienne se trouve à nouveau secouée par l'hérésie.

Voulant réconcilier les chalcédoniens et leurs adversaires, l'empereur impose une nouvelle doctrine, le monothélisme : s'il y a bien deux natures dans le Christ, il n'y a cependant qu'une seule volonté. Ce compromis satisfait peu de monde et engendre une hérésie supplémentaire. Au lieu de rassembler les chrétiens, l'empereur les divise encore un peu plus [2]. Il met en place à Byzance un

---

1. Coran, 30, 1-4. « Romains » est le nom donné aux Byzantins par les Arabes.
2. L'*Ekthésis* ou « Exposition » a été promulguée en 638. L'Église maronite serait issue de cette hérésie. En 735, le patriarche de Constantinople affirme que les maronites professent le monothélisme condamné en 681 par le 6e concile œcuménique. En 780, le catholicos nestorien rapporte contre eux la même accusation. Jean déclare

patriarche monothéliste. La Syrie et la Palestine, c'est-à-dire les patriarcats de Jérusalem et d'Antioche [1], restent fidèles à l'orthodoxie chalcédonienne et se trouvent donc pour le moment en opposition avec l'empereur.

L'Église fidèle au concile de Chalcédoine, qui sera appelée par la suite melkite, est implantée dans les grandes villes de Syrie, ainsi que dans toute la partie centrale et méridionale du pays et sur la côte. Ces chrétiens sont de culture grecque, à l'exception des Arabes sédentarisés qui résident dans le sud du pays.

● L'Église monophysite ou jacobite

Les monophysites sont les disciples et les héritiers de l'école d'Alexandrie. A la suite d'Origène et de Cyrille, ils optent pour une exégèse allégorique et mystique des Écritures, et se trouvent en opposition avec l'école d'Antioche au sujet de la nature du Christ. Au concile d'Éphèse en 431 les monophysites l'emportent. Mais par la suite Euthychès, le patriarche de Byzance, radicalise la doctrine de Cyrille, affirmant qu'il y a une seule nature dans le Christ. Il est condamné en 451 au concile de Chalcédoine. Dans les années qui suivent le concile, les chalcédoniens et anti-chalcédoniens ont, tour à tour, l'appui de l'empereur. Le patriarche Sévère d'Antioche peut ainsi faire passer au monophysisme, entre 512 et 518, la totalité de la hiérarchie de Syrie et d'Égypte. L'empereur Justinien désorganisera cette première Église monophysite.

également les maronites hérétiques dans le *De Hymno Trisagio*, *PTS* 22, p. 313, sans préciser toutefois, en quoi consiste leur erreur. Quant à l'Église maronite, elle se défend d'avoir eu des déviations doctrinales au cours de son histoire. Cf. P. Dib, art. « Maronites », *DTC* 10, 1re partie, c. 8-27.

1. Il en est de même pour le patriarcat d'Alexandrie.

Sur la demande des Arabes monophysites du désert de Syrie, alliés à l'empereur de Byzance, Jacques Baradée est sacré évêque d'Édesse en 543. Organisateur infatigable, Jacques consacre sa vie à mettre sur pied une nouvelle hiérarchie qui doublera la hiérarchie chalcédonienne. En souvenir de son fondateur cette Église sera appelée jacobite. Ce sont les jacobites qui donneront aux chalcédoniens le surnom de melkites, c'est-à-dire de partisans de l'empereur de Byzance, afin d'éveiller contre eux les soupçons du conquérant arabe. Ils répondent ainsi aux persécutions subies de la part des Byzantins. Quatre siècles plus tard le patriarche jacobite Michel le Syrien (+ 1126) célèbre la conquête musulmane comme une libération du joug de Byzance : « Le Dieu des vengeances, écrit-il, nous délivra par les Ismaélites des mains des Romains [1]. » C'est-à-dire, des Byzantins.

Grecs de culture à l'origine, les jacobites optent au VIe siècle pour la langue locale et font du syriaque, qui est le dialecte araméen d'Édesse, une langue liturgique et culturelle, traduisant du grec les textes philosophiques et scientifiques anciens. Leur territoire se trouve partagé en deux zones d'influence. Au nord de la Syrie, dans la région qui s'étend d'Antioche aux rives de l'Euphrate, nous avons un groupe jacobite important, d'origine byzantine, avec Édesse pour centre principal. C'est le bastion de l'Église jacobite. La deuxième branche est constituée par les Arabes nomades du désert de Syrie. Leurs tribus, utilisées par l'empereur pour faire tampon entre l'Empire byzantin et la Perse, sont organisées en un royaume, le royaume ghassānide, dont la capitale est Bosra, petite ville située au sud de Damas. Nous avons vu ces chrétiens arabes intervenir auprès de l'empereur pour faire sacrer évêque Jacques Baradée. A leur intention, l'Église jacobite ordon-

---

1. Cité par J. Hajjar, *Les Chrétiens uniates*, p. 92. On remarquera que Michel le Syrien appelle encore les musulmans « Ismaélites ».

ne des prêtres nomades illettrés. C'est une hiérarchie un peu fruste mais bien adaptée aux besoins des bédouins. Le royaume ghassānide est donc peuplé d'Arabes nomades, de religion jacobite, mais au service de l'empereur byzantin, chalcédonien ou monothélite, selon l'époque.

● L'Église nestorienne ou Église de Perse

Se rattachant à l'école d'Antioche, elle distingue nettement deux natures dans le Christ et insiste sur cette double nature. Ainsi le patriarche de Constantinople Nestorius refuse-t-il de donner à la Vierge le titre de « mère de Dieu », soutenant qu'elle n'est que la mère de l'homme Jésus. En 431, Nestorius est condamné par le concile d'Éphèse et déposé. L'Église qui regroupe ses partisans portera désormais le nom du patriarche déchu, et ses membres doivent chercher refuge en Mésopotamie située alors en territoire perse. Les monophysites, responsables de la condamnation de Nestorius, deviendront leurs ennemis mortels. Édesse ayant été conquise par les Byzantins, les nestoriens fuient à Nisibe, puis s'établissent enfin à Séleucie. Pour cette raison leur Église prendra également le nom d'Église de Perse. Minoritaires, ils se trouveront fréquemment dans une situation difficile, car la religion nationale est celle de Zoroastre. Le rejet de tout ce qui vient de Byzance les amène à adopter la langue syriaque, un siècle avant leurs ennemis jacobites.

Les nestoriens, peu avant la conquête musulmane, évangélisent les tribus arabes clientes du roi de Perse, elles aussi organisées en un royaume, connu sous le nom de royaume lakhmide, dont le territoire s'étend du Bas Irak actuel jusqu'au centre de l'Arabie. La capitale, Ḥira, se trouve en relation permanente avec les milieux commerçants de la Mecque, des caravanes reliant régulièrement les deux villes. Pendant l'occupation de la Syrie par les Perses, les chrétiens nestoriens ont participé activement au pillage du pays, encourageant les persécutions contre leurs ennemis jacobites et melkites.

Donc, au moment de la conquête musulmane, vers 632, la Syrie et la Palestine sont fraîchement reconquises par un Empire byzantin épuisé. Cette région est secouée depuis plus de deux siècles par les querelles christologiques. Les chrétiens sont divisés en trois Églises qui se haïssent : l'Église fidèle au concile de Chalcédoine soutenue par le pouvoir impérial, l'Église jacobite qui vient d'être réorganisée, et l'Église nestorienne réfugiée en Perse. Le désert de Syrie, la Transjordanie et le sud de l'Irak (qui était alors la Perse) sont peuplés, depuis plusieurs siècles déjà, par des Arabes christianisés, partagés entre ces différentes communautés [1].

Les chrétiens sont divisés au sujet du Christ. Or, voici qu'arrivent du Sud d'autres Arabes, prêchant une nouvelle religion pour les Arabes, qui parle, elle aussi, de Jésus. Les Arabes chrétiens sont donc tout disposés à accueillir ce qu'ils perçoivent comme une nouvelle version du christianisme, prêchée spécialement pour eux, dans leur propre langue.

2. La conquête musulmane et les quatre premiers califes (632-661)

Mahomet meurt en 632. Dès l'année suivante, Ḥīra, capitale du royaume arabe client de la Perse, se livre aux musulmans sans combat. Saint Sophrone, patriarche chalcédonien de Jérusalem, négocie la reddition de cette

---

1. Nous ne parlons que des trois principales doctrines, mais comme le souligne un historien arabe : « Quand 10 chrétiens se réunissaient, ils formaient 11 opinions différentes » (M. HAYEK, *Le Christ de l'Islam*, Paris 1959, p. 11).

ville en 636, tandis que Manṣūr Ibn Sarjūn, le grand-père de Jean Damascène, règle vraisemblablement celle de Damas. La même année, la bataille du Yarmūk ouvre la route pour la conquête du nord de la Syrie jusqu'à Antioche et Édesse. La frontière avec le monde byzantin est ainsi pratiquement fixée pour plusieurs siècles [1]. En 638, la Syrie se trouve sous domination musulmane ainsi que la Perse, et les Grecs évacuent Alexandrie en 642. Il n'aura donc fallu que dix ans aux combattants de l'Islam pour soumettre toute cette région.

La situation que nous avons décrite précédemment — forte implantation arabe, Empire byzantin affaibli, Église déchirée — explique pour une bonne part la rapidité de cette invasion. Mais il faut tenir compte également de l'attitude des musulmans à l'égard des populations nouvellement soumises. En effet, les « Gens du livre », c'est-à-dire essentiellement les chrétiens et les juifs, bénéficient du statut de protection, négocié pour la première fois par saint Sophrone lors de la prise de Jérusalem [2]. Il s'agit d'un contrat passé entre le vainqueur et les représentants officiels des communautés chrétiennes ou juives locales. L'accord conclu à Jérusalem servira de modèle pour les autres villes.

En quoi consiste exactement le statut de *dhimmī* ou de « protégé » ? Moyennant promesse de soumission et de paiement d'un tribut annuel, la sécurité des personnes et des biens est assurée, ainsi que la liberté religieuse. De ce fait, Jérusalem, troisième ville sainte de l'Islam, ne subit

1. A l'exception d'Antioche qui sera reconquise et restera byzantine de 970 à 1070.
2. Le sort des non-musulmans n'avait pas été précisé par le Coran. En cas de vide juridique, la loi musulmane s'appuie sur l'exemple du Prophète. Or, lorsqu'il a conquis Najran, Mahomet a garanti aux chrétiens (qui étaient Nestoriens ?) la libre pratique du culte et l'absence d'humiliation en échange d'un tribut raisonnable. Cf. L. GARDET, *La Cité musulmane*, p. 344-345.

aucun pillage et ses habitants ne sont pas inquiétés. Ce qui
n'avait pas été le cas lors de l'arrivée des Perses quelques
années plus tôt, et l'attitude des musulmans tranche
singulièrement sur celle des croisées lorsqu'ils prendront
cette même ville [1]. Il convient cependant d'ajouter que la
tolérance religieuse est imposée par une nécessité d'ordre
économique. Les musulmans sont des conquérants et des
militaires, pas des administrateurs, ni des artisans ou des
paysans. De plus, il leur faut financer l'armée qui poursuit
ses conquêtes. Les *dhimmī*, soumis et protégés, travaillent
et financent les opérations militaires. Pour maintenir une
plus grande stabilité dans les territoires conquis, les
musulmans ne changent rien à l'organisation administrati-
ve mise en place par les Byzantins et maintiennent le grec
(et le persan) comme langue officielle.

L'accueil réservé aux conquérants par les populations
locales varie selon les Églises et les ethnies. Les melkites,
grecs de culture dans leur grande majorité, ont la
malchance de perdre saint Sophrone peu après la chute de
Jérusalem. On assiste à une fuite de la hiérarchie et d'une
partie des fidèles en direction du territoire resté byzantin.
Le patriarche d'Antioche réside désormais à Byzance, et
cette Église complètement désorganisée reste sans chef
pendant soixante ans environ. D'autre part lorsque les
musulmans reprennent la guerre contre l'Empire byzantin,
ils tiennent leurs sujets d'origine grecque en suspicion.
Cette situation inconfortable ne prendra fin qu'avec

---

1. L'historien arabe Ibn al-Athīr raconte que pendant les journées
du 15 et 16 Juillet 1099 les croisés défoncèrent toutes les portes et
tuèrent tous ceux qui leur tombèrent sous la main : hommes, femmes
et vieillards. Les juifs furent enfermés dans la synagogue à laquelle
on mit le feu. Il souligne que les croisés s'acharnèrent particulièrement sur les *Imām* et les *'ulamā'*, profanèrent les mosquées et
détruisirent les livres saints des musulmans. Cf. A. MAALOUF, *Les
Croisades vues par les Arabes*, Paris 1983, p. 12.

l'arabisation de l'Église melkite et l'acceptation définitive du nouveau régime.

Les tribus arabes chrétiennes font bon accueil à leurs frères venus du Sud avec lesquels elles s'étaient déjà trouvées en relation par le passé. Plusieurs d'entre elles avaient été persécutées par Byzance pour leur foi « hérétique », et les nouveaux arrivants apparaissent donc comme des libérateurs. Nous avons vu quelle était l'opinion de Michel le Syrien. De plus, comme elle reprenait les histoires d'Abraham, de Moïse et de Jésus, la nouvelle religion pouvait apparaître comme une nouvelle variante du christianisme, une de plus. Il y a même des conversions à l'Islam, car une similitude ethnique de même qu'une langue et des coutumes communes rapprochent ces chrétiens des musulmans.

Les motifs de conversion sont loin d'être toujours purs. Il ne faut pas oublier qu'en terre d'Islam le gros de l'impôt ne frappe que les « Gens du Livre », c'est-à-dire les chrétiens et les juifs. Pour y échapper certains se font musulmans, ainsi que le déplore le catholicos nestorien dans une lettre à un évêque de Perse, datant de l'année 650 : « Les Arabes ne combattent point notre croyance chrétienne. Ils manifestent une bienveillance à l'égard de notre religion... Pourquoi votre peuple, les fidèles de Marou [1], ont-ils renoncé à leurs croyances? Pourquoi ceci est-il advenu alors que les Arabes ne les ont point contraints à apostasier comme en témoignent les habitants de Marou eux-mêmes? Les Arabes ne se sont-ils point imposé de respecter notre religion et la croyance de nos fidèles si nous leur payons une part de notre commerce? Mais ils ont délaissé la religion qui leur vaut le salut

---

1. Il faut lire Mazūn et non Marou. Mazūn est le nom persan d'Oman, évêché qui dépendait de la province nestorienne du Fars, bien que situé de l'autre côté du golfe persique. Cf. J.-M. FIEY, « *Īšōʿyaw* le Grand », *OCP* 36, 1970, p. 33.

éternel, pour conserver une partie des accidents de cette terre passagère ; cette religion qu'ont achetée et qu'achètent tous les jours des peuples entiers en versant leur sang pour gagner la vie éternelle. Votre peuple de Marou a apostasié délibérément pour conserver une part de son commerce et pour ce qui est encore moins que cela... [1] ».

Nous avons tenu à citer un large extrait de cette lettre pastorale autant pour illustrer notre propos sur les motifs de conversion que pour souligner la tolérance des musulmans à l'égard des autres religions. Mais il ne faudrait pas en déduire que les populations conquises se sont converties à l'Islam uniquement pour des préoccupations d'ordre économique. Ainsi l'ensemble du corps épiscopal du Baḥrayn, région située sur la côte est de la péninsule arabique, est passé à l'Islam dès l'arrivée des musulmans pour des motifs tout à fait différents. On peut conclure en disant qu'il y aura au cours des siècles une assimilation progressive, tout à fait logique. Mais pour nuancer cette constatation, il convient cependant de ne pas oublier qu'il subsiste encore de nos jours des communautés arabes chrétiennes bien vivantes, vestiges de ces grandes Églises d'Orient du VIIe siècle [2].

---

1. Cité par J. HAJJAR, *Les Chrétiens uniates*, p. 75. Le catholicos Ischoyahb III, dans une lettre datée de 647, flétrit la lâcheté des chrétiens d'Oman qui abandonnaient leur foi, non pas sur l'injonction des musulmans, ni sous la menace des tortures, mais pour ne pas payer tribut de la moitié de leurs biens. Dans cette même lettre il ajoute : « Ces Arabes, auxquels Dieu a donné pour le temps présent l'empire du monde, sont aussi, comme vous le savez, tout près de nous ; et non seulement ils n'attaquent pas la religion chrétienne, mais ils font l'éloge de notre foi, honorent les prêtres et les saints du Seigneur et accordent leur bienfait aux églises et aux monastères. » A. AGRAIN, art. « Arabie », c. 1307.

2. Il est difficile d'évaluer le nombre des chrétiens orientaux arabisés. Leur division entre uniates et orthoxes s'ajoute à l'extrême morcellement de ces petites communautés entre les différents pays du Proche-Orient et à une diaspora importante à travers le monde

3. Damas, capitale de l'Islam : les califes umayyades (661-750)

L'année 661 est une date importante dans la vie de l'Islam et marque un tournant dans les rapports entre chrétiens et musulmans. Ces derniers sortent momentanément d'une guerre fratricide et se retrouvent, eux aussi, déchirés entre trois grands groupes rivaux. Mu'āwiya, le gouverneur de Damas, sort vainqueur du conflit : ses partisans prendront par la suite le nom de sunnites [1]. Les vaincus, fidèles à 'Alī, le calife destitué, sont appelés shī'ites [2]. Enfin ceux qui ont refusé de se soumettre à l'arbitrage du Coran se nomment les khārijites [3]. Si les

entier. De plus, les gouvernements musulmans ont pris la fâcheuse habitude de sous-estimer systématiquement le chiffre de la population chrétienne dans leurs pays respectifs. J. Hajjar, qui consacre le chapitre IV de son livre à la situation actuelle des chrétiens d'Orient, donne les chiffres suivants pour les seuls uniates : 180 000 chaldéens (c'est le nom actuellement donné aux nestoriens rattachés à Rome) ; 600 000 maronites ; 250 000 melkites ; moins de 100 000 syriaques (anciennement jacobites) ; 80 000 coptes catholiques (mais on estime à plus de 4 millions les coptes orthodoxes). Cf. également P. RONDOT, Les Chrétiens d'Orient, Paris 1957.

1. Les sunnites ou ahl al-sunna (« ceux qui suivent la tradition ») forment les trois-quarts de la communauté musulmane. Ce n'est qu'à la fin des temps umayyades et au début de l'ère 'abbāside que les sunnites prirent conscience d'eux-mêmes en tant que communauté distincte, en opposition, précisément, aux dissidences minoritaires des khārijites et des shī'ites. Cf. L. GARDET, Les Hommes de l'Islam, p. 246-247.

2. Shī'ite vient de shī'a qui signifie partisan (dans le cas présent de 'Alī). Cette importante communauté est implantée essentiellement en Iran, en Irak, au Liban et au Pakistan. Elle a donné naissance à de nombreuses sectes : les Ismaéliens qui ont pour chef l'Aga Khan ; les Zaydites du Nord-Yémen ; les Druzes et les 'Alaouites établis dans les montagnes du Proche-Orient.

3. Les Khārijites (mot qui vient de Kharaja : sortir) ont refusé d'accepter l'arbitrage qui mettait fin à la bataille de Ṣiffīn au cours de

chrétiens sont divisés sur la personne du Christ et sur sa
nature, les musulmans le sont, eux, sur le fait de savoir qui
doit être le successeur légitime du Prophète, c'est-à-dire
qui doit être calife. Un tel problème peut nous paraître
purement politique à nous occidentaux, mais le calife étant
à la fois chef politique et responsable religieux de la
communauté musulmane, il n'existe pas de coupure entre
les deux domaines. De graves discussions théologiques
prendront directement leur source dans des débats de cette
nature.

Mu'āwiya instaure un régime héréditaire, résolvant ainsi
le problème de sa succession, et choisit Damas comme
nouvelle capitale d'un empire musulman qui s'étendra,
vers la fin de cette dynastie, des frontières de la Chine
jusqu'aux Pyrénées. Durant toute cette période les conquêtes se poursuivent, à l'Est comme à l'Ouest, tandis qu'au
Nord la guerre continue avec le voisin byzantin [1]. Les
tribus chrétiennes jacobites participent activement aux
combats contre Byzance, brandissant la croix et la bannière
de saint Georges au milieu de la mêlée. Damas est une ville
à majorité chrétienne. Les musulmans y sont peu nombreux, et pour organiser leur empire ils doivent nécessairement s'appuyer sur les gens compétents vivant dans les
pays nouvellement soumis. Les conquérants font preuve
d'un grand réalisme à ce sujet. En Syrie, les fonctionnaires

laquelle les musulmans se sont affrontés pour la première fois. Très
puissant jusqu'au IXᵉ siècle, ce courant est pratiquement éteint de
nos jours, et ne subsistent que quelques petits groupes d'adeptes : les
Mozabites en Algérie, les habitants de Djerba en Tunisie, la majorité
des citoyens de l'émirat d'Oman-Mascate dans la presqu'île arabique
et quelques tribus du Djebel Nafusa en Libye.

1. Byzance, assiégée chaque année de 674 à 680 ne sera sauvée que
par le feu grégeois. Les razzias contre l'Asie Mineure reprendront
sous 'Abd al-Malik (685-705). 'Umar II assiégera une dernière fois
Byzance, 1800 navires transportant les troupes nécessaires à l'encer-
clement.

chrétiens sont laissés en place, la langue étant maintenue comme langue officielle de l'administration[1]. Au-delà du statut légal de *dhimmī* qui fixe à chacun ses droits et ses devoirs, il s'instaure dans la vie de tous les jours, y compris à la cour du calife, des rapports de bon voisinage entre tous ces gens. Ainsi parle-t-on même d'amitié entre Sarjūn, le père de Jean Damascène, et le futur calife.

Les musulmans avaient déjà connu des chrétiens à la Mecque et en Arabie, mais c'étaient des gens frustes et illettrés, tels les prêtres jacobites du désert de Syrie. La grande nouveauté est qu'à Damas, pour la première fois, l'Islam se trouve confronté à une réflexion théologique et à une technique d'exégèse bien élaborées, enrichies par une recherche longue de plusieurs siècles. De plus, à cette époque, la théologie n'est pas l'apanage d'une poignée d'initiés : les controverses étant publiques, chacun se passionne pour ces débats, et les querelles de théologiens dégénèrent parfois en de véritables émeutes populaires[2]. Or le contact avec la pensée chrétienne s'établit juste au moment où les premières questions commencent à se poser aux musulmans, à la suite de la lutte qu'ils viennent de se livrer pour la prise du pouvoir. On voit ainsi s'élaborer les

---

1. « Ce sont les mêmes hommes (les chrétiens) qui gardaient le savoir-faire et faisaient fonctionner l'administration. Les Arabes méprisant la langue des vaincus, les chrétiens s'arabisèrent et gardèrent leurs postes. » M. GAUDEFROY-DEMOMBYNES, *Le Monde musulman*, p. 235-236. Il en fut de même en Perse ; cf. Cl. CAHEN, *L'Islam des origines au début de l'Empire ottoman*, p. 35.

2. Au IVe siècle déjà, le peuple manifestait un engouement exagéré pour les querelles théologiques. Aussi Grégoire de Nysse se moque-t-il du boulanger qui veut montrer à son client que le Père est plus grand que le Fils et en oublie de vendre son pain, du changeur qui parle de l'Engendré et de l'Inengendré au lieu de donner le cours de l'argent, ou de l'employé des thermes qui tient à vous démontrer que le Fils est issu du néant avant de vous laisser prendre votre bain. GRÉGOIRE DE NYSSE, *Sur la divinité du Fils et de l'Esprit-Saint*, *PG* 46, c. 557 b.

premiers éléments de ce qui deviendra par la suite la théologie musulmane ou « ʿilm al-kalām » :

- L'homme est-il libre de ses actes ou tout est-il prévu par Dieu ? Dans le dernier cas, la prise du pouvoir par les umayyades a été voulue par Dieu. C'est naturellement cette thèse qui sera soutenue par l'autorité califale de Damas.

- Les musulmans se sont battus entre eux, ce qui est une faute grave. Alors, qui est bon musulman ? Qui est pécheur ? Quel est le statut de ce dernier : peut-il encore être considéré comme appartenant à la communauté musulmane ?

- Les querelles entre chrétiens au sujet du Christ, Parole de Dieu, amènent les musulmans à réfléchir sur le Coran : la Parole de Dieu est-elle créée ou incréée ? Est-elle un attribut de Dieu ?

Damas devient ainsi un creuset dans lequel l'échange et la collaboration entre musulmans et chrétiens s'établissent dans tous les domaines. Mais les relations vont évoluer, soit en fonction des circonstances, comme la reprise de la guerre contre Byzance, soit en fonction de la personnalité du calife. Un regard rapide sur le règne des différents califes umayyades va nous permettre de voir dans quel sens se fait cette évolution.

Muʿāwiya, calife de 661 à 680, fréquente beaucoup les chrétiens et les utilise à son service. A une certaine période, sa femme favorite est jacobite. Chrétiens également le précepteur de son fils et le médecin à qui il confie sa vie. Le poète officiel de la cour est le célèbre Akhṭal, Arabe monophysite. Le grand-père de Jean Damascène, Manṣūr Ibn Sarjūn, exerce une des plus hautes fonctions dans l'administration. La bonne disposition du calife va jusqu'à faire reconstruire une église d'Édesse détruite lors d'un tremblement de terre. Son successeur Yazīd Ier (680-

683) garde Manṣūr comme « ministre », fait également confiance à un médecin chrétien et charge un moine de l'éducation de son fils.

'Abd al-Malik règne de 685 à 705. Avec lui le climat favorable aux chrétiens commence à se dégrader. Cette évolution est due pour une part à la reprise des combats avec Byzance. Il réduit les libertés accordées jusqu'ici et prend un édit fiscal qui pèse lourdement sur les épaules des « Gens du Livre ». L'arabisation de l'administration est décidée, mesure importante par ses conséquences pour les fonctionnaires chrétiens. Malgré tout, il confie son frère, le futur calife, à un chrétien, et choisit le père de Jean Damascène comme responsable des finances.

On attribue à Walīd Ier (705-715) la confiscation de l'église Saint-Jean-Baptiste de Damas. Au cours de la guerre qui vient de reprendre avec Byzance, il ordonne le massacre de prisonniers, et cherche à convertir de force à l'Islam la tribu arabe jacobite des Banū Taghlib qui se bat à ses côtés. Il y a des martyrs. Les chrétiens sont chassés peu à peu du gouvernement. Pour garder leur poste, de nombreux fonctionnaires se convertissent à l'Islam. Mais l'Église melkite s'arabise elle aussi progressivement et regarde de moins en moins du côté de Byzance. Cette évolution permet au calife, en 706, de nommer un patriarche à Jérusalem, dont le siège était resté vacant depuis la mort de S. Sophrone.

'Umar II (717-720) est un calife pieux. Son zèle religieux entraîne des conditions de vie difficiles pour les non-musulmans. Contrairement aux autres califes, il encourage les conversions malgré les difficultés financières entraînées par cette politique, les *dhimmī* étant les principaux contribuables. De plus, les « Gens du Livre » sont définitivement exclus de toutes les fonctions dans l'administration et des mesures d'humiliation sont mises en application : obligation de porter des vêtements distinctifs et de prier à voix basse, défense d'ériger de nouveaux lieux de culte.

Malgré cette politique radicale, en guise de compensation pour l'église Saint-Jean confisquée par son prédécesseur, ʿUmar restitue l'église Saint-Thomas qui avait été transformée en mosquée. Selon l'historien jacobite Denis de Tell-Mahré, Yazīd II aurait pris en 723 un édit ordonnant la destruction des images [1]. Il ne s'agit pas d'intervention dans la querelle iconoclaste qui ne débutera qu'en 730 avec l'édit de l'empereur Léon III contre la vénération des images. Cette mesure est la stricte mise en application de la loi musulmane qui interdit les représentations figurées d'êtres animés [2].

Si Hishām (724-743) pourvoit le siège patriarcal d'Antioche d'un titulaire résidentiel, Walīd II (743-744) fait couper la langue de ce même patriarche et l'exile pour avoir prêché contre l'Islam. Un traitement identique est infligé au métropolite de Damas [3]. Marwān II accepte en 745 l'élection d'un autre patriarche à Antioche.

Ainsi évolue l'attitude du pouvoir musulman à l'égard

---

1. B. Chabot, « *Chronique* » *de Denis de Tell Mahré*, Édition et traduction française, Paris, 1895.

2. Cette attitude est logique, car l'Islam avait dû, pour s'imposer, combattre les idoles. Dans les premiers temps de l'Église, les chrétiens se méfiaient également beaucoup de la représentation de Jésus et des saints. Les sculpteurs convertis devaient abandonner leur métier. Il faudra attendre plus de deux cents ans pour observer un changement d'attitude. Au IVe siècle encore, Eusèbe considère que c'est faire œuvre d'idolâtrie que de peindre l'image des saints et même du Christ. Toujours au IVe siècle, si Basile de Césarée, en Cappadoce, accepte la peinture de fresques pour l'édification des fidèles, le concile d'Elvire rappelle qu'il n'est pas permis de peindre sur les murs ce qui est l'objet de culte et d'adoration.

3. Le martyrologe cite trois personnages du nom de Pierre, à peu près contemporains, entre lesquels il semble qu'il y ait eu parfois confusion : Pierre de Capitolias, martyrisé en 715, après avoir été interrogé en un lieu appelé Maïouma, situé au nord de Damas ; Pierre, évêque de Maïouma, ville du littoral palestinien ; enfin Pierre, le métropolite de Damas. Cf. Peeters, « La Passion de S. Pierre de Capitolias », *AB* LVIII, 1939, p. 299-333.

des chrétiens sous la dynastie umayyade. Leur élimination progressive de la vie publique et le durcissement dans l'application du statut officiel vont en faire des citoyens de seconde zone. Face à cette situation, l'Église melkite, réalisant qu'elle ne peut plus espérer le retour des Byzantins, accepte une collaboration loyale avec les nouveaux maîtres. Son arabisation entraîne la reconnaissance officielle par le pouvoir califal et permet la nomination à Jérusalem, à Antioche, ainsi qu'à Alexandrie, d'un patriarche arabe-melkite et non plus byzantin.

L'impossibilité de rester fonctionnaire provoque le passage à l'Islam de chrétiens désireux de conserver leur poste. En revanche, la querelle au sujet des images épargne l'Église melkite qui échappe à l'autorité de l'empereur, accédant à une certaine indépendance à l'égard de l'autorité civile. Devenue un peu marginale du fait des circonstances politiques, cette Église ne vit pas pour autant repliée sur elle-même, mobilisant ses forces vives pour combattre les erreurs dogmatiques et défendre la vraie foi. Ainsi les trois patriarches prennent-ils position contre l'iconoclasme avec une parfaite unanimité, attitude courageuse, car le maître du moment, en bon musulman, est défavorable lui aussi à la vénération des icônes. Et paradoxalement, malgré toutes ces circonstances défavorables, le viiie siècle représente pour l'Église melkite la période la plus brillante de son histoire et le siècle d'or de sa pensée théologique.

Comment se présente donc la situation des chrétiens de cette province dans la première moitié du viiie siècle ? La Syrie, définitivement conquise, est devenue le centre du monde musulman, du moins sur le plan politique. On assiste à une islamisation progressive de la population autochtone, mais le pouvoir, qui a peur de voir fondre ses revenus, freine en général ce mouvement de conversion. Le remplacement de la langue grecque par la langue arabe se poursuit. Le rapport de forces entre les différentes communautés chrétiennes est stabilisé, maintenant que le bras séculier de l'empereur ne peut plus intervenir pour favoriser l'une ou l'autre des doctrines [1]. Le statut juridique des chrétiens en terre d'Islam se précise de plus en plus : on peut affirmer que la garantie des personnes et des biens ainsi que la liberté du culte sont assurées, dans la mesure où les chrétiens se soumettent aux obligations de réserve qui leur sont imposées, dans le cadre d'un pacte qui fixe aux différentes communautés leurs droits et leurs devoirs réciproques [2].

C'est dans ce cadre politique et religieux qu'a vécu Jean Damascène, en Syrie puis à Jérusalem. Cet environnement peu favorable ne l'a pas empêché de devenir le plus beau fleuron de l'Église melkite et de prendre place parmi les principaux docteurs honorés par l'Église universelle.

---

1. Les umayyades de Damas épouseront des femmes arabes monophysites et donneront leur préférence aux jacobites pour des raisons familiales et culturelles. Les califes 'abbāsides de Bagdad favoriseront les nestoriens, se sentant plus proches de leur doctrine christologique.

2. Pour le statut de *dhimmī*, voir l'étude qui lui a été consacrée par L. GARDET, *La Cité musulmane*, Annexe II, Paris, 1961, p. 344-349. A consulter également : A. FATTAL, *Le Statut légal des non-musulmans en terre d'Islam*.

CHAPITRE II

JEAN DAMASCÈNE

1. Sa vie

a. *Les sources*

Les biographies anciennes de Jean sont nombreuses. La plus importante a été rédigée en arabe[1], sans doute au ixe siècle, et traduite en grec par un certain Jean, patriarche de Jérusalem[2]. Cette traduction se trouve dans la *PG* de Migne, en introduction aux écrits du Damascène[3]. Il existe d'autres récits plus courts : Une *Vita*

---

1. Éditée par C. Bacha, *Biographie de saint Jean Damascène, texte original arabe*, Harissa 1912. Le titre arabe complet est : *Sīrat al-qiddīs yūḥannā al-dimashqī al-aṣliyya tasnīf al-rāhib mīkhāʿīl al-samʿānī al-anṭākī*, c'est-à-dire : « Original de la vie de saint Jean Damascène, composée par le moine Michel de S. Simon d'Antioche ». Selon M. Hemmerdinger, « La *Vita* arabe de saint Jean Damascène et BHG 884 », *OCP* XXVIII (1962), p. 422-423, cette *Vita* est une œuvre anonyme, écrite entre 808 et 869. Michel n'aurait composé que l'introduction. Dans notre étude nous appelons ce texte la *Vita* arabe.

2. Sur l'auteur de cette traduction, cf. D. J. Sahas, *John of Damascus*, p. 53, note 2.

3. *PG* 94, c. 429-490. Quand nous parlons de la *Vita* grecque de Jean Damascène, c'est à ce texte que nous faisons référence.

Marciana [1], datant du XIe siècle, d'auteur inconnu ; une *Vita* rédigée au XIIIe siècle par Jean Merkuropoulos, patriarche de Constantinople, ainsi qu'une autre *Vita* anonyme [2]. Enfin, un dernier ouvrage de Constantin Acropolite est connu sous le titre de *Sermo in S. Joannem Damascenum* [3]. Les textes grecs sont étroitement tributaires de la *Vita* arabe, et ils nous fournissent peu de renseignements originaux sur la vie de Jean. Toutes ces biographies relèvent du genre hagiographique. Si nous ne devons pas les négliger, il est nécessaire de les utiliser avec prudence, et de bien faire la part entre ce qui relève de l'histoire et ce qui tient de la légende, aussi merveilleuse soit-elle.

Des informations complémentaires sur Jean, sa famille et son milieu sont rapportées par les chroniqueurs de langue grecque et syriaque. De religion jacobite, ces derniers adoptent une attitude systématiquement hostile à la famille du Damascène, tandis que les écrivains grecs, favorables à l'iconoclasme, ne cherchent pas à dissimuler la haine qu'ils éprouvent à l'égard de Jean, leur ennemi implacable. Il convient donc d'accueillir leur témoignage avec beaucoup de prudence. Les historiens arabes ont décrit la conquête de Damas et narré la vie en Syrie sous les ummayades. Ils nous fournissent, eux aussi, des renseignements précieux sur l'époque où Jean et sa famille y vivaient [4].

Malgré l'abondance de documents, nous sommes incapa-

---

1. Éditée par M. GORDILLO, « Damascenica, I. Vita Marciana », *OC* VIII (1926), p. 60-68.

2. Les deux ont été éditées par A. PAPADOPOULOS-KERAMEUS, *Analecta Hierosolymitikes Stachyologias*, t. IV, Bruxelles (1953), p. 271-302 et 305-350.

3. *PG* 140, c. 812-885.

4. Nous donnerons les références au fur et à mesure que nous citerons ces auteurs. Pour la période umayyade en général, voir Cl. CAHEN, *L'Islam*, p. 29-44.

bles de dater avec exactitude les grands événements qui
ont marqué l'existence de notre auteur. La date de sa
naissance ne nous est pas mieux connue que celle de sa
mort, et l'on ne peut préciser l'année de son départ pour le
monastère de S. Sabas, pas plus que le jour de son
ordination. Il reste toutefois possible de reconstituer les
grandes étapes de la vie de Jean et d'en donner une
description qui doit, somme toute, être assez conforme à la
vérité historique [1].

b. *La famille de Jean Damascène*

Jean est né dans une famille de hauts fonctionnaires
chargés de collecter l'impôt pour le compte de l'empereur
byzantin [2]. Comme la grande masse des habitants de la
province, sa famille était sans doute d'origine syrienne [3].
Mais si la population, dans sa majorité, parlait un dialecte
araméen et suivait la religion jacobite, l'élite des grandes
villes, dont les parents de Jean, était imprégnée de culture
grecque et très attachée à l'orthodoxie chalcédonienne [4].

1. Les principaux biographes contemporains sont : M. Jugie, art.
« Jean Damascène », *DTC* 8 (1924), c. 693-751 ; H. Leclercq, art.
« Jean Damascène (saint) », *DACL* 7 (1927), c. 2186-2190 ;
J. Nasrallah, *Saint Jean de Damas, son époque, sa vie, son œuvre*,
Harissa 1950 ; J.-M. Sauget, « Giovanni Damasceno, santo », *BSa* 6
(1965), p. 732-739 ; D. J. Sahas, *John of Damascus on Islam*, Leyde
1972.
2. J. Nasrallah, *Saint Jean de Damas*, p. 14, nous apprend que
Manṣūr était « logothète de la fonction publique », et il précise, à la
page 9, que « ses attributions se limitaient à la seule province de
Phénicie Libanaise dont Damas était la ville principale », c'est-à-dire
pour les Arabes le *Djund* de Damas. « En Syrie, tôt, les troupes sont
administrativement réparties en quatre circonscriptions ou *Djund*
(pl. adjnād) correspondant sans doute à peu près à des provinces
byzantines » (Cl. Cahen, *L'Islam*, p. 24).
3. J. Nasrallah, *Saint Jean de Damas*, p. 14-16, pense qu'il était
d'origine arabe.
4. Ph. Hitti, *History of the Arabs*, Londres 1937, p. 153.

Manṣūr Ibn Sarjūn, le grand-père de Jean, exerçait la fonction de percepteur pour la ville de Damas et pour toute la région. Quand la Syrie fut envahie par les Perses en 610, il continua à remplir le même rôle au service du roi sassanide. Après la victoire finale d'Héraclius en 628, Manṣūr conserva son poste, mais l'empereur lui fit payer très cher sa complaisance à l'égard de l'envahisseur, lui infligeant une forte amende [1]. Manṣūr en gardera une profonde rancœur, et la brimade dont il fut victime peut expliquer son attitude lors de la prise de Damas par les musulmans. Le grand-père de Jean semble, en effet, avoir joué un rôle important lors de cet événement, mais on ne peut affirmer qu'il ait livré la ville par trahison [2]. Cependant la tradition byzantine a longtemps considéré ce personnage comme un traître [3]. Eutychius précise même

---

Ph. HITTI, *History of Syria*, New York 1951, p. 417. D'ailleurs MICHEL LE SYRIEN, *Histoire*, II, 492, fait de Sarjūn Ibn Manṣūr un grand persécuteur de la doctrine monothélite (une seule volonté dans le Christ) que l'empereur Héraclius voulait imposer pour mettre fin à la querelle entre chalcédoniens et monophysites.

1. J. NASRALLAH, *Saint Jean de Damas*, p. 18, parle de 100 000 *dīnār*, le *dīnār* étant la pièce d'or.

2. Les auteurs ne sont d'ailleurs pas d'accord sur le récit de la chute de Damas, ni sur le personnage qui a signé le pacte accordant aux habitants le statut de *dhimmī* : certains affirment que c'est Manṣūr, d'autres penchent pour l'évêque. Or saint Sophrone, le patriarche de Jérusalem, a lui-même négocié le sort des fidèles de sa ville. Cette démarche n'a pas nui à sa mémoire et n'a pas remis en cause sa sainteté. A propos de la trahison de Manṣūr signalons qu'Euthychius dit à trois reprises (*Annales*, II, 16, 62, 69) que les patriarches et les évêques du monde entier ont anathématisé Manṣūr, parce qu'il avait aidé les musulmans à conquérir Damas.

3. Tout ceci est d'autant plus confus que la ville fut prise deux fois, ayant été délivrée entre-temps par Héraclius. Al-Baladhūrī, historien musulman du IXᵉ siècle, dans son livre intitulé *Kitāb futūḥ al-buldān* (le Livre des Conquêtes), raconte que l'évêque ouvrit les portes de la ville. Dans un autre passage, il parle d'un ami de l'évêque. Euthychius, patriarche melkite d'Alexandrie au Xᵉ siècle, affirme que c'est le fait d'Ibn Sarjūn, surnommé Manṣūr (*Annales*,

que, lors de la capitulation, Manṣūr aurait plaidé et obtenu la vie sauve pour lui, sa famille et tous les habitants à l'exception des *Rum*, c'est-à-dire des Byzantins [1].

Quand ils occupaient un pays, les musulmans conservaient les structures administratives qu'ils y trouvaient et maintenaient en place les fonctionnaires compétents. Aussi Manṣūr garda-t-il son poste encore une fois, continuant à percevoir les impôts pour ce nouveau maître, ainsi qu'il l'avait fait auparavant pour les Byzantins et les Perses [2]. En l'absence des responsables religieux qui avaient fui vers Antioche, puis jusqu'à Byzance, Muʿāwiya, le gouverneur de Damas, choisit Manṣūr comme chef et comme représentant officiel de la communauté chalcédonienne. Il devint en plus son homme de confiance, et quand Muʿāwiya s'empara du pouvoir califal en 661, l'inspecteur des impôts de la province de Syrie, le grand-père de Jean Damascène, fut promu responsable de l'administration fiscale de tout l'empire musulman. Et comme les finances de l'État avaient essentiellement pour but d'entretenir les armées,

---

II, p. 15). Il existe encore beaucoup d'autres versions de cette chute de Damas. Cf. à ce sujet J. NASRALLAH, *Saint Jean de Damas*, p. 20-25. H. LAMMENS, *Études sur le règne des Ommayades*, p. 387, pense que toutes les villes sont tombées par reddition, ce qui en dit long sur l'attachement de ces populations à l'Empire byzantin. C'est également l'opinion de N. ELISSÉEFF, art. « Dimashk », *NEIs*, t. II, p. 288 : « L'aversion de la population de Dimashk (Damas) pour le régime byzantin amena un groupe de notables, dont l'évêque et le contrôleur général des finances Manṣūr Ibn Sarjūn, le père de saint Jean Damascène, à engager des négociations pour éviter les souffrances inutiles à la population ».

1. EUTHYCHIUS, *Annales* II, p. 15.

2. Cet impôt consistait en une capitation (*Jizya*) à laquelle s'ajoutait un impôt foncier (*Kharaj*). Il était dû par les chrétiens en échange de la protection qui leur était accordée, et correspondait, à peu de chose près, à ce que prélevait auparavant l'empereur de Byzance. Donc, peu de changement pour les habitants de cette contrée, seule différait la destination de l'impôt.

Manṣūr devint donc pratiquement responsable du finance-
ment de la conquête et de la guerre contre Byzance[1]. Peut-
être fut-il même à la tête de l'administration civile.

Son fils Sarjūn, le père de Jean, lui succéda dans ses
fonctions[2]. La juridiction de Sarjūn Ibn Manṣūr s'exerça
sur un territoire plus vaste que la Syrie puisque nous le
voyons intervenir auprès du calife pour dénoncer les
malversations financières survenues en Égypte[3]. La puissance de Sarjūn ne cessa de s'affirmer : « Son importance
grandira avec l'extension des conquêtes. L'Afrique du
Nord, une partie de l'Asie-Mineure, l'Iraq, le Ḥorāssān
passeront sous le contrôle financier de Sarjūn ; les troupes
de terre et de mer qui porteront leurs armes jusqu'au
Maġreb et sous les murs de Constantinople seront régies
par ce chrétien qui tenait les leviers de commande les plus
importants de l'Empire arabe[4]. » A la mort de Muʿāwiya,

1. J. Boulos, *Peuples et civilisations du Proche-Orient*, p. 248,
dit que : « La charge d'Ibn Sarjūn (c'est-à-dire de Manṣūr) faisait de
lui une sorte de chancelier du califat, à la fois ministre de la guerre et
des finances. » Selon H. Lammens, *Études sur le règne du Calife
Omaiyade Muʿāwia Ier*, I, p. 13, Manṣūr devint le premier ministre
après avoir été *waī al-kharāj*, c'est-à-dire percepteur des impôts
fonciers dus par les chrétiens, puis *ʿāmil Dimashq*, autrement dit
intendant fiscal de Damas (cf. Euthychius, *Annales* II, p. 15).

2. Euthychius, *Annales* II, p. 5, précise qu'il était *ʿāmil ʿalā al-
kharāj* ou collecteur de la capitation. La *Vita* grecque le rend
responsable des affaires publiques pour tout le pays (*PG* 94, c. 437).
D'après la *Vita* anonyme, il était appelé émir par ses concitoyens
(Papadopoulos-Kerameus, *Analecta* IV, p. 272). Michel le Syrien, *Chronique* II, p. 477, en fait le *Kātib* de ʿAbd al-Malik (684-
708). Il est impossible de fixer la date de sa prise de fonction, les
historiens arabes, tout comme les grecs, confondant parfois Sarjūn
Ibn Manṣūr et Manṣūr Ibn Sarjūn, le fils et le père, c'est-à-dire le père
et le grand-père de Jean.

3. D. J. Sahas, *John of Damascus*, p. 28 ; J. Nasrallah, *Saint
Jean de Damas*, p. 35-36.

4. J. Nasrallah, *Saint Jean de Damas*, p. 33-34. L'auteur a opté
pour un système de transcription des mots arabes différent du nôtre.

son successeur Yazīd Ier lui maintint sa confiance. En plus de son rôle officiel, Sarjūn semble avoir été l'ami intime du calife et de son poète favori, le chrétien Akhṭal[1]. Sarjūn eut également une grande influence sur le successeur de Yazīd, du moins jusqu'à sa disgrâce. Ainsi, sur son intervention, 'Abd al-Malik renonça, semble-t-il, à utiliser l'église de Gethsémani comme carrière pour reconstruire la mosquée de la Mecque[2].

Ce dernier détail nous amène à nous poser la question de l'attachement de la famille de Jean Damascène à la foi chrétienne. Des historiens musulmans ont en effet affirmé que Sarjūn aurait embrassé l'Islam[3], conversion fort improbable, sinon impossible, car son fils Jean aurait été musulman lui aussi, et son retour à la foi chrétienne en aurait fait un renégat, crime puni de mort par la loi musulmane[4]. Il est vrai que Sarjūn fut le *mawlā* de Yazīd[5] et Manṣūr le *mawlā* de Mu'āwiya. Le terme de *mawlā* désignait les nouveaux convertis à l'Islam. Pour

---

1. L'historien musulman Abū al-Farāj al-Isfahānī, *Kitāb al-aghānī*, t. 16, p. 20 (Le Caire, 20 volumes, à partir de 1928) le confirme. Akhṭal était un chrétien jacobite, comme la mère de Yazīd Ier. Il se promenait dans le palais califal la croix suspendue au cou, bien en évidence. Sur Akhṭal, voir H. Lammens, « Un poète royal à la cour des Ommayades », *ROC*, t. 9 (1904), et du même auteur : « Le Chantre des Omiades », *JA* 1894, p. 97-176 ; 193-242 ; 381-459.

2. Théophane, *Chronographie*, année 682, p. 559.

3. En particulier Ibn 'Asākir, *Tārīkh madīnat Dimashq* (Histoire de Damas), t. 6, p. 71 (Damas 1349 h.).

4. A ce sujet J. Hajjar, *Les Chrétiens uniates*, p. 100, raconte : « Sous le règne de Hicham (724-743), un chrétien apostat puis moine de Saint-Sabas et supérieur de Sainte-Catherine de Sinaï, Kaïss ibn Rabi' ibnYazid devenu l'humble moine Abdel-Massih, est massacré à Ramleh, en Palestine, après avoir été reconnu par ses anciens compagnons musulmans. » (Nous avons respecté la transcription des mots arabes utilisés par l'auteur).

5. « Ses commensaux habituels (de Yazīd) étaient le chrétien Sarǧun, son *mawlā*, ainsi que Aḫṭal ». J. Nasrallah, *Saint Jean de Damas*, p. 66.

s'intégrer à la communauté musulmane qui avait encore
gardé sa structure tribale, ils devaient se faire clients d'une
tribu arabe [1]. Ce titre pouvait cependant s'appliquer à un
indigène non converti, un chrétien par exemple [2], et ne
peut donc être utilisé comme preuve du passage de la
famille de Jean à l'Islam. D'autant plus que l'auteur de la
Vita arabe exalte la foi de Sarjūn [3], tandis que Théophane
le qualifie « d'homme très chrétien » [4], ce qui, pour
l'époque, n'était pas incompatible avec la fonction remplie
auprès du calife [5].

Le passé de cette famille, et les multiples preuves qu'elle
a données par la suite de sa fidélité à l'Église [6], nous

1. M. Gaudefroy-Demombynes, *Le Monde musulman*, p. 236,
note qu'il y eut un mouvement de conversions spontanées à la fin du
VIIIe siècle. Jusqu'alors les non-arabes n'avaient pas été jugés dignes
d'être intégrés à la communauté musulmane. Il souligne (p.242-243)
que les convertis, pour trouver leur place dans la nouvelle communauté, devaient s'attacher à un personnage musulman dont ils
devenaient les *mawālī* (pl. de *mawlā*). Cf. également Cl. Cahen,
L'Islam, p. 38-39, et M. Rodinson, art. « Arabisme », *Encyclopedia
Universalis*, t. II, p. 464 : « Sous les Omayyades (660-750) qui
dominent un Empire arabe, on s'intègre à la caste dominante à la fois
en adoptant l'Islam et en se rattachant à une tribu arabe par un lien
de clientèle, en s'arabisant. »
2. M. Gaudefroy-Demombynes, *Le Monde musulman*, p. 243.
3. *PG* 94, c. 436 B-437 A : « Il se conduisait suivant les principes
d'une vertu droite et d'une religion louable, craignant Dieu,
accomplissant ses commandements ». Cité par J. Nasrallah, *Saint
Jean de Damas*, p. 57. Le même passage le montre plein de charité
envers les chrétiens prisonniers des musulmans.
4. Théophane, *Chronographie*, année 682, p. 559.
5. Au moment de sa disgrâce il était encore chrétien, ainsi que le
rappelle un historien musulman, l'auteur du *Kitāb al-mawārīd*, cité
par J. Nasrallah, *Saint Jean de Damas*, p. 36 : « Sarǧūn ibn
Manṣūr le chrétien était proposé au *dīwān aš Šām*, sous Abdel Malek
ibn Marwān. Le calife lui donna un ordre, il désobéit. ʿAbdel Malek
le congédia et établit Muḥammad ibn Yazīd al Anṣāri à sa place. »
Dīwān aš Šām a le sens d'administration fiscale de la Syrie, *aš Šām*
pouvant désigner soit la seule ville de Damas soit toute la Syrie.
6. Deux de ses neveux rejoindront Jean à la laure de Saint-Sabas.

permettent d'affirmer que les « sarjūnides », tout en se
conduisant comme des collaborateurs zélés et efficaces du
pouvoir musulman, furent d'ardents défenseurs de la foi.
Si Jean Damascène a grandi dans un milieu privilégié,
puisque ses parents, riches et puissants, vivaient dans
l'intimité du « Commandeur des Croyants », il a pu
trouver, malgré tout, au sein de sa famille, l'exemple d'un
attachement profond à la foi chrétienne.

c. *La jeunesse de Jean à Damas*

Les biographies ne fournissent aucun renseignement
précis sur la date de sa naissance, mais la plupart des
auteurs contemporains sont d'accord avec M. Jugie pour la
situer aux alentours de 675 [1]. J. Nasrallah conteste ce
choix et le fait naître vingt ans plus tôt [2] ; quant à Sahas, il
opte pour 652 [3]. La seule certitude que nous ayons est que

Cette famille fournira également deux patriarches à l'Église de
Jérusalem : Sergius Ier (842-856) et Elias III (879-907).

1. D. J. Sahas, *John of Damascus on Islam*, p. 38, note 2, cite les
auteurs qui soutiennent cette date : Altaner, Amantos, Hitti, A.-
Th. Khoury, Panagiotes K. Khristou. M. Jugie, « Jean Damascène »,
c. 695, suppose que Jean a vécu environ 75 ans et qu'il est mort en
749, ce qui lui permet de fixer approximativement cette date de 675.

2. J. Nasrallah, *Saint Jean de Damas*, p. 58-59, croit que c'est
Jean, et non son père Sarjūn, qui était le commensal et le compagnon
de Yazīd lors de ses « parties fines ». Yazīd étant né en 644, et ses
débauches s'étant déroulées avant qu'il devienne calife en 680,
J. Nasrallah a dû vieillir Jean de 20 ans pour en faire un homme d'un
âge suffisant pour lui permettre de participer à de telles activités.
Mais cette solution suppose que Jean ait vécu plus que centenaire.

3. D. J. Sahas, *John of Damascus*, p. 39, s'appuie sur le texte de
la *Vita* anonyme (Papadopoulos, *Analecta* IV, p. 272). Cette *Vita*
raconte que Sarjūn donna comme précepteur à son fils le moine
Cosmas, un grec de Sicile, ramené comme esclave à Damas. Or
Théophane, *Chronographie*, p. 532, raconte qu'en 664 il y eut un
raid en Sicile et que de nombreux esclaves furent ramenés à Damas.
La même *Vita* précise que Jean avait 12 ans en 664, il serait donc né

l'enfance et la jeunesse de Jean se sont déroulées à Damas au moment où sa famille jouissait de tout son prestige et entretenait les plus chaleureuses relations avec le calife et son entourage.

Tous les récits de la vie de Jean s'étendent longuement sur son éducation et y attachent une très grande importance. La *Vita* anonyme nous raconte que son père tint à lui donner comme précepteur, dès l'âge de douze ans, un moine sicilien appelé Cosmas [1]. Elle précise même : « Pour qu'il n'étudie pas seulement dans les livres des sarrasins [2]. » Le mot sarrasin est sans doute à prendre ici dans le sens d'arabe et non de musulman [3]. En revanche,

en 652. Mais rien ne permet d'affirmer que Cosmas ait été fait prisonnier au cours de ce raid, qui n'était qu'une opération de razzia parmi beaucoup d'autres, la première ayant eu lieu en 652.

1. Cf. la note précédente. Originaire de Crète, et donc grec, ce moine savant connaissait la rhétorique, la physique, l'arithmétique, la géométrie, la musique, l'astronomie et la théologie (*PG* 94, c. 941-944).

2. Papadopoulos-Kerameus, *Analecta* IV, p. 273.

3. Nous connaissons l'organisation de l'enseignement à Damas au début de l'Islam grâce aux travaux de M. Abiad, *Culture et éducation arabo-islamique au Šām pendant les trois premiers siècles de l'Islam*. Voici ce que nous apprend l'auteur : « En ce qui concerne l'enseignement primaire, le deuxième calife ('Umar) suivit l'exemple du prophète. Il demanda aux captifs syriens qui savaient lire et écrire d'enseigner aux musulmans la lecture et l'écriture... Les musulmans envoyèrent également leurs fils dans les *kuttāb* déjà existants chez les Arabes indigènes, où ils apprirent la lecture et l'écriture avec les enfants arabes de confession chrétienne » (p. 52). « Pour enseigner l'écriture, les maîtres appelés *mukattib* se servaient de maximes et de poésies » (p. 215). Mu'āwiya instaura des *kuttāb* dirigés par des Musulmans, avec même programme (lecture, écriture) que les *kuttāb* locaux (p. 58). Il mit en valeur la langue et la littérature arabes, incluant ces matières dans les programmes de formation ; il accordait aux grammairiens, poètes et maîtres en éloquence une place importante à la cour et dans la société (p. 59). 'Utba, le frère de Mu'āwiya, gouverneur de l'Égypte, dans une recommandation au précepteur de ses fils, demande que la formation arabe traditionnelle soit combinée avec la formation religieuse (p. 64). L'auteur souligne

en dehors du domaine strictement religieux, rien ne s'oppose à ce qu'il ait bénéficié du même enseignement de la langue arabe que la plupart des enfants de son âge, musulmans ou non, appartenant à la même classe sociale [1]. L'apprentissage littéraire de la langue reposait essentiellement sur l'étude des poètes. Or Akhṭal, le chantre des umayyades, était un habitué de la maison familiale de Jean. Grâce à ce contact permanent avec l'un des plus grands poètes de son époque, la langue arabe ne devait pas lui être étrangère [2].

que « l'équilibre observé par les premiers Ummayades entre les éléments religieux et les éléments séculiers de la culture arabo-islamique » a été rompu en faveur de l'élément religieux sous le règne de ʿUmar II (p. 86). « Le système d'enseignement, qui prit forme dès le premier siècle, puisait à diverses sources : le patrimoine arabe traditionnel, la religion islamique et, à un moindre degré, les usages préexistants dans les régions conquises » (p. 213). L'auteur termine en ajoutant que si l'on connaît bien le contenu de l'enseignement religieux, malheureusement on manque d'information sur les disciplines séculières (p. 220). D. et J. Sourdel, *La Civilisation de l'Islam classique*, semble confirmer qu'il n'était pas nécessaire de passer par l'étude du Coran pour connaître la langue arabe. Il rappelle que l'arabe n'est sans doute pas uniquement l'image du parler mekkois, mais qu'il faut le rapprocher de la *koiné* poétique répandue en Arabie et dans les régions syro-mésopotamiennes dès le VIᵉ siècle. « Il reste difficile d'établir des rapports entre la langue du Coran, celle des rapsodes d'Arabie et celle des milieux arabes chrétiens où l'écriture arabe elle-même aurait vraisemblablement pris naissance » (p. 125).

1. Il devait, en plus, connaître l'araméen qui était la langue du peuple et qui est encore pratiquée de nos jours dans quelques villages de la région de Damas, comme Maʿlūlā.

2. Le calife ʿAbd al-Malik demanda un jour à Akhṭal d'où il venait : « J'étais chez votre secrétaire Ibn Sarǧūn ». « Ah! s'écria ʿAbd al-Malik, tu connais les bons endroits! » D'après Abū al-Faraǧ al-Isfahānī, *Kitāb al-Aghānī*, VIII, p. 290, cité par J. Nasrallah, *Saint Jean Damascène*, p. 69. G. Troupeau, qui a eu l'amabilité de relire les chapitres d'introduction de cet ouvrage et de me faire part de ses remarques, manifeste son désaccord avec J. Nasrallah. Selon lui rien ne permet d'affirmer que le Damascène connaissait l'arabe. Il

Jean reçut une solide formation grecque classique, comme le prouvent les multiples références aux philosophes de l'antiquité qui illustrent ses ouvrages[1]. Cette éducation grecque traditionnelle était d'ailleurs requise pour pouvoir remplir les fonctions auxquelles il était destiné.

Jean entra dans la vie active vers l'âge de vingt ans, à la fin du règne d''Abd al-Malik (685-705)[2]. Il commença sans doute par seconder son père. Sarjūn avait alors été remplacé par un musulman au poste de responsable des finances et de la guerre[3], ce qui ne signifiait pas, pour autant, une mise à l'écart de la vie publique. L'arabisation ne posait pas de problème à sa famille[4], tous ses membres étant lettrés en arabe. D'autre part, la décision prise sous Walīd Ier (705-715) de radier tous les chrétiens de la fonction publique ne fut que provisoire. Le décret ne put entrer en application, les musulmans s'avérant encore incapables d'assumer de telles responsabilités[5].

est même probable que c'est à cause de son ignorance de cette langue qu'il abandonna son poste dans la fonction publique islamisée et arabisée. Seule la découverte éventuelle d'un manuscrit de l'ouvrage en langue arabe qui lui est attribué, ainsi que nous le signalons dans la suite de ce chapitre, peut mettre fin à ce débat.

1. C. CHEVALIER, *La Mariologie de saint Jean Damascène*, p. 40-43, donne toute une liste de ces auteurs, philosophes ou Pères de l'Église, cités dans les ouvrages de Jean Damascène.

2. C'est sous 'Abd al-Malik que les tracasseries commencèrent sérieusement pour les chrétiens.

3. Cf. p. 48, note 5.

4. 'Abd al-Malik arabisa l'administration, mais il maintint en place les hommes compétents, c'est-à-dire, en Syrie, les chrétiens.

5. Walī Ier commença le recrutement de fonctionnaires musulmans. Cette mesure fut théorique, car elle aurait entraîné une désorganisation des services. Il ne faut pas oublier non plus que le monde musulman était en pleine effervescence, avec le soulèvement de l'Irak et de l'Arabie, et l'apparition d'un anti-calife : Ibn al Zubayr. Les chrétiens, non impliqués dans ces querelles, offraient l'avantage de la fidélité, même si la guerre avait repris contre Byzance

Il n'est guère possible de déterminer avec exactitude la fonction qu'occupa Jean lorsqu'il succéda à son père. Il semble qu'il fut « secrétaire de l'émir de la Ville », c'est-à-dire chef de l'administration fiscale urbaine, comme l'affirment certains de ses biographes [1]. On peut penser qu'il conserva au moins la charge de percepteur auprès des chrétiens tenue traditionnellement par sa famille, et qu'il collecta ainsi les impôts dus par les chrétiens de la province de Damas [2]. Mais il s'agissait, là encore, d'une charge très importante, car les chrétiens, jacobites et melkites, formaient toujours la grosse majorité de la population ; l'économie de la région reposait sur eux [3]. Jean Damascène se trouvait donc en contact avec l'entourage du calife et avait l'avantage de pouvoir fréquenter les grands personnages du régime dans le cadre de ses attributions. Les relations débordaient certainement le strict domaine professionnel, étant donné les liens d'amitié qu'il avait pu continuer à entretenir avec ses anciens compagnons de jeunesse.

Une telle situation permit à Jean de devenir un observateur privilégié des luttes politiques et religieuses qui divisaient la communauté musulmane, et de parler de

(on connaît le sentiment des chrétiens syriens à l'égard des byzantins !).

1. La *Vita* arabe dit qu'il était *Kātib li amīr al-bilād*, ce qui peut se traduire par « secrétaire du prince de la région » (le calife ?). Cf. C. BACHA, *Biographie*, p. 15. De même *PG* 94, c. 449 ; PAPADOPOU-LOS-KERAMEUS, *Analecta* IV, p. 281, 318 (cité par D. J. SAHAS, *John of Damascus*, p. 42, note 3).

2. Le VIIe concile œcuménique le compare à Matthieu, fonctionnaire des impôts comme lui, et qui quitta tout pour suivre le Christ (MANSI, *Collectio*, XIII, c. 356).

3. Cette juridiction se limitait aux seuls chrétiens ; il est donc logique de penser que la famille de Jean avait continué à en assumer la charge, même après l'élimination des chrétiens de l'administration. L'exil dont sera frappé le frère de Jean vers 740 pourrait d'ailleurs être une mesure prise en rapport avec cette fonction.

tous ces problèmes avec ses amis, en toute liberté. Or, c'est justement au début du VIIIᵉ siècle qu'ont pris naissance les premières polémiques entre les partisans de la toute puissance de Dieu et ceux qui affirmaient que l'homme était libre[1]. Il est probable que les discussions entre chrétiens et musulmans amenèrent ces derniers à se poser des questions au moment où la conscience religieuse musulmane était troublée par le contexte politique de l'époque. Ce n'est donc pas par hasard que Jean a consacré la moitié de la *Controverse entre un Musulman et un Chrétien* au problème du libre arbitre[2].

Sous le pieux calife ʿUmar II (717-720) la vie devint plus difficile pour les chrétiens : mesures vexatoires mises en vigueur, liste de martyrs qui s'allonge, et enfin élimination définitive des non-musulmans des fonctions administratives. Cette dernière mesure entraîna la conversion de nombreux chrétiens désireux de garder leur emploi[3]. Jean fit un choix différent : renonçant aux honneurs et aux richesses, il préféra quitter la ville de son enfance et prendre le chemin du monastère de Saint-Sabas.

d. *Jean moine à Saint-Sabas*

La date de son départ n'est pas connue, mais il a sans doute quitté Damas pendant le califat de ʿUmar II. Jean

---

1. A l'exception de ʿUmar II, les califes umayyades étaient considérés comme de mauvais musulmans. S'ils se maintenaient au pouvoir, c'est donc que Dieu le voulait. Obéir à ces califes, quoi qu'ils fissent, c'était se soumettre à la volonté de Dieu. Telle était la doctrine officielle. Les opposants pensaient que l'homme était responsable de ses actes et considéraient ces califes comme des pécheurs, inaptes à assumer leur tâche de successeur du prophète.

2. B. KOTTER, *Controverse entre un Musulman et un Chrétien* PTS 22, p. 427-430.

3. Pour la première fois un calife encouragea ouvertement la conversion de chrétiens non-arabes.

aurait donc rejoint le monastère au plus tard pendant l'année 720, âgé d'environ quarante ans[1]. La laure de Saint-Sabas, située dans une vallée proche de Jérusalem[2], était un grand centre spirituel et intellectuel. Foyer de la pensée melkite, le monastère brillait de tout son éclat en ce début du VIIIe siècle. Bien qu'on y trouvât des moines de langue syriaque et arménienne, Saint-Sabas était un couvent hellénisé ; la langue grecque n'avait pas encore fait place à la langue arabe comme langue culturelle et liturgique, même si cette dernière était largement utilisée dans la vie courante[3].

En 706, l'Église melkite avait enfin retrouvé son chef spirituel, le patriarche Jean V étant monté sur le siège de Jérusalem resté vacant depuis soixante ans. Ordonné prêtre par le nouveau patriarche dont il deviendra le théologien[4], Jean Damascène sera amené à écrire des

---

1. M. Jugie, art. « Jean Damascène », c. 695, pense qu'il a dû rejoindre Jérusalem dès la nomination de Jean V, c'est-à-dire vers 706. D. J. Sahas, *John of Damascus on Islam*, p. 45, retarde ce départ jusque vers l'année 724.

2. Sur le monastère de Saint-Sabas on peut consulter : H. Leclercq, art. « Sabas », *DACL*, t. 15, c. 189-211 ; S. Vailhé, « Les Écrivains de Mar Saba », *EO* 1899, p. 1-11 et 33-46 ; S. Vailhé, « Le Monastère de S. Sabas », *EO* 1899, p. 332-341, 1900, p. 18-28.

3. A la fin du VIIIe siècle la situation avait évolué et les vies de saints furent alors rédigées en arabe par les moines de Saint-Sabas (un peu pour échapper à la censure de Byzance !). Ce fut le cas pour les vies de saint Romain et saint Siméon. Cf. P. Peeters, *AB* XXX, 1911, p. 393-427.

4. Avant 726, nous dit J. Nasrallah, *Saint Jean de Damas*, p. 101. Il se base sur le fait que le traité intitulé *Expositio et declaratio Fidei* (*PG* 95, c. 417-438) serait une profession de foi prononcée à l'occasion de son ordination. Jean y parle d'hérésies sans mentionner l'iconoclasme apparu en 726. Il a donc été ordonné avant cette date. Le raisonnement de J. Nasrallah n'est pas probant, maintenant que l'on sait, grâce aux travaux de B. Kotter (*PTS 22*, Introduction), que cette hérésie ne figure pas dans la liste des erreurs dénoncées par Jean dans son *Livre des hérésies*, composé pourtant postérieurement aux trois traités contre l'iconoclasme.

pamphlets contre les diverses hérésies, en particulier contre l'iconoclasme[1]. Animé par le souci de défendre la vérité, il rédigera trois discours contre les briseurs d'images[2], attitude courageuse car, ainsi que nous l'avons déjà signalé, la religion musulmane s'opposait à toute représentation figurative, et des mesures venaient d'être prises pour faire respecter ce point de doctrine[3]. Les trois discours pour la défense des icônes entraîneront sa condamnation, non par les musulmans, mais par le concile iconoclaste de Hiéria en 754 : « Anathème à Manṣūr[4] qui a un nom de mauvais présage et qui professe des sentiments mahométans ! Anathème à Manṣūr qui a trahi le Christ ! Anathème à l'ennemi de l'Empire, au docteur d'impiété, au vénérateur des images[5] ! » Dans le même esprit Jean écrira contre l'Islam des ouvrages critiques, mais rédigés en grec, et donc, à priori, inaccessibles aux musulmans[6]. Cette démarche dangereuse ne l'empêchera pas de finir ses jours paisiblement, alors qu'à la même époque Étienne III, le nouveau patriarche d'Antioche, Pierre évêque de Maïouma, ainsi qu'un autre Pierre, métropolite de Damas, étaient martyrisés — langue coupée pour l'un d'eux — et

1. L'Église melkite échappait à la juridiction de l'empereur. De ce fait, ses membres se trouvaient plus libres pour défendre des thèses non soutenues officiellement par l'Église de Constantinople.

2. B. KOTTER, *PTS* 17, p. 65-200.

3. Yazīd II (720-724) avait déjà pris un édit iconoclaste. Aurait-il inspiré l'empereur Léon III ?

4. Étant l'aîné, il avait repris le nom du grand-père, selon la coutume orientale. Cf. J. NASRALLAH, *Saint Jean de Damas*, p. 57.

5. MANSI, *Collectio*, XIII, 352E-356D ; HÉFÉLÉ, *Histoire des Conciles* III, p. 703-705. L'iconoclaste Constantin Copronyme changea le nom de Manṣūr (victorieux) en μανζήρ (bâtard). Cf. *PG* 94, c. 12, note d.

6. J. HAJJAR, *Les Chrétiens uniates*, p. 95, rapporte que 'Abd al-'Azīz, gouverneur d'Égypte, s'inquiétant de la signification des offices chrétiens célébrés en grec, se fit traduire les textes pour s'assurer qu'ils ne contenaient pas d'injures à l'encontre de l'Islam.

exilés, pour avoir prêché contre l'Islam en faisant référence à la doctrine de Mahomet, instruits peut-être sur le sujet par Jean Damascène lui-même[1].

Jean meurt avant 754[2], quatre ans après la chute de la dynastie umayyade à laquelle son nom et celui de sa famille resteront liés dans l'histoire. Les « sarjūnides » furent parmi les premiers à avoir pris l'initiative de collaborer avec les nouveaux maîtres, et à leur suite de nombreux chrétiens maintiendront cette tradition de bons rapports avec les musulmans dans les capitales successives de l'Empire islamique[3]. Mais, plus que son rôle politique,

---

1. J. HAJJAR, *Les Chrétiens uniates*, p. 100, parle également des soixante pèlerins d'Amorium mis à mort à Jérusalem sous Yazīd II (720-724). La prédication contre Mahomet et contre l'Islam avait été la cause du martyre de Pierre Capitolias (cf. Ch. I, note 20). Pierre de Damas était l'ami de Jean Damascène. Il eut la langue coupée pour avoir parlé contre l'Islam. Il est mort en 742 et Jean aurait composé son panégyrique.

2. Le livre intitulé *Les Sources de la connaissance* a été écrit à la demande de Cosmas, son frère adoptif, lorsqu'il était déjà évêque de Maïouma, c'est-à-dire après 743. D'autre part, le concile de Hiéria, qui s'est tenu en 754, déclare que « la Trinité a enlevé les trois » (MANSI, *Collectio*, XIII, 356), ce qui veut dire qu'il constate que les trois ennemis de l'iconoclasme, parmi lesquels Jean, étaient morts. Sa mort se situe donc entre ces deux dates extrêmes. S. VAILHÉ, « Date de la mort de Jean Damascène », propose la date de 749. Il se base sur *La Vie d'Étienne le Sabaïte*, le neveu de Jean, écrite par Léonce de Saint-Sabas. Cette vie raconte qu'Étienne a été amené à Saint-Sabas par son oncle à l'âge de dix ans, et qu'il y serait resté quinze ans avec ce même oncle. Or Étienne est mort en 794, à l'âge de 69 ans. Il serait donc arrivé à Saint-Sabas en 734. Ajoutons 15 ans, ce qui fait 749. I. DICK, « Abuqurra », p. 122, note 24, remet en question cette date. Il s'appuie sur l'article de G. GARITTE, « Le Début de la Vie de saint Étienne le Sabaïte retrouvée en arabe au Sinaï », *AB*, t. 77 (1959), p. 332-369. J.-M. SAUGET, « *Giovanni Damasceno* », p. 735, doute que cet Étienne le Sabaïte soit le même qu'Étienne, le neveu de Jean. C'est également la thèse soutenue par G. Garitte.

3. Bagdad, fondée par la nouvelle dynastie ʿabbāside, se substitue à Damas comme capitale de l'Empire musulman. Les chrétiens nestoriens y joueront pendant plusieurs siècles, auprès des califes, le

c'est la place tenue par Jean dans l'élaboration de la pensée chrétienne que l'histoire a finalement retenue. Bien avant qu'il ne soit proclamé Père de l'Église, en 1890, par le pape Léon XIII, la tradition byzantine lui avait déjà donné le titre de « Docteur Émérite », titre amplement justifié vu l'ampleur et l'originalité de l'œuvre qu'il nous a laissée.

2. L'œuvre de Jean Damascène

Les écrits de Jean Damascène, du moins ceux qui nous sont parvenus, datent tous de la seconde période de sa vie, c'est-à-dire de son séjour au monastère de Saint-Sabas. Les œuvres éditées à ce jour ont toutes été rédigées en grec, langue culturelle et liturgique de l'Église melkite à cette époque. L'arabisation ne sera généralisée et définitive qu'à la fin du VIIIe siècle. M. Lequien, le premier, a publié l'ensemble des écrits de Jean Damascène, en puisant uniquement dans les fonds de la Bibliothèque Royale à Paris [1]. Migne a repris intégralement ce texte, en y

rôle tenu par les melkites à Damas. Ils rempliront même certaines fonctions jusqu'alors interdites aux chrétiens. Par exemple, sous al-Mu'tamīd (870-890), un chrétien est chargé de la réorganisation de l'armée et en prend le commandement. Il est reproché d'autre part au calife al-Muqtadīr d'avoir confié ces mêmes fonctions à un chrétien nestorien (cf. J. Hajjar, *Les Chrétiens uniates*, p. 135-136). Cette présence des chrétiens dans l'entourage du pouvoir se perpétua également au Caire jusqu'au XIe siècle. Les califes fāṭīimides feront appel aux coptes monophysites et à des Syriens monophysites ou chalcédoniens et leur confieront des fonctions très importantes dans le gouvernement. Ainsi, en 1009, al-'Azīz choisit comme vizir le chrétien Manṣūr ibn 'Abdūn. Un autre chrétien, Nastūrus (Nestor) lui succéda en 1011. A la fin du siècle, l'Arménien Vahran remplira la même charge (cf. J. Hajjar, *op. cit.*, p. 137).

1. M. Lequien, *Sancti Patris Nostri Joannis Damasceni Monachi et Presbyteri Hierosolymitani, Opera Omnia quae exstant*, 2 vol., Paris 1712 ; Venise 1748. Allatius, de son côté, a dépouillé une partie des fonds de la Vaticane.

ajoutant quelques ouvrages qui avaient échappé à Lequien[1]. M. Jugie, dans l'article du *Dictionnaire de Théologie Catholique* consacré à Jean, avait essayé de déterminer ce qui pouvait être retenu comme écrits authentiques[2]. Enfin, B. Kotter a entrepris l'édition critique et
complète des œuvres du Damascène[3].

Quelques biographes soutiennent que notre auteur
aurait écrit en arabe des ouvrages actuellement perdus[4].

1. *PG* 94, 95 et 96 (dans sa presque totalité), Paris 1864.
2. M. Jugie, art. « Saint Jean Damascène », c. 696-707.
3. On trouvera dans les cinq volumes actuellement publiés sous le
titre : « Die Schriften des Johannes von Damaskos » : vol. I (*PTS* 7,
Berlin 1969) : les textes philosophiques (*L'Institutio elementaris, La
Dialectique*, Die Philosophischen Stücke aus cod. Oxon. Bold. Auct.
T. I. 6, qui porte le titre de φιλόσοφα) ; vol. II (*PTS* 12, Berlin
1973) : *La Foi orthodoxe* ; vol. III (*PTS* 17, Berlin 1975) les *Discours
apologétiques contre ceux qui rejettent les saintes Images* ; vol. IV
(*PTS* 22, Berlin 1981) : les œuvres polémiques, et notamment le
Livre des hérésies, p. 19-67, et la *Controverse entre un Musulman et
un Chrétien*, p. 427-438 ; vol. V (*PTS* 29, Berlin 1988) : les homélies
et les écrits hagiographiques.
4. Telle est l'opinion de J. Nasrallah, *Saint Jean de Damas*,
p. 179 : « Quant à la question de savoir si le Damascène a écrit en
arabe, tout en étant pour l'affirmative, nous ne pouvons donner le
nom d'aucune de ses productions, l'inventaire des manuscrits arabes
de nombreuses bibliothèques n'ayant pas encore vu le jour. » A.-
Th. Khoury, *Théologiens*, I, p. 48, affirme, à la suite de A. Mai,
Scriptorum Veterum Nova Collectio, t. IV, 2, p. 323, que le Vatic.
Arab. 175 serait une réfutation de l'Islam par Jean. Mais dans une
lettre datée du 5 Mars 1983, J.-M. Sauget, de la Bibliotheca
Apostolica Vaticana, nous précise que le Vatic. Arab. 175 est en fait
« un recueil composite, composé de textes hagiographiques. Aucun
n'est attribué à Jean Damascène, ni ne le concerne ». Notre
correspondant ajoute que la Bibliothèque vaticane possède des
manuscrits arabes contenant des œuvres de Jean Damascène :
Vatican Arabe 79, 177, 178, 179, 346, 536, 578 ; Sbath 644, 685, 716,
717, 769. Peut-être l'un de ces manuscrits contient-il le texte en
question. R. Mantran, *L'Expansion musulmane*, p. 299-300, rappelle toutefois que, si à la fin de l'époque umayyade la langue arabe est
devenue la langue officielle, il ne semble pas qu'elle apparaisse

C'est possible puisque Jean maniait parfaitement cette langue, mais une telle entreprise ne semble pas répondre aux besoins de ses lecteurs ou de ses auditeurs. Étant donné que les musulmans ignoraient le grec, s'exprimer dans cette langue permettait de développer sa pensée en toute sécurité, sans avoir à craindre de sanctions éventuelles de la part des autorités. Sans compter qu'il lui était plus facile d'exprimer des concepts philosophiques et des définitions théologiques en grec qu'en arabe, dont le vocabulaire était encore pauvre en ce domaine. En revanche, il est certain que plusieurs de ses écrits furent traduits de bonne heure en arabe, pour les besoins de populations différentes [1]. Ainsi Thédore Abū Qurra, qui se déclarait son disciple et affirmait rapporter un enseignement reçu de vive voix (ἀπὸ φωνῆς), a beaucoup travaillé à la propagation de la pensée de notre auteur dans des écrits rédigés aussi bien en arabe et en syriaque qu'en grec [2].

encore comme le véhicule d'une véritable civilisation musulmane : « Il suffit de considérer la production littéraire, juridique ou religieuse de l'époque umayyade : elle est des plus réduites. L'arabe n'est pas l'expression de l'ensemble du monde musulman. » Le raz de marée de l'arabisme ne déferlera que sous les 'abbāsides. Pourquoi faudrait-il que Jean ait joué le rôle de précurseur en ce domaine, alors que la littérature d'expression arabe était encore à l'état embryonnaire? Selon l'opinion de E. PONSOYE, *La Foi orthodoxe*, p. 6 : « S'il a parlé et prié en syriaque et en arabe, il a pensé et écrit en grec. »

1. J. NASRALLAH, *op. cit.*, p. 179-188.

2. Sur Thédore Abū Qurra, cf. I. DICK, « Un continuateur arabe de Jean Damascène : Théodore Abu Qūrra, évêque melkite de Harran », *POC* 12 (1962), p. 209-223 ; p. 319-332 ; *POC* 13 (1963), p. 114-129. Abū Qurra est né vers 750 à Édesse. Vu la date de sa naissance, il n'a pu être un disciple direct de Jean Damascène. Il aurait passé une partie de sa jeunesse à Ctésiphon ou à Bagdad, ce qui explique sa connaissance de l'Islam et de l'arabe. On le retrouve moine à Saint-Sabas, où il étudie la Bible et les Pères, en particulier Jean de Damas. Évêque de Harran vers 793, pour quelques années, il est alors âgé de quarante ans environ. Bien que la majorité des habitants de cette ville fût monophysite, Harran était restée un centre de culture grecque et païenne très célèbre. Théodore est déposé de

Certains ouvrages de Jean ne nous sont d'ailleurs parvenus que dans leur version arabe [1].

Parmi les écrits polémiques du Damascène nous trouvons la controverse dans laquelle un chrétien répond aux objections avancées par un musulman, et cette tentative de réponse aux critiques formulées par les fidèles de l'Islam est l'une des toutes premières du genre [2]. Par la suite, les écrits polémiques contre l'Islam seront à la mode dans l'Église byzantine [3]. Aux XIIe

son siège épiscopal par le patriarche Théodoret d'Antioche. De retour à Saint-Sabas, il écrit une lettre aux Arméniens (monophysites partisans de la doctrine d'Eutychès) à la demande du patriarche de Jérusalem Thomas. Puis il part à Alexandrie polémiquer avec les coptes (dont le monophysisme, comme celui des jacobites, est purement nominal). Après un séjour à la cour d'Arménie en 815, son passage est signalé vers 823-824 à Bagdad, où il participe à une rencontre à trois (sur l'initiative du calife?), avec le patriarche jacobite et le catholicos nestorien. Il semble qu'il y ait eu également des discussions avec des « théologiens » musulmans. On perd ensuite sa trace. Théodore meurt après 825. MIGNE, *PG* 97, c. 1461-1606, a publié 43 de ses opuscules en grec, dont plusieurs contre les musulmans. Théodore a également écrit 12 traités en arabe, certains ont été publiés par L. CHEIKHO, *al-Mashriq* 15 (1912), p. 757-774 et 825-842, et par C. BACHA, *Mimars de Théodore Abu Qurra, évêque de Harran*, Beyrouth 1944.

1. C'est le cas, en particulier, de l'*Exposé et explication de la vraie Foi*, qui aurait été écrit à l'occasion de son ordination, *PG* 95, c. 417-436. Cf. JUGIE, art. « Jean Damascène », c. 699.

2. Il semble qu'il ait été précédé dans cette entreprise. Dès 643, le patriarche Benjamin d'Alexandrie aurait engagé une controverse avec ʿAmr Ibn al-ʿĀṣ, le conquérant de l'Égypte. R. HADDAD, *La Trinité divine chez les théologiens arabes*, p. 26-30, présente toute une série de controverses qui se sont déroulées aux VIIe et VIIIe siècles.

3. Pour l'Église byzantine, consulter l'ouvrage d'A.-Th. KHOURY, *Les théologiens byzantins et l'Islam*, t. 2. Le texte grec le plus important semble être *La réfutation du Coran*, de Nicétas de Byzance (*PG* 105, c. 669-805), réfutation qu'il a composée au IXe siècle, après avoir fait traduire le Coran en grec. L'attitude des nestoriens est toute différente si l'on en croit l'ouvrage qui se

et XIIIe siècles les théologiens latins suivront cet exemple[1].

Son œuvre magistrale s'intitule *La Source de la Connaissance*. C'est ce livre qui a établi la réputation du Damascène. Ouvrage tardif puisque composé en 743[2], cette première tentative d'organisation rationnelle des connaissances concernant la foi chrétienne est une véritable « Somme Théologique ». Jean s'appuie sur la pensée des Pères grecs pour élaborer la synthèse des doctrines définies par les conciles au cours des siècles antérieurs, sur Dieu, la Providence, la Révélation et sur la personne du Christ[3]. Le tout est précédé d'une double introduction philosophique et historique[4]. La partie philosophique,

présente comme une correspondance entre le calife de Bagdad al-Ma'mūn (813-833) et le catholicos Timothée (*al-Mashriq* 19 (1921), p. 359-374; 408-418 — en arabe). Pour R. Caspar qui a également publié et traduit ce texte (*Islamochristiana* III, p. 107-175), le dialogue est antérieur à cette période et concernerait le calife al-Mahdī (775-785), et non pas al-Ma'mūn. Sur ce dialogue à Badgad consulter également G. TARTAR, *Dialogue islamo-chrétien sous le calife al-Ma'mūn* (813-834).

1. Des occidentaux arabisants sont allés en terre d'Islam, comme Ricoldo de Monte-Croce et Raymond Lulle. Le texte latin de Ricoldo est actuellement perdu, mais nous en possédons une traduction grecque : *PG* 154, c. 1037-1152. Sur Raymond Lulle, voir D. URVOY, *Penser l'Islam, les présupposés islamiques de « l'Art » de Raymond Lulle*, Paris 1980, p. 169-173. Pierre le Vénérable a fait traduire le Coran pour pouvoir le réfuter : *PL* 189, p. 661-720. Pour les traductions latines du Coran, cf. M.-Th. D'ALVERNY, « Deux traductions latines du Coran », *AHDLMA*, t. 16 (1947-1948).

2. L'ouvrage a été composé, en effet, à la demande de son ancien condisciple de Saint-Sabas, Cosmas, devenu évêque de Maïouma en 743, à la suite du martyre de Pierre, son prédécesseur : *PG* 94, c. 521 A.

3. Nous ne retrouvons cependant pas dans *La Source de la connaissance* la totalité du message des Pères grecs, de même qu'il faut faire appel aux autres écrits de Jean pour se faire une idée complète et exacte sur sa propre théologie.

4. Dans une étude sur les différents manuscrits, B. KOTTER, *Die*

intitulée *Dialectique*[1], se résume, pour l'essentiel, à un ensemble de définitions précisant le sens des termes tels que : nature, personne, hypostase, etc. Précaution de la plus grande importance lorsque l'on sait qu'un simple désaccord sur la signification exacte d'un mot (φύσις par exemple) a pu être à l'origine de querelles sanglantes entre chrétiens.

Vient ensuite l'introduction historique ou *Livre des hérésies*[2]. L'ambition de Jean n'est pas d'élaborer une histoire du dogme ni de décrire l'évolution de la pensée des Pères grecs. Mais, avant d'aborder l'exposé de la foi chrétienne, l'auteur juge utile de dénoncer les erreurs et les fausses doctrines. Pour décrire les quatre-vingts premières hérésies, Jean Damascène a repris intégralement le texte du *Panarion* d'Épiphane[3]. La description des erreurs plus tardives a été également empruntée à différents auteurs : ainsi, pour parler du monothélisme, s'est-il

Überlieferung der Pege Gnoseos des hl. Johannes von Damaskos, p. 197, signale que cet ordre n'est pas toujours respecté et que le *Livre des hérésies* manque même parfois. Cela tient au fait que chacun des livres dont se compose l'ouvrage forme un ensemble qui se suffit à lui-même, et que le copiste a la possibilité de reproduire la seule partie de *La Source de la connaissance* qui l'intéresse.

1. La traduction exacte est : *Chapitres philosophiques.* B. KOTTER, *Die Schriften*, t. 1 (*PTS* 7), p. 51-146. Il faut d'ailleurs se reporter à la totalité des textes contenus dans cet ouvrage pour avoir une idée exacte de la pensée philosophique de Jean Damascène.

2. B. KOTTER, *Die Schriften*, t. 4 (*PTS* 22), p. 19 s. Le mot hérésie est pris ici au sens très large. Jean en donne lui-même la définition au chapitre 65 de la *Dialectique*, intitulé « Définitions diverses » : c'est une opinion communément admise par un groupe d'hommes, mais rejetée par d'autres, et pas seulement une erreur dogmatique au sens strict. C'est ainsi que les vingt premières hérésies parlent du judaïsme et du paganisme grec, et que la dernière concerne l'Islam.

3. Pour le *Panarion* d'Épiphane (315-403) cf. *GCS* 25, 31 et 37 (éd. K. Holl et J. Dummer).

inspiré de saint Sophrone [1]. Mais, si l'apport original de
Jean se résume à peu de chose, le *Livre des hérésies* revêt
pour nous la plus grande importance, ainsi que nous
l'avons signalé dans la préface, puisqu'il contient le
premier texte grec de la littérature chrétienne consacré à la
présentation de l'Islam [2].

La Foi orthodoxe [3], troisième partie de la *Source de la
Connaissance*, est le plus connu des ouvrages de Jean
Damascène. Le livre est divisé en 100 chapitres, mais
l'ordre et le contenu de ces chapitres ont permis leur
regroupement sous quatre grandes rubriques, si bien que
l'on a pu lui appliquer les divisions devenues classiques
dans les traités de théologie du Moyen Age latin, tout
comme dans les livres de *'ilm al-kalām*, qui sont des
exposés raisonnés et apologétiques de la foi musulmane. Le
plan actuel de la *La Foi orthodoxe* est donc le suivant :
1. Le *De Deo Uno* ; 2. La Création ; 3. L'histoire du Salut
(la christologie chez les chrétiens, la prophétologie chez les
musulmans) ; 4. Questions diverses. Nous avons là, à peu
de choses près, le plan du *Livre des Sentences* de Pierre
Lombard [4], mais aussi celui des grands traités de *'ilm al-
kalām* [5]. Il est toutefois aventureux d'en conclure que Jean
Damascène ait inspiré les théologiens latins et les penseurs
musulmans. Tout au plus peut-on affirmer que les ouvra-

1. M. JUGIE, art. « Jean Damascène », c. 697. Toutefois Jugie s'est
trompé sur l'apport original de Jean, puisqu'il lui a attribué les
hérésies 102 et 103, considérées comme apocryphes par B. Kotter.

2. C'est l'hérésie 100, recensée par Migne sous le n° 101. Nous
donnons au chapitre III l'explication de cette numérotation différente. *PG* 94, c. 763-773 ; B. KOTTER, *PTS* 22, p. 60-67.

3. B. KOTTER, *PTS* 12, p. 7-241.

4. Le pape Eugène III aurait demandé au pisan Burgondio, vers
1150, de traduire *La Foi orthodoxe*, donc avant la parution du *Livre
des Sentences* de Pierre Lombard, qui aurait ainsi pu en prendre
connaissance. Cf. M. JUGIE, art. « Jean Damascène », c. 750.

5. Pour le plan des livres de *'ilm al-kalām*, voir L. GARDET et G.-
C. ANAWATI, *Introduction à la théologie musulmane*, p. 136-174.

ges de ces différents auteurs ont une ressemblance formelle avec *La Foi orthodoxe*. Pour avoir réalisé la synthèse de sept siècles de pensée chrétienne, notre auteur peut être considéré comme le précurseur de tous ceux qui rédigeront un exposé complet de la doctrine de l'Église. C'est donc à juste titre qu'il a pu être considéré comme le sceau des Pères grecs, son œuvre marquant bien la transition entre l'âge patristique et l'époque scolastique [1]. Le Damascène a, de plus, ouvert la voie aux nombreux écrivains byzantins auteurs d'ouvrages sur l'Islam, lui qui était mieux placé que quiconque pour mener à bien ce travail d'information.

1. L. GARDET et G.-C, ANAWATI, *op. cit.*, p. 207.

CHAPITRE III

LES ÉCRITS DE JEAN DAMASCÈNE SUR L'ISLAM

Dans l'ensemble de l'œuvre de Jean Damascène ses écrits sur l'Islam représentent peu de chose, puisqu'à ce jour nous ne sommes en possession que de deux textes relativement courts, soit au total une vingtaine de pages [1].

1. D'autres écrits sur l'Islam ont été attribués à Jean Damascène ; cf. A.-Th. KHOURY, *Théologiens*, t. 1, p. 48 ; D. J. SAHAS, *John of Damascus*, p. 123-126. Ces textes sont : 1. Deux courts passages sur les dragons (*PG* 94, c. 1600-1601) et sur les fées (*PG* 94, c. 1604 A-B), considérés comme non authentiques par C. DYOVOUNIOTES, *Δαμασκηνός*, p. 187, et par HOECK, *OCP*, XVI, 1951, p. 18. 2. La « Passion de saint Pierre de Capitolias », éditée par P. PEETERS, *AB* LVII (1939), p. 299-333, n'est pas davantage de Jean. D'après THÉOPHANE, *Chronographie*, Année 734, Pierre, évêque de Maïouma aurait été martyrisé pour avoir parlé contre l'Islam, et Jean aurait prononcé son panégyrique. Il ne s'agit pas du texte publié par Peeters. Il faut distinguer en effet plusieurs Maïouma : la ville dont Pierre fut évêque se trouve près de Gaza, tandis que le lieu où Pierre de Capitolias a été condamné se situe sur l'Oronte, près de Homs, au nord de Damas. Il sera toutefois martyrisé dans son village de Capitolias en Jordanie. D'autre part, Pierre de Capitolias a été martyrisé sous Walīd Ier (705-715), tandis que Pierre fut évêque sous Walīd II (743-744), ce qui peut expliquer la confusion. 3. Le texte arabe intitulé *Réponse aux musulmans* (*Radd ʿalā al-muslièīn*), dont le manuscrit est pour le moment introuvable (cf. ch. II,

Le premier, un extrait du *Livre des hérésies*, consiste en une présentation, polémique parfois, de la doctrine de l'Islam, suivie de la réfutation de quelques critiques adressées aux chrétiens et de l'étude de quatre sourates du Coran. *La Controverse entre un Musulman et un Chrétien*, quant à elle, se présente comme un recueil de réponses aux attaques subies sur certains points par la doctrine chrétienne.

Pourquoi cette discrétion relative de Jean Damascène sur un sujet nous paraissant aujourd'hui, après plus de douze siècles de recul, comme celui qui aurait dû préoccuper l'Église en priorité? A titre de comparaison, notre auteur a dépensé beaucoup plus d'énergie pour combattre l'iconoclasme, qui, à nos yeux, devait présenter un danger bien moindre pour l'avenir de l'Église [1]. En fait, l'Islam, malgré sa puissance politique et militaire, n'apparaissait pas comme une menace immédiate pour la foi orthodoxe. Étant donné l'extrême indigence de la réflexion théologique musulmane en cette première moitié du VIIIe siècle, les penseurs chrétiens n'avaient pas matière à s'inquiéter. Le Coran étant considéré comme une compilation d'histoires bibliques mal rapportées et mal comprises, il suffisait de le tourner en ridicule. Certes, l'attitude des chrétiens changera quelques années plus tard, lorsqu'ils trouveront en face d'eux des théologiens musulmans parfaitement capables de manier la logique et d'élaborer une doctrine cohérente; ce qui n'était pas encore le cas à

note 68). 4. La *Formule d'abjuration*, *PG* 115, p. 124-136, qui est un texte plus tardif. A.-Th. KHOURY, *Théologiens*, t. 1, p. 187, suggère la fin du IXe siècle comme date possible. Ce texte a été traduit en français par E. MONTET, *RHR*, LIII (1906), p. 145-163.

1. Il convient cependant de nuancer cette affirmation. De toutes les hérésies présentées par Jean, la centième est en effet, et de loin, la plus détaillée. Alors que toutes les autres sont présentées en quelques lignes, nous avons pour l'Islam une description plus développée et une information plus complète.

l'époque de Jean Damascène. Cependant, malgré leur brièveté, l'exposé sur l'Islam et *La Controverse entre un Musulman et un Chrétien*, dans la mesure toutefois où ils ont bien Jean Damascène pour auteur [1], revêtent une grande importance pour la connaissance des rapports entre les musulmans et les chrétiens au premier siècle de l'occupation de la Syrie. Nous sommes en présence des tout premiers écrits où l'on voit un théologien vivant en terre d'Islam s'intéresser à cette nouvelle religion et en étudier la doctrine dans un but polémique et apologétique [2].

La personnalité de Jean leur donne une plus grande importance encore. L'auteur savait de quoi il parlait, ses informations sur l'Islam n'ayant pas été puisées dans des livres. La position officielle de sa famille, tout comme les rapports amicaux entretenus personnellement avec les gens au pouvoir, lui avaient permis de bien connaître cette religion ainsi que les principaux points du dogme chrétien critiqués par ceux qui tentaient d'élaborer la théologie musulmane et de rationaliser le contenu de la révélation coranique. Sa connaissance de l'arabe lui avait également facilité les discussions avec ses amis de la cour califale, y compris sur des sujets religieux. Or, à cette époque où Jean résidait à Damas, certains de ses concitoyens musulmans commençaient à se poser des questions au sujet du libre arbitre et débattaient le problème de la création du Coran. Ce qui allait devenir au siècle suivant la théologie dialectique (*iklm al-kalām*) en était à ses premiers balbutiements [3]. A sa connaissance personnelle de l'Islam et des musulmans s'ajoute le fait que Jean était un

---

1. Le problème de l'authenticité fera l'objet du ch. VI.
2. Cf. Ch. II, p. 61, note 2.
3. Cf. L. GARDET, *Introduction*, p. 32-39 ; 200-207 ; I. GOLDZIHER, *Le Dogme*, p. 70-78 ; L. LAOUST, *Les Schismes*, p. 48-49.

théologien à la doctrine sûre, le représentant le plus authentique de l'orthodoxie chalcédonienne en ce début du VIIIe siècle. Ces deux écrits seraient donc parmi les plus anciens témoignages d'un théologien sur l'Islam, rédigés par la personnalité la plus compétente de l'époque, tant pour la sûreté de son information que pour l'étendue de son érudition.

1. L'Islam

Le texte ne porte pas de titre ; il est habituellement appelé la 101e hérésie de Jean Damascène. L'auteur y parle de la Religion des Ismaélites, jamais de l'Islam. De même le mot musulman n'apparaît-il pas sous sa plume, laissant la place à celui de sarrasin. Les deux termes, Islam et musulman, ne seront transcrits en grec par les écrivains byzantins qu'à une époque plus tardive [1]. Nous pensons cependant qu'il est logique de les utiliser puisqu'ils sont passés dans le langage courant, et qu'ils sont la transcription fidèle des mots arabes servant à désigner cette religion (*Islām*) et ses adeptes (*muslimūn*).

Dans la version du *Livre des hérésies* rapportée par Lequien et reprise par Migne, le chapitre sur l'Islam se trouve répertorié en 101e position [2], suivi de deux autres

---

1. Il serait intéressant de savoir si les mots « musulman » et « Islam » ont été utilisés par Jean dans son ouvrage intitulé *Réponse aux musulmans*, comme semble l'indiquer le titre (cf. Ch. II, note 68). Dans les ouvrages des polémistes byzantins connus à ce jour, le mot musulman a été utilisé pour la première fois par BARTHÉLÉMY D'ÉDESSE, *Réfutation d'un Agarène*, PG 104, c. 1393 C et 1401 D (τῶν μουσουλμανῶν).

2. PG 94, c. 763-773.

hérésies : l'iconoclasme et la secte des Aposchites, ainsi que d'un épilogue. Dans l'édition réalisée par Kotter, dont nous utilisons le texte, le même chapitre porte désormais le numéro 100 et clôt la liste des hérésies énumérées par Jean [1]. Kotter s'appuie sur plusieurs éléments pour conclure ainsi le *Livre des hérésies*. La division en 100 chapitres ou centuries était fréquente à cette époque [2]. C'est le cas, entre autre de *La Foi orthodoxe* du même Damascène. L'auteur de l'épilogue du *Livre des hérésies* qui se trouve dans l'édition de Lequien, et qui ne figure d'ailleurs plus dans celle de Kotter, signale que l'on vient de parler de 100 hérésies [3]. La limitation à 100 est confirmée dans la *Doctrina Patrum* [4]. Mais Kotter fait surtout appel aux manuscrits les plus anciens pour justifier son choix. Dans ces manuscrits l'hérésie des Autoproscopes ne figure pas et a donc été intercalée tardivement à la centième place dans la liste attribuée à Jean Damascène [5]. Il convient de la supprimer, tout comme les deux hérésies 102 et 103 qui ont été rajoutées. On restitue ainsi à l'Islam sa place véritable, qui est la centième et la dernière.

L'ouvrage intitulé *La Source de la connaissance*, et par conséquent le *Livre des hérésies* qui en est une partie, date de la fin de la vie de Jean, puisqu'il a été écrit après 743. L'auteur est alors âgé de 65 ans et plus. N'oublions pas que ses seules sources d'information sont les connaissances personnelles acquises dans sa jeunesse. Or, il a quitté Damas et cessé de fréquenter régulièrement ses amis

1. B. KOTTER, *Überlieferung*, p. 213.
2. Cf. I. HAUSHERR, art. « Centuries », *DSp.*, t. I, p. 416. La centurie est une collection de sentences groupées par centaines ; c'était un procédé littéraire en usage chez les auteurs spirituels, surtout grecs, le nombre cent étant synonyme de perfection.
3. *PG* 94, 777 B.
4. F. DIEKAMP, *Doctrina Patrum*, p. 270. C'est aussi l'opinion de C. DYOVOUNIOTES, Δαμασκηνός, p. 44.
5. B. KOTTER, *PTS* 22, p. 5, note 10.

musulmans depuis une trentaine d'années. Ses souvenirs
étaient peut-être lointains, ce qui pourrait expliquer les
imprécisions et les erreurs qui se seraient glissées dans son
exposé. D'autre part, au tout début du VIIIe siècle le texte
du Coran n'était sans doute pas encore définitivement fixé
dans sa version actuelle [1], tandis que les recueils de
Ḥadīth, qui rapportent la tradition du Prophète, n'avaient
pas été rédigés [2]. Il nous est donc difficile de juger la

---

1. R. BLACHÈRE, *Introduction*, p. 12-135, retrace l'histoire de la
fixation du texte de la vulgate. Consignée parfois sur des objets
divers, la révélation coranique fut essentiellement mémorisée par les
Compagnons du Prophète et retransmise oralement. A la suite de la
disparition au combat d'un certain nombre de « Rapporteurs », il y
eut une première recension officielle sous le calife Abū Bakr (632-
634). Mais il existait d'autres versions parallèles, avec de nombreuses
variantes. Damas avait adopté le Coran de Ubayy Ibn Ka'b. Le calife
'Utmān fit rédiger un texte destiné à rallier l'ensemble des
musulmans. Il en envoya quatre copies à La Mecque, Bassora, Koufa
et Damas, puis il fit détruire les autres versions, mais son entreprise
fut contestée et ne réalisa pas l'unanimité espérée. Ibn Mas'ūd dont
la version avait été adoptée à Koufa refusa de se soumettre et son
texte resta utilisé dans cette ville, tandis que les musulmans de
Damas semblent être restés fidèles au Coran d'Ubayy Ibn Ka'b. Ce
n'est que sous le calife 'Abd al-Malik (685-705) que le gouverneur
d'Irak, al-Ḥajjāj, fut à l'origine de la rédaction du Coran actuel. Or,
au sujet du *corpus* d'Ubbay utilisé à Damas, nous savons que de
nombreuses variantes opposaient cette recension à la Vulgate de
'Utmān : l'ordre des sourates n'était pas le même ; les titres des
sourates ne coïncidaient pas toujours (la sourate *al-Mujādala* s'y
nommait *al-zihār*) ; il comprenait 116 sourates au lieu de 114 ; on y
trouvait enfin deux prières actuellement absentes de la Vulgate : « le
Reniement » et « la Course » (BLACHÈRE, *op. cit.*, p. 41-43). Ce
corpus a disparu mais il en existait encore des exemplaires à Bassora
à la fin du Xe siècle. Nous pouvons donc penser qu'il en était de
même à Damas à la fin du VIIe siècle, ville qui avait adopté cette
version dès le début de l'Islam, et ne soyons donc pas étonnés si Jean
Damascène ne cite pas le Coran tel que nous le connaissons. Il
faudrait pouvoir comparer ces passages avec le texte d'Ubayy.

2. Les *Ḥadīth* sont des éclaircissements puisés dans la vie et les
paroles de Mahomet, pour permettre l'explication de certains

présentation de l'Islam faite par Jean Damascène à partir des textes actuellement à notre disposition et en fonction de ce qu'il nous est possible de connaître maintenant de cette religion par les livres. Toutes ces précisions sont nécessaires, car elles nous permettent de ne pas porter un jugement trop hâtif sur Jean Damascène, et, en particulier, de ne pas conclure qu'il est de mauvaise foi ou mal renseigné lorsque nous repérons des inexactitudes dans ses affirmations ou ses citations.

En outre, la place du texte sur l'Islam dans l'œuvre de Jean en fixe les limites. L'intention de l'auteur n'était pas de nous donner un exposé complet de la foi musulmane ou de présenter cette religion avec l'idée de la mieux faire connaître pour pouvoir engager un dialogue, ainsi que nous chercherions à le faire de nos jours. Le *Livre des hérésies* a été écrit dans une autre optique : combattre les erreurs et les fausses doctrines. Dans le passage qui nous intéresse, la 100e hérésie, Jean Damascène dénonce les croyances et les mœurs des musulmans en ce qu'elles s'opposent à l'orthodoxie et à la morale chrétienne. Il le fait, de plus, dans un style bien propre aux Pères de l'Église, c'est-à-dire en ayant recours aux sarcasmes et aux injures. A cette période, alors que l'élaboration du dogme provoquait encore de nombreuses crises au sein de l'Église, un besoin de se démarquer par rapport à tout ce qui n'était pas orthodoxe se faisait profondément sentir. L'idée d'un dialogue à partir de ce qui rapproche ne pouvait encore s'imaginer ; les préoccupations de l'Église

passages obscurs du Coran. Des milliers de traditions ont été recueillies. Leur authenticité ayant été sévèrement critiquée, seules furent retenues celles qui reposaient sur une chaîne de transmission sans faille, comme pour le Coran. Six recueils furent rédigés au IXe siècle. L'ensemble des *Ḥadīth* forme, avec le Coran et la *Sīra* (la vie du Prophète), ce qu'on appelle la « Tradition » ou *Sunna*. Cf. I. Goldziher, *Le Dogme*, p. 33-35.

contemporaine ne se retrouvent pas dans les écrits de Jean, pas plus que dans ceux des autres Pères grecs. Une dernière remarque au sujet de la présence d'une étude sur l'Islam dans un livre consacré aux hérésies. Il n'y a pas eu confusion de la part de Jean, le terme d'hérésie devant être pris au sens large de secte ou d'école philosophique, ainsi qu'il le définit lui-même au chapitre 65 de la *Dialectique* [1]. Les vingt premières hérésies sont d'ailleurs consacrées au paganisme, à l'hellénisme et au judaïsme [2]. Le *Livre des hérésies* est un répertoire de toutes les doctrines qui s'écartent de l'orthodoxie chrétienne. Au XIIe siècle encore, Pierre le Vénérable traitera, lui aussi, l'Islam d'hérésie [3].

Si nous considérons la structure du chapitre sur l'Islam, nous voyons que ce texte, extrêmement composite, comprend onze paragraphes d'inégale longueur, formant chacun une certaine unité autour d'un thème précis [4]. Bien

1. Cf. Ch. II, p. 63, note 2.
2. Jean Damascène, dans son introduction au *Livre des hérésies*, nous rappelle également, à la suite d'Épiphane, que les mères de toutes les hérésies sont au nombre de quatre : le « Barbarisme » recouvre la période qui va d'Adam à Noé, le « Schitisme » nous amène jusqu'à la tour de Babel, « l'Hellénisme » est considéré comme l'époque du culte des idoles, et enfin le « Judaïsme ». B. KOTTER, *PTS* 22, p. 19-25.
3. Pierre le Vénérable (1092-1156) fait traduire le Coran à Tolède, l'envoie à saint Bernard, ainsi que d'autres ouvrages musulmans également traduits, et lui demande de réfuter la funeste hérésie de Mahomet (*PL* 189, c. 649). Cependant, dans sa propre réfutation de l'Islam, il avoue ne pas savoir s'il doit appeler l'Islam une hérésie, car il ne s'agit pas d'une secte issue du christianisme (*Liber contra sectam sive haeresim saracenorum, PL* 189, c. 669-670).
4. Ce découpage est artificiel, P. Khoury, A.-Th. Khoury et D. J. Sahas proposent des plans différents. Celui de P. KHOURY, « Jean Damascène et l'Islam », *POC* 7, p. 48-50, est le plus détaillé : 1. Origines. 2. Ancienne religion. 3. Mahomet. 4. Le Coran. 5. Description du Coran. 6. Dieu. 7. Le mal et le libre arbitre. 8. Le Christ.

qu'elle n'existe pas dans l'original grec, nous reprendrons cette division en onze paragraphes pour donner plus de clarté au commentaire contenu dans le chapitre v de notre ouvrage. Nous proposons donc le plan suivant :

1. Introduction : Elle est essentiellement historique. Après avoir souligné le succès rencontré par l'Islam, Jean énumère les différents noms donnés aux musulmans et décrit la religion anté-islamique.

2. Origine de l'Islam : Jean parle de la révélation faite à Mahomet et des sources chrétiennes du Coran.

3. La théologie du Coran : l'auteur l'expose sans la commenter ni la critiquer. Il n'y a qu'un seul Dieu ; Jésus n'est qu'un prophète, il n'est pas mort sur la croix et Dieu l'a rappelé à lui.

4. La révélation coranique : le Damascène questionne les musulmans au sujet de la révélation coranique. Il met en doute l'authenticité de cette révélation parce qu'il n'existe pas de témoignage en faveur du Prophète. Le fait que le Coran ait été révélé pendant le sommeil se trouve tourné en dérision.

5. L'accusation d'associationnisme : les musulmans traitent les chrétiens d'associateurs. Jean retourne l'accusation et leur reproche de mutiler Dieu.

6. L'idolâtrie des chrétiens : les musulmans accusent les chrétiens d'adorer la croix et donc d'être idolâtres. Jean justifie cette tradition et reproche aux musulmans de

9. Le Prophète. 10. Le mariage. 11. Le témoignage. 12. Le baptême. 13. Interdits alimentaires. 14. Le culte. A.-Th. KHOURY, *Les Théologiens*, t. 1, p. 62-63 est plus sobre : 1. Introduction. 2. Origines de l'Islam. 3. L'Islam. 4. Défense de la religion chrétienne. 5. Analyse de certaines sourates. 6. Prescriptions diverses. D. J. SAHAS, *John of Damascus*, p. 94-95, se rapproche du précédent : 1. Introduction historique. 2. Théologie. 3. Apologétique. 4. Introduction du Coran. 5. Lois et rites.

vénérer la Pierre Noire au cours du pèlerinage à la Mecque. A son tour il les traite d'idolâtres et se moque d'eux à cause de la relation qu'ils établissent entre cette Pierre Noire et l'histoire d'Abraham.

7. L'écrit de « la Femme » : partant d'un chapitre du Coran, Jean fustige la loi musulmane sur le mariage. Il critique la polygamie, le divorce et accuse Mahomet d'adultère à propos de l'histoire de Zayd.

8. L'écrit de « la Chamelle » : Jean raconte l'histoire coranique de la chamelle et en profite pour se moquer de la conception musulmane du paradis. Il insulte les adeptes de cette religion et les voue aux flammes de l'enfer.

9. L'écrit de « la Table » : l'auteur y parle d'une table descendue du ciel à la demande de Jésus.

10. L'écrit de « la Vache » est simplement cité.

11. Les interdits : le texte se termine par l'énumération de quelques interdits : le sabbat, le baptême, le vin et certaines nourritures.

Le passage sur l'Islam manque d'unité de style ; c'est un mélange de descriptions et de controverses qui se répartissent selon le schéma suivant :

Exposé : 1. L'introduction.
» : 2. Origine de l'Islam.
» : 3. La théologie du Coran.

Controverse : 4. La révélation coranique.
» : 5. L'accusation d'associationnisme.
» : 6. L'accusation d'idolâtrie.

Exposé : 7. L'écrit de « la Femme ».
» : 8. A propos de « la Chamelle ».

Controverse : A propos de l'écrit de « la chamelle ».

Exposé : 9. L'écrit de « la Table ».
» : 10. L'écrit de « la Vache ».
» : 11. Les interdits.

Cependant, le ton polémique se retrouve dans la plupart des paragraphes. Selon Jean Damascène le Coran est rempli de paroles risibles. Il est reproché aux musulmans d'accepter la révélation sans témoin alors qu'il en faut pour acheter ne serait-ce qu'un âne, de mutiler Dieu en le privant de son Esprit et de son Verbe, d'adorer la Pierre Noire pour des raisons stupides ou honteuses. Quant à la description du paradis musulman, Jean en fait une « vision d'enfer » [1]. L'ensemble fait penser à une compilation reprenant divers éléments rassemblés artificiellement, sans que l'auteur ait cherché à repenser ou à construire son texte. La *Doctrina Patrum* ne contient que les vingt-cinq premières lignes du texte de Kotter, et l'on pourrait penser qu'il s'agit là du texte de base autour duquel toute le reste se serait greffé par la suite [2]. Mais Kotter, se fondant sur l'étude des manuscrits, pense que c'est la totalité du paragraphe, et pas seulement ce mini exposé, qu'il faut attribuer au Damascène [3].

Si nous examinons le contenu de la 100e hérésie nous devons constater que l'histoire des débuts de l'Islam est rapportée fidèlement, même si l'humeur polémique se fait sentir dès les premières lignes : l'étymologie du mot sarrasin est tendancieuse et Mahomet est appelé pseudo-prophète simulant une vie religieuse profonde. L'exposé de la christologie du Coran est complet, et pour rédiger cette synthèse l'auteur a dû rassembler des informations disséminées à travers de nombreuses sourates du Coran, ce qui permet de supposer une bonne connaissance de son contenu. Jean donne une description exacte, sans commen-

---

1. P. KHOURY, « Jean Damascène et l'Islam », *POC* 8, p. 320.
2. L'ouvrage intitulé *Doctrina Patrum de incarnatione Verbi*, édité par Diekamp, est une anthologie des Pères grecs et date, sans doute, du IXe siècle. Il contient tout le début du *Livre des hérésies* de Jean Damascène, p. 270, 14-16.
3. B. KOTTER, *Uberlieferung*, p. 211.

taire critique, du Christ tel que le présente l'Islam. Il souligne très fortement le refus de reconnaître Jésus comme fils de Dieu, bien qu'il soit Parole de Dieu, et malgré sa naissance virginale. Tout ce passage se termine par une citation assez fidèle du Coran, preuve que Jean connaît très bien son sujet. De même, dans l'échange polémique au sujet de la révélation, le Damascène utilise très habilement ses connaissances de la loi coranique sur le témoignage pour prouver que le Prophète est un imposteur et montrer aux musulmans qu'ils sont naïfs.

Des deux accusations d'associationnisme et d'idolâtrie, auxquelles répond ensuite l'auteur, la deuxième n'est pas adressée aux chrétiens dans le Coran. Mais peut-être faut-il y voir la trace d'accusations populaires contre lesquelles les chrétiens devaient se défendre au premier siècle de l'Islam [1]. Jean fait remarquer qu'il existe parfois différentes versions du texte coranique sur le même sujet. Ainsi note-t-il deux récits sur l'origine du caractère sacré de la Pierre Noire de la Mecque : l'un raconte qu'Abraham y a attaché son chameau, l'autre qu'Agar s'est uni à lui sur cette pierre. De même pour la falsification des Écritures par les juifs : certains disent que les juifs ont mal compris les Écritures, d'autres prétendent qu'ils les ont faussées volontairement. On peut penser que ces différentes versions ont été rapportées par la tradition musulmane, avant la fixation définitive du texte de la vulgate, et qu'elles remontent donc au tout début de l'Islam. Il convient de noter, en outre, l'extrême violence de l'attaque de Jean Damascène dans ce passage ; les accusations qu'il retourne contre les musulmans tendent à faire passer les disciples de Mahomet pour des idolâtres eux-mêmes.

1. L'accusation d'associationnisme a encore cours de nos jours. Dans un discours prononcé par S. B. Maximos IV, le patriarche grec catholique se plaignait de ce que les chrétiens de Syrie fussent qualifiés de renégats sous prétexte d'associationnisme (*Église Vivante*, n° 2, 1958, p. 124).

L'auteur poursuit sa critique de l'Islam en prenant comme point de départ le texte coranique. Selon toute vraisemblance Jean n'avait pas eu lui-même accès au Coran et il ne le connaissait que de vive voix, ce qui ne l'empêche pas de citer certains passages sans trop d'erreurs [1]. Et encore faut-il tenir compte du fait que le texte actuel n'était sans doute pas définitivement fixé, si l'on veut établir les comparaisons. Les éléments rassemblés sous le titre de l'écrit de « la Femme » sont disséminés, comme pour la christologie, à travers tout le Coran. Le contenu est cependant exact, même si le texte du Coran n'est pas toujours rapporté fidèlement, que le sujet abordé soit la législation du mariage et la répudiation, ou encore l'histoire de Zayd consacrée au remariage des femmes répudiées. L'histoire de « la Chamelle de Dieu » pose, en revanche, quelques problèmes. Toute la partie consacrée à l'histoire de la petite chamelle, qui permet justement à Jean de faire une disgression sur le paradis d'Allah, est absente dans le *corpus* actuel du Coran. Cette variante existait-elle dans une des versions alors en cours à Damas à cette époque ? L'auteur ne développe pas l'écrit de « la Table » qui lui fait suite, et se contente de citer l'écrit de « la Vache » sans en préciser le contenu. Enfin, Jean termine son texte en énumérant quelques habitudes ou rites, considérés de nos jours encore comme les critères extérieurs d'appartenance à l'Islam. C'est la simple description d'un comportement sociologique.

L'analyse rapide de la « Religion des Ismaélites » montre que son auteur possédait de bonnes informations sur l'Islam comme sur le Coran, même s'il lui arrive d'utiliser les textes de façon tendancieuse. Il est fort probable, pour ne pas dire certain qu'il avait fréquenté intimement les

---

1. La lecture du Livre de l'Islam était en effet interdite aux non-musulmans.

gens dont il décrit la religion, ce qui lui permettait de bien connaître non seulement les textes sacrés de l'Islam, mais encore les griefs des musulmans contre le dogme chrétien.

2. Controverse entre un Musulman et un Chrétien

La Patrologie Grecque de Migne contient deux versions de la *Controverse entre un Musulman et un Chrétien*. La première, qui se trouve au tome 94[1], est le texte publié par Lequien dans son édition des œuvres de Jean Damascène[2]. N'ayant pas retrouvé l'original grec, Lequien nous en a donné la traduction latine. Cette controverse est reproduite dans l'*Opuscule 18* de Théodore Abū Qurra, avec deux variantes cependant : Théodore se présente lui-même comme l'interlocuteur du musulman, et il fait suivre son texte d'une deuxième partie, consacrée également au dialogue islamo-chrétien, qu'il présente comme le compte-rendu d'un enseignement reçu oralement de la bouche même de Jean[3]. L'original grec, ou deuxième

1. *PG* 94, c. 1585-1596.

2. M. LEQUIEN, *Opera*, t. 1, 467-469. Est également rapporté dans la collection des œuvres de Th. Abū Qurra : *Opuscule 18*, *PG* 97, c. 1543.

3. *PG* 94, c. 1595-1598 (διὰ φωνῆς Ἰωάννου Δαμασκηνοῦ, *PG* 94), c. 1595-1598. Dans ce texte présenté comme un enseignement oral de Jean, et non retenu par Kotter, le Musulman tente de prouver au Chrétien qu'il y a eu des étapes dans la révélation : le judaïsme a remplacé le paganisme, le christianisme a supplanté la révélation de Moïse, et donc le message du Christ doit s'effacer devant l'Islam. Le Chrétien refuse cette conclusion. Jésus et Moïse appuyaient leur mission sur des miracles et le Christ avait été annoncé par Moïse. Rien de tel pour Mahomet. (Nous verrons qu'en fait, pour les musulmans, le Christ a bien annoncé Mahomet. Quant au miracle qui conforte la mission de Mahomet, c'est le Coran lui-même). Les *Opuscules* 19 et 20 de Th. Abū Qurra prolongent cette polémique et démontrent que Mahomet est un faux prophète.

version de la controverse, a été publié par Galland [1] et est rapporté dans le tome 96 de Migne [2]. Le contenu de ces deux disputes est identique, seul diffère l'ordre de présentation des sujets abordés.

Aucune des deux versions ne donne entière satisfaction ; certains passages sont tout à fait incompréhensibles par suite d'erreurs dans la transmission du texte. En s'appuyant sur divers manuscrits, B. Kotter a réussi à reconstituer un texte plus cohérent, qu'il a publié dans son quatrième volume des œuvres de Jean Damascène [3]. Dans son introduction, Kotter rappelle la difficulté de cette entreprise à cause des grandes variations de texte d'un manuscrit à l'autre, aucun ne pouvant prétendre offrir l'original. L'ensemble est donc présenté comme le résultat d'un compromis. Kotter adopte le plan suivi dans la version éditée par Galland, et pour la reconstitution du texte lui-même il a recours, chaque fois, au manuscrit le plus lisible, en tenant compte aussi bien du contenu que de la grammaire [4]. Il utilise, en outre, une autre source, les opuscules 9, 35, 36, 37 et 38 de Théodore Abū Qurra, qui débattent exactement les mêmes questions, mais dans une forme plus concise, et avec parfois plus de clarté [5].

La *Controverse entre un Musulman et un Chrétien* ne suit aucun plan et ne possède aucune unité. Elle se compose de neuf dialogues de différentes longueurs, mis les uns à la suite des autres. Le premier de ces dialogues est de loin le plus long, puisqu'à lui seul il constitue la moitié du texte et englobe plusieurs sujets, chaque réponse

---

1. Bibl. Gallandiana, t. XIII, p. 272.

2. *PG* 96, c. 1336 B-1348 B.

3. B. Kotter, *PTS* 22, p. 427-438.

4. B. Kotter, *PTS* 22, p. 425 : 6. Die Ausgabe.

5. Nous donnons les références à ces *Opuscules* dans le tableau qui suit l'analyse de la *Controverse entre un Musulman et un Chrétien*.

du chrétien entraînant une nouvelle objection de la part du musulman. Pour plus de clarté, nous avons numéroté chacun de ces paragraphes de la première controverse, et notre présentation, dans le chapitre v consacré aux commentaires, sera donc un peu différente de celle du texte grec de Kotter. Les autres dialogues beaucoup plus courts, se limitent à une seule question suivie de la réponse, toujours selon le même schéma : « Si le Musulman te dit... tu réponds ».

Les problèmes suivants sont débattus dans la *Controverse entre un Musulman et un Chrétien* :

1er *dialogue* :

1. Le Musulman demande qui est l'auteur du mal. Le Chrétien répond que si Dieu est l'auteur du bien, seul l'homme est responsable du mal, vu qu'il jouit du libre arbitre. C'était également le cas du diable avant sa chute. La liberté de l'homme se limite au domaine moral.

2. Le Chrétien poursuit son explication. La liberté de l'homme est nécessaire à la justice de Dieu, autrement Dieu devrait récompenser l'homme pour le mal qu'il commet, puisqu'il ne fait qu'obéir à la volonté de Dieu.

3. Question du Musulman sur le rôle joué par Dieu dans la procréation. L'auteur dénonce le piège contenu dans la question : répondre que Dieu forme l'enfant, ce serait le rendre complice de l'adultère. Le Chrétien doit expliquer que la création proprement dite s'est achevée avec la première semaine, et que la procréation est régie selon la loi de la nature fixée par Dieu le sixième jour : « Croissez et multipliez-vous ! »

4. La réponse entraîne une autre objection du Musulman : Dans ce cas pourquoi Dieu dit-il à Jérémie : « Avant de t'avoir formé dans le sein de ta mère, je t'ai sanctifié ? » Le Chrétien doit faire comprendre que ce passage est une allusion au baptême d'où naissent les enfants de Dieu.

5. Nouvelle objection de l'adversaire [1] : « Le baptême existait donc avant le Christ ? » Le Chrétien affirme que, selon les Écritures, le baptême est nécessaire au Salut.

2ᵉ *dialogue* :

« Celui qui fait la volonté de Dieu, agit-il bien ou mal ? » L'auteur décèle dans cette question un nouveau piège ; le Musulman veut insinuer que les juifs, responsables de la mort du Christ, n'ont fait que se soumettre à la volonté de Dieu. Il convient donc de les féliciter pour leur obéissance. Jean établit une distinction entre ce qui est volonté de Dieu proprement dite et la simple tolérance à l'égard des auteurs du péché.

Le Musulman, subjugué par les réponses et plein d'admiration ne trouve plus rien à objecter.

3ᵉ *dialogue* :

Le Musulman demande qui est le Christ. Le Chrétien répond qu'il est le Verbe de Dieu. Retournant la question, il cherche à savoir ce qu'en disent les livres saints de l'Islam. La réponse du Coran est identique à celle de l'Évangile : le Christ est Esprit et Verbe de Dieu. Le Chrétien, pour une fois, prend l'initiative du dialogue et demande si le Verbe de Dieu est créé ou incréé. Si le Musulman répond incréé, les deux parties sont d'accord. Si sa réponse est que Dieu a créé le Verbe, cela suppose qu'avant cette création Dieu était sans Parole. Or une telle position est considérée comme hérétique par les musulmans, et l'interlocuteur doit fuir de peur d'être dénoncé à ses coreligionnaires.

4ᵉ *dialogue* :

Question du Musulman concernant les paroles de Dieu : sont-elles créées ou incréées ? Nouveau piège destiné à faire

---

1. Ὁ ἐναντίος et non plus ὁ Σαρακηνός.

dire au Chrétien que le Christ, Parole de Dieu, est créé. Il convient donc d'établir une distinction entre τὰ λόγια, qui se réfère à la Parole de Dieu incréée, et τὰ ῥήματα, qui sont des manifestations de Dieu aux hommes par des paroles qui, elles, sont créées. Le Musulman fait remarquer que David dit pourtant : « Les paroles de Dieu (τὰ λόγια) sont des paroles saintes », et qu'il n'utilise pas l'expression τὰ ῥήματα. La réponse du Chrétien est simple ; il faut établir une distinction entre le sens propre et le sens figuré d'un mot. Il prend des exemples dans la Bible où il est dit en particulier : « La mer a vu et a fui ». Or, au sens propre, la mer ne peut ni fuir ni voir.

5e *dialogue* :

Question sur l'incarnation : « Comment Dieu peut-Il descendre dans le sein de la Vierge ? » Le Chrétien fait remarquer que, cette fois encore, il faut prendre le mot descendre au sens figuré. Au sens propre, Dieu ne peut ni monter ni descendre.

6e *dialogue* :

Le Musulman demande comment le Christ pouvait manger et boire, vu qu'il était Dieu. Le Chrétien lui précise qu'il y avait deux natures dans le Christ. Ce n'est pas Dieu qui mangeait, mais l'homme Jésus. Cependant, il y avait en lui une seule hypostase.

7e *dialogue* :

La Vierge est-elle morte ou vivante, s'inquiète le Musulman ? Le Chrétien répond que la Vierge a eu une mort différente, non violente, plutôt une dormition.

8e *dialogue* :

Le Musulman aborde à nouveau le sujet de la création continue, déjà traité dans le premier dialogue : « Quand un ver apparaît dans une plaie, qui forme ce ver ? » Le Chrétien renvoie à la réponse déjà faite : la création est terminée et la nature a ses lois.

9ᵉ *dialogue* :

Encore une question piège au sujet de Jésus : Jean-Baptiste est-il plus grand que lui, puisqu'il l'a sanctifié au moment du baptême ? Le Chrétien répond par un argument *ad hominem*, et pose cette question : « Quand ton esclave te lave dans le bain, qui est le plus grand, toi qui es le maître mais qui es lavé, ou lui, qui est ton esclave, mais qui te lave ? » De même en est-il pour Jean-Baptiste ; dans cette action il n'est que le serviteur de Jésus.

Une nouvelle conclusion termine le texte : le Musulman, n'ayant plus rien à dire, se retire.

La *Controverse entre un Musulman et un Chrétien* possède la structure que nous exposons dans le tableau ci-dessous. Pour chacune des parties nous avons fait figurer en regard les références au texte édité par B. Kotter et aux *Opuscules* correspondants de Th. Abū Qurra[1].

---

1. D'autres *Opuscules* grecs de Th. Abū Qurra parlent de l'Islam. Ces controverses se trouvent dans Migne, *PG* 97. Les sujets suivants sont débattus : Op. 3 (1492 D-1504 C). La Trinité ; Op. 8 (1528 C-1552 C), la Trinité ; Op. 19 (1544 A-1548 A), Mahomet est un faux prophète ; Op. 20 (1545 A-1548 A), Mahomet est possédé du démon ; Op. 21 (1548 A-1552 C), la vérité du christianisme est prouvée par sa faiblesse ; Op. 22 (1552 D-1553 C), l'Eucharistie ; Op. 23 (1553 D-1556 A), le Christ est Dieu ; Op. 24 (1556 A-1557 D), la monogamie ; Op. 25 (1557 D-1561 D), la filiation divine ; Op. 32 (1583 A-1584 C), l'union hypostatique. Th. Abū Qurra aborde les mêmes thèmes dans ses traités en arabe (cf. A. JEFFERY, art. « Abū Kurra »). Celui qui s'intitule : *De l'Existence du Créateur et de la vraie Religion*, édité par Cheikho, *al-Mashriq* 15, p. 757-774, 825-842, s'adressait aux musulmans. Les dix autres publiés par C. BACHA, *Mimars de Théodore Abū Qurra, évêque de Harran*, feraient également allusion à des problèmes qui concernent la théologie musulmane. Jeffery souligne cependant que Théodore se permet plus de liberté dans les ouvrages rédigés en grec. Autre particularité, dans ses écrits en grec

	Kotter	Th. Abū Qurra (PG 97)

1er *dialogue*

1. La liberté de l'homme	1. 1. 1-20	Op. 35, c. 1588 A1-A15
2. Dieu est juste	» 1. 20-27	Op. 35, c. 1588 B1-C6
3. Création et procréation	» 1. 28-75	Op. 35, c. 1588 C7-1589 C5
4. Le baptême et le salut	2	Op. 35, c. 1589 C6-C14

2e *dialogue*

Volonté et tolérance	3 et 4	Op. 9, c. 1529 A1-A7 Op. 35, c. 1592 A1-B6

3e *dialogue*

Le Christ est Dieu	5	Op. 35, c. 1592 B8-C6

4e *dialogue*

Paroles et communications	6	Op. 36, c. 1592 C8-1593 B8

5e *dialogue*

L'Incarnation	7	manque

6e *dialogue*

L'union hypostatique	8	manque

7e *dialogue*

La Dormition	9	Op. 37, c. 1593 B12-C1

8e *dialogue*

La Création est achevée	10	Op. 37, c. 1593 C2-C13

9e *dialogue*

Le Christ est plus grand que Jean-Baptiste	11	Op. 38, c. 1593 D1

Théodore se met parfois lui-même en scène dans le rôle de l'interlocuteur chrétien (Op. 21-22-24). Dans les *Opuscules* qui correspondent à notre *Controverse*, le Musulman est souvent appelé le Barbare (Op. 35, c. 1588 A1-1588 C6 ; 1589 B7-1592 C6 ; Op. 36 et 37), rarement Sarrasin (Op. 35, c. 1588 C7-1589 B6 ; Op. 38), une seule fois Agarène (Op. 9), orthographié d'ailleurs Magarène. Dans l'Opuscule 8 le Musulman est appelé l'Arabe : ὁ Ἄραψ.

L'ensemble de l'œuvre s'articule autour de deux thèmes principaux : celui de la liberté de l'homme et de la justice de Dieu d'une part (dialogues 1 et 8), qui reprend la question déjà posée au sujet de la création, et d'autre part la christologie, avec la mariologie qui en est le prolongement (dialogues 2, 3, 4, 5, 6, 7 et 9), où nous trouvons un débat sur la Parole de Dieu. Or ce sont les mêmes sujets : liberté de l'homme et Parole de Dieu créée ou incréée, qui seront débattus entre les premiers théologiens musulmans à Damas comme en Irak.

Si le contenu de la *Controverse entre un Musulman et un Chrétien* diffère de celui de l'hérésie 100, il le complète en quelque sorte [1]. L'exposé sur l'Islam est essentiellement une description donnée dans le cadre d'une information plus générale. L'intention de l'auteur est ici bien différente. Il veut mettre à la disposition des chrétiens un manuel pratique dans lequel ils puissent trouver une réponse appropriée aux objections les plus courantes : le Musulman formule ses critiques, et le Chrétien se trouve dans l'obligation de justifier sa foi [2]. Cette suite de petits dialogues livre un enseignement vivant qui répond aux besoins réels de la communauté chrétienne, dispensé par un théologien qui connaissait bien la pensée et les intentions de l'adversaire [3].

---

1. D. J. SAHAS, *John of Damascus*, p. 101, est d'un avis contraire.
2. La seule fois où le Chrétien prend l'initiative dans la discussion, c'est dans le quatrième dialogue qui porte sur la Parole de Dieu.
3. Ce qui lui permet de mettre le Chrétien en garde contre les intentions malicieuses de son interlocuteur : Dialogue 1, 3e paragraphe, dialogues 2, 4 et 9.

CHAPITRE IV

L'ISLAM : COMMENTAIRES

1. **Introduction**

a. *Présentation de l'Islam*

Jean appelle l'Islam « Religion des Ismaélites »[1], et l'utilisation du mot religion[2] montre bien que, pour lui, ce n'est pas une simple hérésie chrétienne. Et que l'Islam soit présenté comme une religion dominante semble confirmer la thèse selon laquelle l'auteur résidait en terre musulmane. Toutefois la domination était purement politique, la grande majorité de la population de Syrie, à cette époque, étant encore restée fidèle au christianisme.

Jean reproche à l'Islam d'égarer les peuples en les séduisant et ne fait aucune allusion à la guerre sainte (*jihād*), ni à la propagation de l'Islam par les armes. Or nous sommes en pleine période de conquêtes, en Afrique du Nord comme en Espagne, l'invasion n'étant stoppée en France qu'à Poitiers[3], tandis que la guerre reprenait de

1. Quatre siècles plus tard, Michel le Syrien utilisera encore la même terminologie (*Chronique*, II, p. 413).
2. ἡ θρησκεία.
3. Les Arabes fondent Kairouan en 670, passent en Espagne en 711, et sont arrêtés à Poitiers en 732.

plus belle contre Byzance [1]. Une telle présentation de
l'Islam prouve que les musulmans n'exerçaient aucune
pression sur les Syriens au moment où les conversions se
multipliaient parmi les chrétiens désireux d'être maintenus
dans leurs fonctions ou soucieux d'échapper aux impôts
dus par les *dhimmī*. Son succès relevait plus de la ruse que
de la violence, semble vouloir dire l'auteur quand il accuse
cette religion d'être le précurseur de l'antéchrist.

Dans *La Foi orthodoxe*, le Damascène consacre tout un
chapitre à ce personnage : « Est antéchrist quiconque ne
confesse pas que le Fils de Dieu est incarné [2]. » Et,
décrivant le véritable antéchrist qui viendra à la fin des
temps, il précise : « Ce ne sera pas le diable incarné, mais
un homme né de la fornication, qui sera élevé en secret et
subitement établira son royaume. Au début il singera la
sainteté ; mais bientôt il lèvera le masque et persécutera
l'Église de Dieu [3]. » Le même terme est utilisé plusieurs
fois dans la Bible et nous situe toujours dans un climat
eschatologique [4] : l'antéchrist est un personnage qui pro-
voquera l'apostasie avant l'avènement du Christ et permet-

1. Les attaques contre Byzance avaient repris sous ʿUmar II, en
717-718.

2. *La Foi orthodoxe*, IV, 26, *PTS* 12, p. 232-234.

3. Traduction de M. Jugie, art. « Jean Damascène », c. 746.

4. I Jn 2, 18 ; 4, 3. II Jn 7 (Il l'appelle Séducteur), Matth. 24, 24,
Apoc. 13, 1-8. L'antéchrist n'est pas un personnage inconnu de la
tradition islamique. Il existe, chez les commentateurs, des récits qui
mettent en scène un certain *Dajjāl* que Jésus devra combattre dans le
dernier temps. *Dajjāl*, mot d'origine syriaque, signifie « menteur ».
Voir A. Abel, art. « Dadjdjāl », *NRIs*, t. 2. p. 77-78. « En arabe,
usité comme substantif pour désigner le personnage qui arrivera à la
fin des temps et fera régner pendant une période de quarante jours
ou quarante ans l'impureté et la tyrannie sur un monde destiné à
connaître ensuite la conversion universelle à l'Islam. » L'auteur de cet
article précise que cette figure est inconnue du Coran, mais apparaît
dans la tradition, en particulier chez Ibn Ḥanbal. Selon un Ḥadīth le
Prophète l'aurait annoncé.

tra de reconnaître ce dernier. Instrument de Satan, il séduira et persécutera les croyants pour une grande épreuve dernière à laquelle mettra fin le retour du Christ [1]. Ce nom désigne en fait tous les ennemis de l'orthodoxie, tel Nestorius dans la querelle de la *Théotokos*, ou Léon III et les autres partisans de l'iconoclasme [2]. L'expression « précurseur de l'antéchrist » s'applique donc à tous ceux qui soutiennent une erreur pouvant séduire les chrétiens orthodoxes et ne s'adresse pas seulement à l'Islam.

b. *Les trois noms donnés aux musulmans*

Le premier est celui d'ismaélite. Cette appellation se justifie si on se réfère à la Bible [3], mais elle correspond également à ce que le Coran nous enseigne sur l'histoire d'Abraham [4]. Les Arabes sont les descendants d'Ismaël et c'est pourquoi la révélation a été faite en arabe pour les Arabes [5]. La perspective coranique dépasse cependant l'aspect purement ethnique souligné par Jean. L'essentiel pour les musulmans n'est pas leur appartenance raciale [6].

---

1. *Bible de Jérusalem*, p. 1563, note i.
2. L'Islam est également considéré comme l'annonciateur de l'anté-christ par NICÉTAS DE BYZANCE, *Réfutation du Coran*, PG 105, c. 717 A et 749 D, accusation reprise dans l'ensemble des ouvrages polémiques byzantins contre l'Islam. Cf. D. J. SAHAS, *John of Damascus*, p. 68-69.
3. *Gen.* 21, 13 : « Du fils de ta servante je ferai un grand peuple. »
4. Sur le personnage d'Abraham dans l'Islam, on peut consulter : Y. MOUBARAC, *Abraham dans le Coran* ; M. HAYEK, *Le Mystère d'Ismaël* ; A. J. WENSINCK, art. « Ibrāhīm », *EIs*, t. 2, p. 458.
5. Coran 4, 50 ; 6, 157 ; 13, 37 ; 14, 2 ; 16, 105 ; 20, 112 ; 22, 78 ; 26, 195 ; 34, 43 ; 39, 29 ; 41, 2 et 44 ; 42, 5 ; 43 2 ; 46, 11. De même Jésus avait-il été envoyé à son peuple pour l'instruire dans sa langue : « Nous n'avons envoyé nul Apôtre sinon (chargé d'enseigner) dans l'idiome de son peuple » (Coran 14, 4).
6. Peu de passages coraniques parlent de la famille d'Abraham :

Si Abraham, par Ismaël, est bien le père des Arabes, son rôle religieux importe beaucoup plus. Il est avant tout le père des croyants, le fondateur du monothéisme [1]. L'Islam est la religion d'Abraham (*millat Ibrāhīm*) [2], qui a construit la *Ka'ba* avec l'aide d'Ismaël [3], et qui, le premier, s'est soumis à Dieu, c'est-à-dire s'est fait musulman (*aslama*) [4], au moment du sacrifice de son fils.

Le nom d'Agarène (ou Agarénien), qui vient d'Agar, est logique lui aussi. S'il n'est plus guère en usage de nos jours, il se retrouve fréquemment chez les polémistes byzantins qui ont succédé à Jean [5]. L'auteur anonyme du *Contre Mahomet* donne l'étymologie de ce mot : « Agarène vient d'Agar, la mère d'Ismaël [6]. »

Enfin le mot Sarrasin est de loin le plus connu, puisqu'il sera utilisé pendant tout le Moyen Age, avec celui de Maure, comme synonyme de musulman. Il semble qu'il vienne du sémite *sharqiyyīn*, qui signifie orientaux, nom que les gens de cette contrée donnait aux Arabes [7].

Coran 3,30 ; 4, 57 ; 14, 41. Il ne faut pas oublier que, de nos jours, les Arabes ne forment qu'une petite minorité de la population musulmane du globe.

1. Coran 3, 60 ; 4, 57 ; 19, 43 ; 21, 57 et 67 ; 26,69 ; 29, 1 ; 37, 81 ; 42, 11 ; 43, 25 ; 53, 38. De même Ismaël est considéré avant tout sous l'angle religieux : c'est un prophète. Coran 2, 130 ; 3, 78 ; 4, 161 ; 6, 86 ; 19, 55 ; 21, 85.

2. Coran 16, 124 ; 263, 38.

3. Coran, 2, 119 et 121.

4. Coran 37, 103. *Islām* (soumission) et musulman (soumis) viennent de la même racine (SLM) qu'*aslama* (se soumettre).

5. En dehors d'Abu Qŭrra, ce sont, entre autres : l'auteur de la *Vita* de Jean Damascène, PG 94, c. 436 ; CONSTANTIN ACROPOLITE, *Sermo*, PG 140, c. 817 ; l'auteur du *Contre Mahomet*, PG 104, c. 1448 ; NICÉTAS CHONIATE, *La Religion des Agaréniens*, PG 140, c. 105 ; BARTHÉLÉMY D'ÉDESSE, *Réfutation d'un Agarène*, PG 104, c. 1384.

6. PG 104, c. 1448 B « Ἀγαρηνοὶ δὲ ἀπὸ Ἄγαρ τῆς μητρὸς Ἰσμαήλ ».

7. Les Arabes nomades étaient appelés Arabes scéniyes, c'est-à-dire qui vivent sous la tente (Ἄραβες σκηνίται). Ce nom fut attribué

L'étymologie rapportée par Jean Damascène : « dépouillée par Sara » est très tendancieuse ; Agar a certes fui pour échapper aux traitements infligés par Sara, selon la Bible [1], mais l'auteur, emporté par son ardeur polémique, semble oublier le texte de la Genèse dans lequel Dieu bénit Ismaël et sa descendance appelée à devenir un grand peuple [2]. Agar n'a donc pas été complètement dépouillée ! Sans doute le propos de Jean est-il de démontrer que les Arabes ne sont pas qualifiés pour apporter quelque chose de nouveau à la Révélation.

c. La religion anté-islamique

L'auteur raconte qu'avant l'apparition de l'Islam les habitants de la Mecque adoraient l'Étoile du Matin [3] ainsi qu'Aphrodite, connue sous le nom de *Chabar*. En fait le panthéon de la Mecque était très fourni, puisque certains chroniqueurs arabes parlent, avec exagération, de 360 idoles autour de la *Ka'ba*. Si à l'origine chaque tribu vénérait sa propre idole, à la veille de l'Hégire la Mecque avait réussi à établir une certaine hégémonie politique, et la

---

par la suite à tous les Arabes, païens ou chrétiens, qui vivaient en territoire romain. Ce serait l'origine du mot *Saraceni*, Sarrasins. Cf. H. Leclercq, art. « Sarrasin », *DACL*, t. 15, Ire partie, p. 902-903. Nous n'avons malheureusement pu consulter l'article de L. Cheikho, « L'origine du mot Sarrasin ». Leclercq donne comme autres sens : pillard et oriental.

1. *Gen.* 18, 6.
2. *Gen.* 17, 20. Cette bonne intention d'Abraham est confirmée dans un autre verset *Gen.* 25, 6 : « Quant aux fils de ses concubines, Abraham leur fit des présents et il les envoya, de son vivant, loin de son fils Isaac, à l'Est, au pays d'Orient. ». Ce verset confirmerait le rapport entre le mot sarrasin et le sens d'oriental.
3. C. Chevalier, *La Mariologie*, p. 222, note 2, remarque que c'est la raison pour laquelle Jean Damascène ne donne jamais ce titre à la Vierge.

Ka'ba était en passe de devenir le panthéon national des Arabes. On avait assisté à une adoption politique des divinités des villes voisines et des tribus environnantes, pour mieux affirmer l'autorité de la Mecque et se concilier tous les dieux, afin qu'ils soient favorables au commerce de la ville. Rome, en d'autres temps, avait entrepris la même démarche. Mais il existait une hiérarchie entre toutes ces idoles, avec, au sommet, le Seigneur de la *Ka'ba* (*rabb al-Ka'ba*), appelé aussi *al-Ilāh*, qui deviendra *Allāh* par contraction, ou encore Hobal. S'il était un dieu créateur, il n'était pas un dieu unique pour autant. En dessous de lui venaient trois divinités astrales ou stellaires, pouvant être considérées comme les trois déesses mères des trois grandes cités commerçantes du Ḥijāz : Manāt, déesse de Yathrib (qui deviendra plus tard Médine) ; al-Lāt (féminin de *al-Ilāh*), déesse de Ṭā'if, semblable à la divinité syrienne de la fécondité (Ichtar — Aphrodite — Vénus) ; enfin al-'Uzzā, déesse mecquoise de l'amour et de la fécondité [1].

Jean Damascène semble bien informé de la situation religieuse en Arabie à la veille de la prédication de Mahomet, même s'il ne l'est que partiellement et s'il prend Vénus pour la déesse principale, puisqu'il l'appelle *Chabar* avec sans doute le sens de grande.

---

1. Al-lāt signifie « la Déesse » ; 'Uzzā « la Toute-Puissante » ; Manāt est la divinité « du Destin et de la Mort », L. GARDET, *Les Hommes de l'Islam*, p. 38, note 23. Elles sont citées ensemble toutes les trois dans le Coran 53, 19-20. Sur la religion pré-islamique, cf. J. CHELHOD, *Introduction à la sociologie de l'Islam*, p. 118 s. ; M. GAUDEFROY-DEMOMBYNES, *Mahomet*, p. 44 s. ; A. JAMME, *La Religion arabe pré-islamique*, p. 239-307.

2. Apparition de l'Islam

a. La date

La date avancée dans le texte du *Livre des hérésies* est exacte. Mahomet, qui a commencé sa prédication vers 610, est contemporain d'Héraclius, dont le règne a débuté en cette même année[1].

b. Les sources de l'enseignement de Mahomet

Jean affirme que Mahomet s'est inspiré de la Bible, vu que nous trouvons dans le Coran de nombreuses histoires tirées de l'Ancien et du Nouveau Testament[2]. La connaissance de la Bible par le Prophète de l'Islam ne fait pas de doute. Médine était une ville à forte implantation juive et Mahomet ne pouvait pas ignorer les livres saints de cette population au milieu de laquelle il était venu vivre après avoir émigré de la Mecque. On raconte même qu'un cousin de sa femme Khadīja, du nom de Waraqa, aurait traduit en arabe les principales péricopes évangéliques[3]. La popula-

1. Il est possible de trouver des renseignements sur Mahomet et sur sa mission dans les ouvrages suivants : TOR ANDRAE, *Mahomet, sa vie et sa doctrine* ; R. BLACHÈRE, *Le Problème de Mahomet* ; W. M. WATT, *Mahomet à la Mecque* ; *Mahomet à Médine* ; M. GAUDEFROY-DEMOMBYNES, *Mahomet* ; E. DERMENGHEM, *Mahomet et la tradition islamique* ; M. HAMIDULLAH, *Le Prophète de l'Islam* ; R. ARNALDEZ, *Mahomet ou la Prédication prophétique* : M. RODINSON, *Mahomet*.
2. L'influence de la Bible sur le Coran a été étudiée par J. JOMIER, *Bible et Coran*, et D. MASSON, *Le Coran et la révélation judéo-chrétienne*.
3. « Il était si savant qu'il pouvait traduire l'Évangile du syriaque en hébreu et en arabe », M. GAUDEFROY-DEMOMBYNES, *Mahomet*,

tion de Najran était en majorité chrétienne au VIIe siècle, et comme les habitants de cette région fréquentaient les foires du Ḥijāz, Mahomet aurait eu l'occasion d'entendre les homélies de leur évêque Quss b. Sadiya [1]. Enfin, au cours de ses déplacements avec les caravanes de marchands, les occasions ne lui ont pas manqué de rencontrer d'autres chrétiens, nestoriens et monophysites, ou encore syncrétistes du désert.

L'accusation de plagiat n'est pas nouvelle puisque le Coran nous la rapporte déjà. Les judéo-chrétiens disaient de Mahomet : « Cet homme a seulement pour maître un mortel [2] », critique contre laquelle *Allāh* défendait son Prophète : « Tu ne connaissais pas ce que sont les Écritures et la Foi antérieurement [3]. » Et encore : « Tu ne récitais, avant celle-ci, aucune autre Écriture [4]. » Pour l'Islam, la réponse est simple : Bible et Coran ont une

p. 66. Ce cousin de Khadīja (première et seule épouse de Mahomet tant qu'elle a été en vie) était *Ḥanīf*, ce qui veut dire qu'il était attiré par le monothéisme dès avant l'apparition de l'Islam, comme bon nombre de ses concitoyens. Un auteur musulman, Khaṭīb Baghdādī, rapporte que le calife ʿUmar II aurait copié un livre de la Bible, et que le livre de Daniel l'aurait été par un compagnon du Prophète. Pour la traduction de l'Évangile en arabe, c'est ʿAmr Ibn al-ʿĀṣ, le conquérant de l'Égypte, qui aurait demandé à Jean, le patriarche monophysite d'Antioche de réaliser ce travail, avec l'interdiction formelle de parler de la divinité du Christ, du baptême et de la croix. Jean refuse cette restriction et convoque évêques et Arabes chrétiens connaissant bien l'arabe et le syriaque, chaque phrase étant contrôlée par tous les traducteurs (A. AIGRAIN, art. « Arabie », c. 1302).

1. M. GAUDEFROY-DEMOMBYNES, *Mahomet*, p. 12. Plusieurs ouvrages nous renseignent sur l'implantation du christianisme en Arabie au moment de la prédication de Mahomet : TOR ANDRAE, *Les Origines de l'Islam et le Christianisme*; H. CHARLES, *Le christianisme des Arabes nomades sur le limes et dans le désert syro-mésopotamien aux alentours de l'Hégire*. A. AIGRAIN, art. « Arabie », paragraphes IX et X, c. 1253-1292.

2. Coran 16, 105 ; 25, 6 ; 27, 70 ; 29, 47.

3. Coran 42, 52.

4. Coran 29, 47.

source commune, la Mère du Livre[1], dont l'archétype se trouve au ciel[2]. Le Coran en est seulement une version en arabe pour les Arabes[3]. Il n'y a donc rien d'étonnant à ce qu'il y ait des points communs entre tous ces ouvrages ; Bible et Coran se rejoignent souvent, il est vrai, mais c'est le contraire qui serait étonnant. Ils devraient même concorder intégralement, et, s'il y a des divergences, c'est que les chrétiens et les juifs ont tronqué la révélation de Jésus et celle de Moïse[4]. Mahomet n'a été envoyé que pour rétablir la révélation dans sa pureté initiale, et les musulmans peuvent affirmer que la révélation a été transmise, mot à mot, au Prophète. Il est à noter cependant que l'auteur du *Livre des hérésies* passe sous silence l'influence du paganisme arabe de la Mecque, qui est au moins aussi importante que l'apport biblique, en particulier pour ce qui est des rites et du pèlerinage.

Au cours d'un voyage en Syrie, Mahomet aurait rencontré le moine nestorien Baḥīrā, à Boṣrā exactement[5]. Est-ce une légende issue des milieux chrétiens et destinée à prouver que Mahomet n'a rien apporté d'original ? Telle semble être la version de Jean Damascène. Ce récit est-il au contraire d'origine musulmane, avec une arrière pensée apologétique ? Il s'agirait alors de montrer que Mahomet avait été reconnu comme prophète par ledit moine. L'imagerie populaire de l'Islam, représentant le moine

1. Coran 13, 39.
2. Coran 43, 3.
3. Coran 26, 195.
4. Plusieurs versets du Coran dénoncent cette action coupable des juifs et des chrétiens : « Ils (les chrétiens) ont oublié une partie de ce par quoi ils ont été édifiés » (Coran 5, 17). Et encore : « Une faction parmi eux (les juifs) qui entendait le discours d'Allah, le faussait ensuite, sciemment, après l'avoir compris » (Coran 2, 70). Le même reproche se retrouve en Coran 3, 72 ; 4, 48. J. JOMIER, *Bible et Coran*, consacre le chapitre VI à ce problème (p. 39-44).
5. Cf. A. ABEL, art. « Baḥīrā », *NEIs*, 1960, t. 1, p. 950.

Baḥīrā venant saluer Mahomet adolescent inciterait à opter
pour cette explication [1]. Mais pourquoi l'auteur parle-t-il
de moine arien et non pas de nestorien? Sans doute
trouve-t-il des traces d'arianisme dans la théologie du
Coran. Arius, il est vrai, a voulu privilégier la place du
Père au sein de la Trinité, et comme Mahomet, il a
dévalorisé le *Logos*. Les musulmans, de leur côté, ont vu
dans le moine qui rendait hommage au Prophète un
nestorien, parce que la christologie nestorienne est proche
de la doctrine de l'Islam sur Jésus [2].

1. Image reproduite dans E. DERMENGHEM, *Mahomet*, p. 15. Cet
épisode de la vie du Prophète est parfois mis en parallèle avec
l'épisode de Jésus au temple en compagnie des docteurs.
2. Dans l'article précité A. Abel rappelle que Jāḥiẓ, auteur
musulman du IXe siècle, dans sa *Réponse aux Chrétiens*, démontre
que le verset du Coran favorable aux chrétiens (Coran 5, 82) s'adresse
uniquement aux chrétiens semblables à Baḥīrā, donc aux nestoriens,
et non aux byzantins ou aux monophysites. La christologie du
nestorianisme, telle qu'elle est définie par Théodore de Mopsueste, le
théologien de cette Église, est proche de celle enseignée par l'Islam
(cf. J. LABOURT dans son ouvrage intitulé : *Le christianisme dans
l'empire perse*, p. 248-251). La nature humaine du Christ est
complète et se suffit à elle-même. Le Verbe est uni à l'homme d'une
manière morale (κατ' εὐδοκίαν) et non physique (κατ' οὐσίαν).
L'Homme-Christ, lors de son baptême, devint fils adoptif de Dieu,
mais le Verbe s'unit à l'humanité dès le message de l'Ange. Il y a un
seul fils, mais deux natures. Pour exprimer le mode d'union, il parle
d'adhésion (συνάφεια). Elle est définitive et indestructible; on peut
parler aussi d'union (ἕνωσις), mais elle est non essentielle, non
physique. Elle est « prosopopique ». Il y a donc un πρόσωπον, une
« personne » unique. Théodore admet aussi bien l'expression « mère
de l'homme » que « mère de Dieu » (θεοτόκος), car elle signifie pour
lui unité physique, communication des idiomes. Le texte anonyme
intitulé *Contre Mahomet* parle d'un moine jacobite (*PG* 104,
c. 1446). Les jacobites étaient en effet très nombreux dans cette
région de la Syrie.

c. *Accueil réservé à la mission du Prophète*

L'auteur prétend que Mahomet, avant de commencer sa prédication, a séduit ses concitoyens en simulant la piété. Il semble ignorer les difficultés rencontrés par le Prophète pour remplir sa mission auprès des habitants de la Mecque. En fait, les sarcasmes du début se transformèrent rapidement en hostilité. Mahomet s'attaquait aux idoles et les habitants de la ville craignaient que ses paroles nuisent à la prospérité du pèlerinage qui attirait les païens de toute l'Arabie, source de profit pour beaucoup d'entre eux. Certains convertis avaient été amenés à chercher refuge auprès des chrétiens abyssins [1]. Mahomet et ses compagnons furent contraints à leur tour d'émigrer le 16 juillet 622 à Yathrib, connue actuellement sous le nom de Médine. De cette émigration, ou Hégire, date le début de l'ère musulmane [2]. Avec le départ de la Mecque commence une lutte fratricide entre mecquois et émigrés soutenus par les nouveaux convertis. Cette lutte est émaillée par la bataille du mont Uḥud, la guerre du « Fossé » et aboutit finalement à la prise de la Mecque en 630. C'est donc par la force, par les armes, que Mahomet s'est concilié la faveur des gens de sa race. L'enseignement du Prophète est antérieur de vingt ans à la conversion des Mecquois, ou, pour être plus précis, à la conquête de la ville, qui a entraîné leur conversion.

---

1. Vers 615, c'est-à-dire 5 ans après le début de la prédication de Mahomet.
2. Cette émigration a permis au prophète de devenir chef d'État et de mettre en application le système politico-religieux institué par l'Islam.

d. *Rédaction du Coran*

Mahomet a bien enseigné que Dieu lui a envoyé un
Livre révélé [1], mais, pas plus que Jésus, il n'a rédigé de
message. Savait-il d'ailleurs lire et écrire ? La question n'a
toujours pas été résolue par ses biographes [2]. Quand il
proclamait le Coran, les versets révélés étaient transcrits
par des scribes sur des morceaux de cuir, des poteries ou
des omoplates de chameau. La recension complète de ces
textes n'a sans doute pas été réalisée du vivant du
Prophète [3]. Remarquons que Jean n'appelle pas ce livre
Coran, ce qui signifie proclamation. Il utilise le mot livre
((βίβλος) qui correspond au mot arabe *muṣḥaf*, l'un des
autres noms donnés au Coran. Il parle également d'Écriture (γραφή) [4], et non de sourate pour désigner les différents
chapitres.

Selon l'auteur, la prédication s'adressait uniquement
aux Ismaélites, c'est-à-dire aux Arabes. Mais Mahomet est-
il venu seulement pour son peuple, ou bien avait-il une
vocation universelle ? Des versets du Coran peuvent être
utilisés en faveur de l'une et l'autre thèse. Wensinck

---

1. L'archétype de ce livre se trouve près de Dieu : Coran, 43, 3.

2. Une tradition musulmane ancienne le représente comme un
illettré. D'autres sources nous le montrent réclamant un écritoire
pour rédiger son testament. R. BLACHÈRE (*Introduction au Coran*,
p. 6-12) pense « qu'il existe des présomptions que Mahomet ait su
lire et écrire. »

3. Sur l'histoire de la rédaction du texte coranique, cf. ch. III,
p. 72, n. 1.

4. Sourate est un mot qui vient sans doute du syriaque et qui
signifie écriture. M. RODINSON, *Mahomet*, p. 161. Selon LAMPE (*A
Patristic Greek Lexicon*, p. 322-323), Jean est le seul Père de l'Église
à avoir utilisé le mot γραφή dans le sens du chapitre du Coran
(« accompanied by a title, feature of mahomedians scripture »).

estime que la pensée du Prophète a évolué sur ce sujet [1].
Chaque peuple a eu ses messagers, et Mahomet est d'abord
venu apporter la révélation en arabe pour les Arabes [2].
Ayant émigré à Médine, et constatant l'opposition des juifs
à sa mission, Mahomet, aurait alors fait d'Abraham le
premier musulman, le premier soumis à Dieu, fondateur
de l'Islam et constructeur de la *Ka'ba*. Le Coran serait
devenu un appel pour tous les hommes, le rappel de la
religion véritable déformée par les juifs et les chrétiens [3],
son message devenant désormais universel : « Hommes ! Je
suis l'Apôtre d'Allah (envoyé) vers vous tous [4] ». Moubarac
conteste cette interprétation [5]. Selon lui ce n'est pas aussi
simple, car, dans certaines sourates datant de la Mecque on
retrouve le terme *aslama* (s'est soumis à Dieu, s'est fait
musulman) appliqué à Abraham, et la nouvelle religion se
nomme déjà *millat Ibrāhīm*, c'est-à-dire communauté
religieuse formée par la descendance d'Abraham.

En revanche, il semble évident que la tradition musulmane a toujours affirmé la vocation universaliste de
l'Islam. La conquête du monde entreprise à la mort du
Prophète en est la preuve. Il est vrai que, dans les
premiers temps, aucune pression n'a été faite sur les non-
Arabes pour les convertir de force. L'affirmation de Jean
Damascène peut donc être considérée comme un témoignage sur la situation en Syrie au VIIIe siècle ; le message

1. A. J. WENSINCK, art. « Ibrāhīm », *EIs*, t. II, p. 458.

2. « Nous t'avons révélé une prédication en langue orale pour que
tu avertisses la Mère des cités et ceux qui sont autour d'elle » (Coran
42, 5). Ce message est conforme aux révélations antérieures : « (C'est
une Révélation) en langue arabe pure, et cela se trouve certes dans les
Écritures des Anciens » (Coran 26, 195-196).

3. Coran 2, 72.

4. Coran 7, 157-158.

5. Y. MOUBARAC, art. « La naissance de l'Islam », *Lumière et Vie*,
n° 25, p. 17.

musulman s'adressait alors uniquement aux Arabes, et parmi les chrétiens, seuls ceux appartenant à des tribus arabes ont dû se convertir, au besoin par la force. L'auteur nous donne ainsi une précieuse information sur la liberté de religion et de culte, à Damas et à Jérusalem, à l'époque de la dynastie umayyade.

3. Le contenu du Coran

a. *Dieu est unique, créateur universel, il n'a pas engendré et n'a pas été engendré*

Affirmer qu'*Allāh* est l'unique Dieu est la seule profession de foi exigée du musulman : *lā ilāha illā llāh*. Champion du monothéisme absolu ou *tawḥīd*, l'Islam entend se démarquer du paganisme de la Mecque aussi bien que du christianisme et de son invocation trinitaire. Les versets du Coran rappelant cette unicité d'*Allāh* sont multiples[1] ; ils insistent sur le fait qu'on ne peut lui associer quiconque et qu'il n'est comparable à personne. Or, dans plusieurs écrits dogmatiques, Jean Damascène insiste, lui aussi, sur cette unicité de Dieu, y consacrant même le cinquième chapitre du premier livre de *La Foi orthodoxe*, qui s'intitule : « Une preuve démonstrative que Dieu est un et non multiple[2]. »

Allāh a tout créé[3]. Le seigneur de la *Kaʿba*, le plus

1. Coran 2, 127.158.256 ; 3, 1.4-6.16.55.57 ; 4, 89.169 ; 6, 77 ; 6, 19.100.102.163 ; 7, 31.57.63.158 ; 9, 31.130 ; 10, 69 ; 11, 2.17 ; 12, 39 ; 14, 49.52 ; 16, 23.53 ; 17, 2.24.41.49 ; 18, 110 ; 19, 66 ; 20, 7 ; 21, 108 ; 22, 35 ; 23, 93 ; 34, 21 ; 35, 3 ; 37, 4 ; 38, 65 ; 39, 6 ; 40, 12 ; 41, 5 ; 42, 9 ; 47, 21 ; 52, 43 ; 59, 22-23 ; 64, 13 ; 72, 20 ; 73, 9 : 112, 1.
2. *La Foi orthodoxe*, I, 5 : *PTS* 12, p. 13-14.
3. Coran 2, 159 ; 6, 101.102 ; 13, 17 ; 15, 85 ; 16, 8.17 ; 21, 31 ; 27, 90 ; 28, 68 ; 30, 19, 53 ; 39, 7 ; 43, 81 ; 44, 38 ; 46, 32 ; 51, 48 ; 55, 29 ; 67, 3 ; 77, 23.

grand des dieux de la Mecque, était déjà un dieu créateur.
Mais, dans le Coran, le dogme de la création est utilisé
comme une preuve de l'unicité et de la toute puissance
d'*Allāh*, qui crée ce qu'Il veut [1]. En formant le monde en
six jours et sans fatigue [2], Il achevait son œuvre par la
création d'Adam le vendredi. L'homme est tiré de la
matière et Dieu lui a insufflé son esprit [3], le plaçant donc
au centre de la création ; tout fut créé pour lui [4]. Mais si la
création est un signe de la bonté de Dieu pour l'homme [5],
elle est avant tout la preuve évidente de la résurrection
finale. Puisqu'Il a créé l'homme de peu de chose, *Allāh*
pourra aussi le ressusciter : « C'est Lui qui vous donna la
vie, puis (qui) vous fera mourir, puis (qui) vous fera
revivre [6]. »

En disant que le Dieu de l'Islam n'a pas engendré et n'a
pas été engendré, Jean Damascène cite textuellement le
Coran [7]. Pour le Prophète, affirmer qu'*Allāh* n'a pas
d'enfant, cela émane du simple bon sens : « Comment
aurait-Il des enfants Lui qui n'a pas de compagne [8] ! » Le
Coran revient souvent sur le fait qu'*Allāh* n'a pas
d'enfant [9], encore une fois pour s'opposer aussi bien aux
chrétiens qu'aux polythéistes. Le refus d'attribuer des

1. Coran 2, 111 ; 5, 20 ; 24, 44 ; 35, 1 ; 42, 48.
2. Coran 7, 52 ; 10, 3 ; 12, 9 ; 25, 60 ; 50, 37 ; 57, 4. Du fait qu'Il ait
créé le monde sans fatigue, Dieu n'a pas eu besoin de se reposer par
la suite.
3. « Ton Seigneur dit aux anges : Je vais créer un mortel d'argile et
quand je l'aurai harmonieusement façonné et que j'aurai en lui
insufflé Mon Esprit (*rūḥ*), tombez devant lui prosternés » (Coran 38,
71-72).
4. Coran 16, 10-15.
5. « Ton Seigneur crée ce qu'Il veut et choisit ce qui, pour (les
Hommes), est le meilleur » (Coran 28, 68).
6. Coran 22, 65.
7. *Lam yalid wa lam yūlad*, Coran 112, 3.
8. Coran 6, 101.
9. Coran 23, 93 ; 41, 69 ; 17, 111 ; 25, 2.

enfants à *Allāh* oppose la révélation coranique à la foi des
polythéistes de la Mecque, qui lui donnaient des filles en la
personne des anges. Mais, s'Il n'a pas de fils, à plus forte
raison n'a-t-Il pas de filles. Le Coran utilise avec humour
un argument *ad hominem* pour convaincre les Mecquois
de leur sottise : « (Allah) aurait-Il pour Lui des filles dans
ce qu'Il crée, alors qu'Il vous a octroyé des fils... [1] ? » Cela
semble curieux, en effet, lorsqu'on connaît l'estime des
bédouins pour les filles et les mœurs qu'ils pratiquaient :
« Ils donnent des filles à Allah — gloire à Lui ! — alors
qu'ils ont des fils qu'ils désirent et que, lorsqu'on annonce
à l'un d'eux (la venue d') une femelle, son visage
s'assombrit. Suffoqué il se dérobe aux siens par honte de
ce qui lui est annoncé (se demandant) s'il conservera cette
enfant pour son déshonneur ou s'il l'enfouira dans la
poussière [2]. » Le Coran ajoute : « Et ils voudraient qu'Allah, Lui, préfère les filles aux fils [3] ! »

Mais cette insistance à affirmer que Dieu n'a pas
engendré est également une critique de la Trinité : « Jésus,
fils de Marie, est seulement l'Apôtre d'Allah..., et ne dites
point : Trois !... A Lui ne plaise d'avoir un enfant [4] ! »
Toutefois, il faut savoir que la Trinité dont Mahomet avait
eu connaissance était une triade de type subordinationnis-
te, composée du père, de la mère et du fils [5] : « Ô Jésus,
fils de Marie, est-ce toi qui as dit aux hommes : Prenez-

---

1. Coran 43, 15. Et encore : « Quoi ! Votre Seigneur vous a-t-Il
octroyé des fils et a-t-Il pris, pour Soi, des filles parmi les Anges ? »
(Coran 17, 42).

2. Coran 16, 59-61.

3. Coran 37, 152. Il s'agit sans doute du seigneur de la Ka'ba et
des déesses subalternes protectrices des cités.

4. Coran 4, 169. R. ARNALDEZ, *Jésus*, p. 20, souligne que le Coran
parle une seule fois de Fils de Dieu (*Ibn Allāh*), Coran 9, 30. Partout
ailleurs, c'est le terme engendré (*walad*) qui est utilisé.

5. Sans doute à la suite d'une secte hérétique présente à la Mecque
(les Marianites ?).

nous, moi et ma mère, comme divinités en dessous d'Allah [1] ? » Dans le Coran Mahomet laisse cependant une possibilité d'ouverture en émettant la supposition suivante : « Si le Bienfaiteur a des enfants, je suis le premier de (leurs) adorateurs [2]. »

b. La christologie du Coran

Jean Damascène expose avec exactitude la christologie du Coran : Jésus est Parole et Esprit de Dieu ; sa mère est Marie ; il n'a pas été crucifié ; Dieu l'a rappelé près de Lui et l'a interrogé [3].

1. Coran 5, 116.
2. Coran 43, 81. Les commentateurs du Coran, dès le IXe siècle, ont eu parfaitement connaissance du contenu du dogme trinitaire, et ils l'ont réfuté. R. ARNALDEZ, Jésus, p. 20-22 et 231-232 explique cette incompréhension par un problème de terminologie. Le terme utilisé par les théologiens chrétiens pour personne est uqnūm, mot d'origine syriaque. Le Coran et les docteurs de l'Islam utiliseront shakhṣ qui signifie toute réalité individuelle, ou même shay', chose. Donc, pour les musulmans, le dogme trinitaire affirme qu'il y a trois choses ou trois individus, et non qu'il y a trois personnes en Dieu. C'est également l'opinion de L. GARDET, art. « Allāh », p. 421.
3. Avant de commenter ce passage, il convient de souligner, avec R. Arnaldez, que le personnage de Jésus dans le Coran emprunte plus aux évangiles apocryphes qu'aux Évangiles canoniques reconnus par l'Église. Pour le musulman, lorsque le Coran modifie des passages de l'Évangile, c'est pour en rétablir le texte authentique, qui a été modifié par les chrétiens. Le véritable Jésus est celui qui est restitué par le texte coranique (ARNALDEZ, Jésus, p. 14). Le même auteur poursuit sa mise en garde (op. cit., p 222) : « Les chrétiens risquent d'interpréter les versets du Coran qui parlent de Jésus dans un sens trop chrétien. Qu'ils ne s'y trompent pas... Le Jésus du Coran est un prophète de l'Islam... Il n'est pas le Christ des Évangiles, plus ou moins retouché. Il est entièrement musulman et parfaitement intégré dans la conception d'ensemble que l'Islam se fait de la prophétie et des prophètes... Tous les traits essentiels de la figure de Jésus peuvent se retrouver soit en Abraham, soit en Moïse,

Jésus est bien Parole et Esprit de Dieu, mais il a été créé. C'est que Parole et Esprit de Dieu ont une signification différente dans l'Évangile et le Coran. Le mot *Kalima* (parole) est utilisé trois fois en rapport avec l'histoire de Jésus. C'est tout d'abord Zacharie qui demande à son Seigneur de lui accorder une descendance. Pendant qu'il prie, les anges viennent lui dire : « Allah t'annonce (la naissance de) Jean qui déclare véridique un Verbe (émanant) d'Allah, (lequel Verbe sera) un chef et un prophète parmi les Saints [1]. » La même annonce est ensuite faite à Marie, toujours par l'intermédiaire d'un ange : « Ô Marie ! Allah t'annonce un Verbe (émanant) de Lui, dont le nom est le Messie, Jésus fils de Marie [2]. » La troisième fois il s'agit d'un verset critiquant la Trinité : Jésus fils de Marie est seulement l'Apôtre d'Allah, son Verbe jeté par Lui à Marie et un Esprit (émanant) de Lui... Ne dites point : Trois !... Allah n'est qu'une divinité unique [3]. »

Le mot Esprit revient souvent dans le Coran. A l'occasion de la conception de Jésus, Dieu insuffle en Marie son Esprit (*rūḥ*) [4]. Mais *rūḥ* est également le souffle de Dieu en Adam pour lui donner la vie [5]. C'est aussi l'ange qui transmet la révélation à Mahomet : « Et il est certes une révélation (*tanzīl*) du Seigneur des Mondes descendue (du ciel) par l'Esprit fidèle, sur ton cœur, pour que tu sois parmi les avertisseurs [6]. » Interrogé par les infidèles sur cet Esprit, voici ce qu'il est ordonné à Mahomet de répondre :

soit en Mahomet ». M. HAYEK, *Le Christ et l'Islam*, a consacré la totalité de cet ouvrage à la personne du Christ, telle qu'elle est décrite dans le Coran et par la tradition musulmane.

1. Coran 3, 34.
2. Coran 3, 40.
3. Coran 4, 169.
4. Coran 66, 11 ; 21, 91 ; 9, 149.
5. Coran 38, 72.
6. Coran 26, 192-194.

« L'Esprit procède de l'Ordre de ton Seigneur et il ne vous a été donné que peu de science [1]. » Il semble donc que cet Esprit soit un messager, un intermédiaire, dont *Allāh* se sert pour communiquer avec le genre humain, avec Marie par exemple : « Nous lui envoyâmes Notre Esprit et il s'offrit à elle (sous forme) d'un mortel accompli [2]. » Cet Esprit a été identifié par la tradition musulmane comme étant l'ange Gabriel [3].

Pour le Coran, Jésus n'est donc qu'un serviteur de Dieu (*'abd Allāh*), partageant ainsi la condition de tous les autres hommes. Parlant au berceau pour justifier sa mère, il dira lui-même : « Je suis serviteur d'Allah [4] ! » Jésus est appelé vingt fois fils de Marie dans le Coran, contre une seule fois dans l'Évangile [5]. Mais c'est uniquement au verset 29 de la sourate 19 que la mère de Jésus est confondue avec Marie sœur d'Aaron [6]. Lorsque le Coran parle de Marie, il veut insister autant sur le caractère purement humain de Jésus que sur la virginité de sa mère. Il revient fréquemment sur ce dernier point. Marie répondit à l'ange qui lui annonçait un fils : « Comment

1. Coran 17, 87.
2. Coran 19, 17.
3. Seul parmi les commentateurs, Avicenne (Ibn Sīnā) distingue entre *al-rūḥ al-amīn*, Esprit Fidèle (Coran 26, 193) qui serait Gabriel (Jibrīl), le transmetteur de la Révélation, et *rūḥ al-quds*, l'Esprit de Sainteté (Coran 2, 87 ; 16, 102, etc.) qui serait *Isrāfil*. L. GARDET, *Dieu et la destinée de l'homme*, p. 206, note 3.
4. Coran 19, 31. L'insistance des chrétiens nestoriens sur l'aspect humain de Jésus fera que leur Église sera considérée par les musulmans, à partir du IXᵉ siècle, comme l'Église chrétienne authentique, la plus fidèle à la révélation, et donc comme l'interlocuteur le plus valable pour discuter de la personne de Jésus.
5. Mc 6, 3.
6. R. ARNALDEZ (*Jésus*, p. 32-34), rappelle que le Livre des Nombres (12, 1) parle de Marie, sœur d'Aaron et de Moïse, ainsi que de leur père (12, 14). Le Coran dit que Marie est de la famille d'Amran (appelé 'Imrān dans le Coran 3, 31).

aurais-je un enfant alors que nul mortel ne m'a
touchée [1] ? » *Allāh* explique lui-même le mode de conception : « Nous soufflâmes en elle Notre Esprit (*rūḥ*) [2]. » Il
prit la défense de Marie contre les juifs : « (Nous les avons
maudits) à cause de leur incrédulité, pour avoir dit, contre
Marie, une immense infamie [3]. » De même les maudit-il,
au verset suivant, pour avoir dit : « Nous avons tué le
Messie, Jésus fils de Marie, l'Apôtre d'Allah ! », alors qu'ils
ne l'ont ni tué ni crucifié, mais que son sosie lui a été
substitué à leurs yeux [4]. La mort de Jésus est impensable
pour les musulmans. Dieu a sauvé Abraham, Moïse,
Mahomet et beaucoup d'autres de la machination de leurs
ennemis et de la mort. Jésus ne saurait faire exception, car
Allah protège ses amis [5].

Au sujet de son ascension, le Coran nous dit : « Allah l'a
élevé vers Lui [6]. » Puis Il a procédé à son interrogatoire :
« Ô Jésus fils de Marie, est-ce toi qui as dit aux hommes :
Prenez-nous, moi et ma mère, comme divinités au-dessous
d'Allah ! (Jésus) répondit : Gloire à Toi ! Il n'est point de
moi de dire ce qui n'est pas pour moi une vérité ! Si j'ai dit
cela, Tu le sais, (car) Tu sais ce qui est en mon âme... Je ne
leur ai dit que ce que Tu m'as ordonné, à savoir : Adorez
Allah, mon Seigneur et le vôtre [7] ! »

L'exposé de la christologie musulmane faite par Jean est

1. Coran 3, 42 ; 19, 20.
2. Coran 21, 91.
3. Coran 4, 155.
4. Coran 4, 156. Un disciple de Jésus, qui lui ressemblait, a été
crucifié à sa place. On a cru voir là une affirmation d'origine
docétiste, hérésie répandue dans le sud de l'Arabie. R. BLACHÈRE, *Le
Coran*, p. 126, note du verset 156, pense qu'elle aurait une origine
gnostique. Les disciples de Basilide, vers 130, disaient que Simon de
Cyrène avait été mis à mort à la place de Jésus.
5. R. ARNALDEZ, *Jésus*, p. 191-203.
6. Coran 4, 156.
7. Coran 5, 116-117.

donc bien conforme à la présentation de Jésus que nous retrouvons dans le Coran.

4. Critique de la révélation coranique

a. *Mahomet ne peut présenter ni témoignage ni texte scripturaire en sa faveur*

Jean reprend les attaques dont Mahomet avait été victime dès le début de sa mission. Il était accusé de forger une révélation, pour faire croire qu'il était un envoyé de Dieu : « Que n'a-t-on fait descendre sur (cet homme) un signe de son Seigneur [1] ! », disaient ses concitoyens. Ils ajoutaient : « C'est un poète ! Qu'il nous apporte un signe identique à ce dont furent chargés les premiers (Envoyés) [2] ! » Mahomet retourne cet argument et souligne justement que, malgré tous les signes qu'ils ont apportés, les apôtres venus avant lui n'ont pas été écoutés et ont même été persécutés [3]. Il ne revendique d'autre témoignage pour lui-même que celui d'*Allāh* : « Allah suffit comme témoin [4]. » Les autres témoignages en faveur des prophètes qui l'ont précédé n'ont pas été reconnus, aussi *Allāh* peut-il dire : « Seul nous a empêché d'envoyer des signes le fait que les anciens aient traité les signes de mensonges [5]. » D'ailleurs le Coran, dans sa perfection, se suffit à lui-même. Si tout autre que Dieu en était l'auteur, n'y

---

1. Coran 13, 8.
2. Coran 21, 5. Il lui était en effet reproché de s'exprimer à la façon des poètes de son époque.
3. Coran 41, 43.
4. Coran 29 51 ; 46, 7 ; 13, 43.
5. Coran 17, 61.

trouverait-on pas une foule de contradictions [1] ? De plus, chaque verset du Coran porte le nom de *aya*, mot que l'on peut traduire par signe (de Dieu). Chaque *aya* est par lui-même un miracle, une preuve éclatante aussi bien de l'existence du Dieu unique que de l'authenticité de la mission du Prophète [2].

Pour l'Islam, Mahomet a bel et bien été annoncé par les prophètes, contrairement à ce que soutient Jean. Abraham, à la Mecque, avait demandé à Dieu : « Seigneur ! Envoie parmi (les habitants) de cette ville un Apôtre (issu) d'eux, qui leur communiquera Tes *aya*, (qui) leur enseignera l'Écriture et la Sagesse, et les purifiera [3] ! » La même annonce se retrouve dans la Thora et l'Évangile [4]. Ainsi Jésus fils de Marie dit : « Ô fils d'Israël ! Je suis l'Apôtre d'Allah (envoyé) vers vous, déclarant véridique ce qui de la Thora est antérieur à moi et annonçant un Apôtre qui viendra après moi, dont le nom sera Aḥmad [5]. » Enfin, il

---

1. Coran 4, 84. « La seule chose qui ' distingue ' Muḥammad et en fait le plus grand des prophètes, c'est qu'il a reçu la mission de prêcher le Coran. Le Coran est le ' miracle ' (*muʿjiza*) de Muḥammad... Il n'y a qu'un seul miracle de Muḥammad, c'est d'avoir apporté aux hommes le Coran inimitable qui prouve l'authenticité de sa mission par ce que Dieu lui a donné de faveur en le chargeant de prêcher la révélation définitive qui doit transformer la pensée et les cœurs par l'éloquence de la Parole que rien ni personne ne pourra jamais altérer » (R. ARNALDEZ, *Jésus*, p. 13).

2. Coran 24, 42 ; 46, 6. Le mot ayatollah signifie donc « signe de Dieu ».

3. Coran 2, 123.

4. Coran 7, 156.

5. Coran 61, 6. R. ARNALDEZ (*Jésus*, p. 149-150), explique que Aḥmad et Muḥammad viennent de la même racine ḤMD et ont la même signification : « Le Loué » (pour ses qualités morales), et que cet Aḥmad serait le Paraclet annoncé dans l'Évangile de Jean ; παράκλητος (défenseur) aurait été déformé en περικλυτός (de renom, illustre). Il existe un commentaire de Rāzī, datant du XIIᵉ siècle, qui abonde dans ce sens et s'appuie sur les chapitres 14-15 et 16 de l'Évangile de Jean pour démontrer que Mahomet est le Paraclet annoncé. Cf. également R. BLACHÈRE, *Le Coran*, p. 153, note 6.

ne faut pas oublier que Mahomet accuse les juifs et les chrétiens d'avoir tronqué les Écritures, en particulier les passages qui annonçaient sa venue. Les arguments avancés par l'auteur ne sont donc pas valables dans un débat avec des interlocuteurs musulmans [1].

b. *Le Coran a été révélé au Prophète pendant son sommeil*

En fait, la révélation a été transmise par un ange : « C'est seulement là une Révélation qui lui a été transmise, que lui a enseignée un (Ange) redoutable, fort et doué de sagacité. (Cet Ange) se tint en majesté alors qu'il était à l'horizon supérieur. Puis il s'approcha et demeura suspendu et fut à deux arcs ou moins. Il révéla alors à son Serviteur ce qu'il révéla [2]. » L'annonciateur était Gabriel : « Celui qui est ennemi de Gabriel (est infidèle) car celui-ci, avec la permission d'Allah, a fait descendre (la révélation) sur ton cœur, (Prophète), pour déclarer véridiques les messages antérieurs, comme Direction et Annonce pour les croyants [3]. »

Ce qui a pu faire penser à une Révélation transmise pendant le sommeil, c'est l'allusion à la Nuit de la Destinée : « Nous l'avons fait descendre durant la Nuit de la Destinée [4] », dit Dieu, en parlant du Coran. Et ailleurs : « Cette Écriture explicite, nous l'avons révélée par une

---

1. « La Thora et l'Évangile ont été déformés par les juifs et les chrétiens. Le Coran est à l'abri d'une telle détérioration et c'est lui qui, en rappelant (*dhikr*) les histoires d'Abraham, de Moïse et de Jésus, rétablira la vérité exacte de la révélation que chacun d'eux a apportée dans le Livre que Dieu a fait descendre sur lui » (R. Arnaldez, *Jésus*, p. 13).

2. Coran 53, 4-10.
3. Coran 2, 91.
4. Coran 97, 1.

Nuit Bénie : Nous avons été celui qui avertit. Durant cette nuit, est dispensé tout ordre sage, (tout) ordre venu de nous [1]. » Cela dit, il est vrai qu'en plusieurs passages le Coran parle de songes et de visions [2]. Mais dans la Bible, Dieu ne se sert-il pas fréquemment de cette voie pour faire connaître sa volonté aux hommes ? « S'il y a parmi vous un prophète... c'est dans un songe que je lui parle [3] », peut-on lire au Livre des Nombres. Jean est donc bien mal venu de critiquer le Coran sur ce point.

c. *Les musulmans font appel à des témoins pour tout, sauf pour la Révélation*

Cette remarque prouve que l'auteur a vécu au milieu des musulmans dont il connaissait aussi bien la législation que la doctrine. Nous pouvons, effectivement, trouver dans le Coran de nombreux exemples qui démontrent l'importance du témoignage en Islam, dans la vie quoti-dienne comme sur le plan judiciaire. Il est requis comme

1. Coran 54, 1-4.
2. Coran 8, 45 ; 17, 62 ; 48, 27. Il en est de même pour le *Ḥadīth* : « Le rêve du croyant est un quarante-sixième don de prophétie. » Cité par D. Urvoy, *Penser l'Islam*, p. 143. Et encore (D.Uroy, *op. cit.*, p. 144) : « Le rêve est une conversation entre l'homme et son Dieu. »
3. Nombr. 12, 6. *La Bible de Jérusalem*, p. 1189, note e, donne la référence des passages où l'on voit Dieu se servir des rêves surnaturels pour communiquer avec les hommes. Cf. également A. Michel, art. « Songes », *DTC* 14, 2, Paris 1941, c. 2366, et H. Lesêtre, art. « Songes », *Dict. de la Bible*, t. 5, c. 1834. A la différence des polémistes byzantins plus tardifs, Jean Damascène ne fait pas allusion aux convulsions dont aurait souffert le Prophète, au cours desquelles le Coran lui aurait été révélé. Cf. Théophane le Confesseur, *Chronographie*, *PG* 108, c. 685 B-C.

preuve juridique[1] : deux témoins sont nécessaires pour emprunter de l'argent[2] ; une femme ne peut être accusée d'adultère que s'il y a eu quatre témoins du forfait[3], la répudiation d'une femme doit se faire en leur présence[4], de même pour la rédaction d'un testament, etc. Mais l'argument avancé par Jean est ici sans valeur, puisque pour l'Islam, ainsi que nous l'avons déjà signalé, la Thora et l'Évangile témoignent en faveur de Mahomet et l'annoncent[5].

5. Accusation d'associationnisme

a. *Les musulmans accusent les chrétiens d'être des associateurs*

Quand le Coran parle des associateurs, il s'agit presque toujours des idolâtres de la Mecque. L'énumération qu'il nous donne[6] : judaïsants, sabéens, chrétiens, zoroastriens, associateurs, montre bien que Mahomet établit une distinction entre les détenteurs d'une Écriture (*ahl al-kitāb*) et les associateurs proprement dits[7]. Cependant, on voit,

1. « En droit musulman, le système de la preuve légale est seul en vigueur : le juge ne doit pas fonder sa décision sur son intime conviction, ni sur ce qu'il a appris par lui-même. La preuve par excellence, abondamment réglementée, est la preuve testimoniale ; l'écrit reste subalterne » (R. CHARLES, *Le Droit musulman*, p. 106).
2. Coran 2, 282.
3. Coran 4, 19.
4. Coran 65, 2.
5. Cf. la note 98 de ce chapitre.
6. Coran 22, 17.
7. Coran 2, 99 ; 98, 1-5. Les versets qui concernent les associateurs et l'associationisme sont trop nombreux pour tous les citer. Cf. R. BLACHÈRE, *Le Coran*, p. 694.

dans un autre passage, qu'en disant : « Le Messie est le fils d'Allah, ils (les chrétiens) imitent le dire de ceux qui furent infidèles antérieurement [1] .» Dans ce cas précis, le Coran assimile les chrétiens aux polythéistes. Dans la vie courante, il semble que cette accusation soit venue assez rapidement sur les lèvres des musulmans. Quand il décide d'écarter les chrétiens de la vie publique, le pieux calife 'Umar (717-720) publie un édit dans lequel il les appelle associateurs : « Les associateurs sont impurs ». Et une autre fois, à propos de la Syrie, il parle de « contrée habitée par les associateurs [2]. » Jean étant Syrien lui-même, ce genre d'accusation lui avait peut-être été adressée personnellement.

b. *Jean réplique en s'appuyant sur les prophètes*

Si l'accusation se trouve dans le Coran, c'est également sur le Coran que se fonde notre auteur pour la réfuter : Les chrétiens proclament Jésus fils de Dieu à la suite de l'enseignement des prophètes, or les musulmans, eux aussi, reconnaissent les prophètes comme véridiques [3]. Jean fait cependant état de la théorie coranique du *taḥrīf* dont il a connaissance, c'est-à-dire de la corruption des

1. Coran 9, 30. Le verset 31 précise qu'ils avaient reçu l'ordre d'adorer une divinité unique : « Combien est-elle plus glorieuse que ce qu'ils Lui associent. » Les juifs sont coupables du même crime en disant que 'Uzayr (Esdras) est fils de Dieu.

2. Ces deux citations sont tirées de l'ouvrage de J. HAJJAR, *Les Chrétiens uniates*, p. 106. Cf. également p. 78, note 1, la réflexion de S. B. Maximos IV.

3. « Nous t'avons envoyé révélation, comme nous avons envoyé révélation à Noé et aux Prophètes (venus) après lui, comme nous avons envoyé révélation à Abraham, Ismaël, Isaac, Jacob, aux (douze) tribus, à Jésus, Job, Jonas, Aaron, Salomon et David à qui nous avons donné des psaumes »(Coran 4, 161).

Écritures, soit par les chrétiens eux-mêmes, soit par les juifs dans le but de tromper les chrétiens. Le Coran parle souvent de la manipulation de l'Écriture et il est vrai qu'il en accuse souvent les juifs : « Parmi eux se trouve certes une fraction (de gens) qui gauchissent (?) l'Écriture, en l'articulant, pour que vous comptiez cela (comme partie) de l'Écriture alors que cela n'est pas partie de l'Écriture ; ils disent que cela vient d'Allah alors que cela ne vient pas d'Allah. Contre Allah ils profèrent le mensonge alors qu'ils savent [1]. » Toutefois, contrairement à ce que prétend notre auteur, le texte coranique ne précise pas qu'il y ait eu intention malveillante des juifs à l'égard des chrétiens.

c. *Les musulmans mutilent Dieu*

A son tour, Jean accuse les musulmans de mutiler Dieu en le privant de sa Parole et de son Esprit. Il se sert encore une fois du Coran, qui affirme reconnaître le Christ comme Verbe et Esprit de Dieu. Mais, étant donné la différence de signification que revêtent ces deux termes pour les chrétiens et pour les musulmans [2], cette accusation perd toute signification. Cependant, dès l'époque umayyade, les musulmans seront amenés à aborder le problème des attributs de Dieu, et nous assistons à la naissance de la controverse qui devait donner naissance au mu'tazilisme [3]. Aussi, lorsque Jean expose leur opinion :

---

1. Coran 3, 72. Et encore 2, 56.70.73 ; 3, 64 ; 4, 48 ; 5, 15. Dans d'autres passages il est parlé de ceux qui ont reçu l'Écriture, sans autre précision : Coran 2, 141 ; 6, 93.
2. Cf. le paragraphe 3b de ce chapitre.
3. Puisque Dieu parle, cette parole fait-elle partie de son essence ou a-t-elle une existence propre ? Plus tardivement, à Bagdad au IXᵉ siècle, l'école mu'tazilite refusera l'existence de ces attributs considérés comme une atteinte à l'unicité de Dieu (*tawḥīd*). C'est l'école Ash'arite (xᵉ siècle) qui rétablira le juste milieu entre les

« S'il (le Verbe) est hors de Dieu, ainsi que vous le pensez, Dieu est alors sans Esprit et sans Verbe », peut-être est-ce là un écho des débats qui avaient lieu entre musulmans eux-mêmes et entre chrétiens et musulmans sur ce sujet [1]. Dans le même ordre d'idée, l'affirmation par les chrétiens de l'éternité de la Parole de Dieu a peut-être amené les musulmans à devoir répondre à une autre interrogation concernant le Coran, Parole de Dieu : Est-il incréé ou est-il créé ? Il en sera longuement débattu au chapitre v, dans le commentaire sur *La Controverse entre un Musulman et un Chrétien*.

6. L'accusation d'idolâtrie

a. *Les musulmans accusent les chrétiens d'être idolâtres parce qu'ils adorent la Croix*

Le Coran accuse les chrétiens d'associationnisme (*shirk*) et d'impiété (*kufr*), mais nulle part il n'est parlé d'idolâtrie à propos de la vénération de la Croix. A leurs

---

mu'tazilites qui nient les attributs divins et les littéralistes qui tombent dans l'anthropomorphisme. Pour Ash'arī Dieu possède les attributs distincts de son essence, mais ils n'ont ni réalité ni existence en dehors d'elle. Cf. H. CORBIN, *Histoire de la philosophie islamique*, p. 151-178 ; T. GOLDZIHER, *Le Dogme et la loi de l'Islam*, p. 86-95 ; L. GARDET, *Introduction*, p. 46-57. Il est à signaler que Jean lui-même parle souvent des attributs divins dans *La Source de la connaissance* et en donne de longues listes : *PG* 94, c. 792 ; 808 ; 860 ; 1236. Il est très proche de la position que prendront les mu'tazilites, en disant que les attributs font partie de l'essence de Dieu.

1. Un passage de l'*Expositio Fidei*, I, 6-7, s'intitule : « Dieu ne peut être séparé de sa parole et de son esprit » (*PG* 94, 801-805). Cf. M. JUGIE, art. « Saint Jean Damascène », *DTC*, c. 719-720.

yeux, cependant, cette adoration est sans objet, le Christ n'étant pas mort sur la croix [1]. L'attitude des chrétiens est donc ridicule et même scandaleuse, car elle tend à laisser croire que Dieu a permis la mort de son prophète de façon ignominieuse. Dans les *ḥadīth*, il est d'ailleurs question d'un retour de Jésus pour venir condamner ce culte [2]. Mais dans la pratique, à l'époque de Jean Damascène, des mesures officielles furent prises, qui pouvaient lui permettre de juger les sentiments des musulmans à l'égard de la Croix. Le calife 'Abd al Malik, par exemple, fit abattre des croix [3]. On parle également d'un échange de lettres entre l'empereur byzantin Léon III et 'Umar II au sujet de la légitimité de la vénération de la Croix et des icônes [4]. Enfin, il est possible de voir dans ce passage un écho de la campagne iconoclaste lancée par le calife Yazīd II (720-724), quelques années avant le décret de l'empereur Léon III.

b. *Ce sont les musulmans qui sont idolâtres*

Les musulmans font acte d'idolâtrie lorsqu'ils embrassent la pierre de la *Ka'ba*, sous prétexte qu'Abraham s'est uni sur elle à Agar ou qu'il y a attaché son âne au moment du sacrifice de son fils. Dans ce passage, Jean donne à ses lecteurs une information sur les rites pratiqués lors du

1. Cf. p. 108, n. 4.
2. D. J. SAHAS, *John of Damascus*, p. 85. Selon ces *Ḥadīth*, Jésus viendrait lui-même détruire la croix.
3. MICHEL LE SYRIEN, *Chronique* II, p. 745. Il aurait été précédé dans ce genre d'action par le calife 'Umar I (634-644) qui, à la demande des juifs, avait fait abattre la croix qui se trouvait sur le mont des Oliviers à l'époque de la construction du Dôme du Rocher à Jérusalem. Cf. THÉOPHANE, *Chronographie*, année 635, p. 524.
4. D. J. SAHAS, *John of Damascus*, p. 85-86.

pèlerinage à la Mecque [1]. Mais il semble qu'il ait fait une certaine confusion, car il y a deux pierres qui font l'objet d'un culte. Tout d'abord la Pierre Noire, encastrée dans la maçonnerie de la *Ka'ba*, et que l'on touche lors du pèlerinage après avoir pratiqué le rite de circonvolution autour du temple. Mais c'est à une autre pierre, appelée *Maqām Ibrāhīm* ou station d'Abraham, qu'est lié le souvenir du passage d'Abraham à la Mecque. Elle est actuellement située près de la *Ka'ba* [2]. Abraham se serait hissé sur cette pierre pour achever la construction du temple, avec l'aide de son fils Ismaël : « (Rappelez-vous) quand Abraham, avec Ismaël, élevait les assises du Temple (de la Mecque) [3]. » L'emplacement avait été fixé par *Allāh* lui-même : « Nous établîmes pour Abraham l'emplacement du Temple [4]. »

En aucune façon il n'est fait allusion, dans les textes que nous venons de citer, au sacrifice d'Abraham. Le récit coranique du sacrifice est bref, sans aucune description ni localisation : « Quand l'enfant eut atteint (l'âge) d'aller avec son père, celui-ci lui dit : 'Mon cher fils ! en vérité, je me vois en songe en train de t'immoler ! Considère ce que

---

1. La *Ka'ba* (mot qui signifie cubique) est un édifice en forme de parallélépipède. A l'angle sud-est se trouve la Pierre Noire (*al-Ḥajar al-aswad*), encastrée dans le mur, à 1,50 m au-dessus du niveau du sol, hauteur qui permet au pèlerin de la toucher et de la baiser. Cf. M. Gaudefroy-Demombynes, *Les Institutions musulmanes*, p. 87 ; E. Kuran, art. « Ka'ba », *NEIs*, t. 4, p. 331-337.

2. C'est une ancienne pierre sacrée sur laquelle, selon la tradition musulmane, Abraham monta pour poser les assises supérieures de la *Ka'ba*. La *Maqām Ibrāhīm* est à quelque distance du temple. On touche et on baise également cette pierre (M. Gaudefroy-Demombynes, *op. cit.*, p. 88). Une année, le calife Yazid avait emmené avec lui, au pèlerinage, son fidèle Akhṭal, le poète chrétien ami du père de Jean. Ce qui pouvait devenir une source d'information pour notre auteur.

3. Coran 2, 121.

4. Coran 22, 27.

tu en penses ! ' — ' Mon cher père ' répondit-il, ' fais ce qui t'est ordonné ! Tu me trouveras, s'il plaît à Allah, parmi les Constants '. Or quand ils eurent prononcé le *salām* et qu'il eut placé l'enfant contre terre, Nous lui criâmes : ' Abraham ! tu as cru en ton rêve ! En vérité, c'est là l'épreuve évidente ! ' Nous le libérâmes contre un sacrifice solennel et nous le perpétuâmes parmi les modernes [1]. » Si la Mecque est devenue le centre religieux de l'Islam, ce n'est pas parce que le sacrifice d'Abraham y a été accompli, mais à cause de la construction du temple de la *Ka'ba*.

Cependant, lors du pèlerinage, exactement le 10 de *dhū al-Ḥijja* [2], les pèlerins égorgent un mouton au cours de la fête appelée *'id al-aḍḥā* ou fête de la victime [3], qui ne commémore pas nécessairement le sacrifice d'Abraham, mais qui serait plutôt la reprise d'un rite mecquois datant de l'époque anté-islamique [4]. C'est peut-être cette coïncidence qui a amené Jean Damascène à faire le lien entre la fête du Sacrifice, qui a lieu au moment du pèlerinage, et la pierre qui, vénérée elle aussi au cours de ce même pèlerinage, est liée au souvenir du passage d'Abraham à la Mecque.

---

1. Coran 37, 100-108.

2. *Dhū al-Ḥijja* est le mois du pèlerinage. L'année musulmane est composée de mois lunaires de 28 jours, ce qui déplace continuellement la date de cette fête par rapport à notre calendrier grégorien.

3. Cette fête est appelée *'id al-Kabīr* en Afrique du Nord. Pour s'unir d'intention aux pèlerins, les musulmans du monde entier imitent leur geste et sacrifient un mouton, s'ils en ont les moyens. D'ailleurs, Jean lui-même, dans sa jeunesse, a sans doute pris part à ces festivités, invité par ses amis musulmans de Damas.

4. Sur les sacrifices dans l'Islam et à la Mecque, cf. M. GAUDE-FROY-DEMOMBYNES, *Mahomet*, p. 553-562.

c. *Justification de l'adoration de la Croix*

Si les musulmans trouvent légitime de vénérer la pierre d'Abraham, à plus forte raison les chrétiens doivent-ils adorer la Croix par laquelle nous est venu le salut. Dans *La Foi orthodoxe*, Jean Damascène insiste avec force sur le culte dû à la Croix : « Il n'est rien de plus digne que sa précieuse Croix. Par elle seule la mort a été ruinée, le péché de notre premier père effacé, l'enfer dépouillé... [1]. » Et plus loin : « Ce bois précieux et vénérable sur lequel le Christ s'est offert en oblation pour nous, parce que sanctifié par le contact de son corps et de son sang, il faut l'adorer. »

d. *Origine de la pierre de la* Ka'ba

L'auteur croit savoir que cette pierre vénérée par les musulmans est la tête d'Aphrodite, appelée *Chabar*, et que l'on peut y distinguer les traces d'une effigie sculptée. Près de la Mecque, à *al-Ṭā'if*, se trouvait le bétyle d'al-Lāt, assimilée à Aphrodite. Si Gaudefroy-Demombynes pense que les anciens Arabes n'ont pas eu d'idoles à visage humain [2], d'autres auteurs ont un avis contraire et signalent, dans le sud de l'Arabie, des stèles funéraires où les yeux sont figurés par deux carrés et le nez par un trait [3]. Il est difficile de savoir si des traces de sculpture existaient à l'époque de Jean Damascène, la Pierre Noire ayant été cassée puis reconstituée [4], et sa surface patinée

1. La traduction de ce texte et du suivant est de C. CHEVALIER, *Mariologie*, p. 245.
2. M. GAUDEFROY-DEMOMBYNES, *Mahomet*, p. 24.
3. J. STARCKY, *Histoire des Religions*, t. 4, p. 321.
4. M. GAUDEFROY-DEMOMBYNES, *Les Institutions musulmanes*, p. 87.

par treize siècles d'attouchements et de baisers. En revanche, les musulmans affirment que la trace des pieds d'Abraham subsiste encore de nos jours sur le *Maqām Ibrāhīm* [1].

Quant à l'appellation de *Chabar*, dont parle Jean, D. J. Sahas se demande s'il ne faut pas y voir une allusion à l'invocation *Allāh akbar* lancée fréquemment par les musulmans, en particulier tout au long du pèlerinage [2]. Cette signification est peu probable. Jean mentionne simplement le nom donné par les Arabes à Aphrodite, dans la période anté-islamique, sans vouloir faire allusion aucunement aux rites du pèlerinage musulman.

7. La sourate de « la Femme »

Jean commence l'étude du Coran par la sourate 4 intitulée *al-nisā'*, « les Femmes » (et non « la Femme ») [3]. Le contenu de cette sourate ne se limite pas à la législation

1. M. Gaudefroy-Demombynes, *op,. cit.*, p. 88.
2. D. J. Sahas, *John of Damascus*, p. 87. Il cite en particulier (note 1) une lettre du patriarche Germain de Constantinople (715-730), contemporain de Jean. Il y est mentionné que les musulmans adressent l'invocation de Hobar à une pierre. Cette lettre se trouve dans les actes du 8e concile œcuménique : J. D. Mansi, *Collectio* XIII, 109 E.
3. Le Coran contient 114 sourates ou chapitres. Chacune porte un titre. Ces sourates sont d'inégale longueur. Dans le corpus actuel, elles sont présentées selon un ordre de grandeur décroissant, les plus longues au début, les plus courtes à la fin, exceptée la première sourate qui échappe à cette classification. Jean commente les sourates 2, 4 et 5, qui datent de Médine et sont donc parmi les plus tardives. Or ces sourates sont les moins « prophétiques », au sens chrétien du terme ; elles insistent sur l'organisation sociale de la nouvelle communauté et leur contenu est surtout juridique.

du mariage et du divorce en Islam. En revanche, les
différents sujets traités par Jean dans ce passage se
trouvent dispersés à travers tout le Coran.

a. *La polygamie*

Comme l'affirme très justement notre auteur, le Coran
permet de prendre quatre épouses légitimes, ainsi qu'un
nombre indéterminé de concubines : « Épousez donc celles
des femmes qui vous seront plaisantes, par deux, par trois,
par quatre, (mais) si vous craignez de n'être pas équitables,
(prenez-en) une seule ou des concubines ! C'est le plus
proche (moyen) de n'être pas partiaux [1]. » Mais, pour la loi
musulmane, le mariage n'est pas une association égalitaire
entre deux époux ; c'est un simple contrat qui rend une
femme licite à un homme, avec obligation essentielle, pour
l'épouse, d'être à la disposition du mari ; à noter que le
mot arabe que nous traduisons par mariage est *nikāḥ*, dont
la signification exacte est relation sexuelle. C'est de ce
strict point de vue que le juriste musulman traite
l'institution du mariage [2].

---

1. Coran 4, 3 ; L. M. WATT, *Mahomet à Médine*, p. 330-356, dans
un chapitre consacré à la réforme du mariage et de l'héritage,
explique ce verset en disant que beaucoup de musulmans avaient péri
dans la bataille d'Uhud, le 23 mars 625. Les hommes qui avaient
survécu devaient épouser plusieurs femmes pour qu'elles ne restent
pas seules. D'ailleurs Mahomet ne fait que réglementer la polygamie
pratiquée à la Mecque avant l'Islam. L'interprétation laxiste actuelle
précise que la monogamie demeure un idéal, mais si le musulman
dont l'épouse a vieilli est tenté, il peut recourir à un nouveau
mariage.
2. Ce qui choque Jean Damascène qui, lui, se situe sur le strict
plan moral. Pour mieux comprendre le mariage musulman, cf.
G. H. BOUSQUET. *L'Éthique sexuelle de l'Islam*. p. 101-114 ; du
même auteur : *Le Droit musulman*, p. 97-111 ; R. CHARLES, *Le Droit
musulman*, p. 43-53.

b. *La répudiation*

Jean explique la répudiation, *al-Ṭalāq*, c'est-à-dire la possibilité pour le mari de renvoyer sa femme et d'en prendre une autre, selon son bon plaisir, ainsi que le prévoit le Coran[1]. Si le mariage n'est que l'acquisition du droit à l'usage sexuel d'une femme, il est logique qu'on puisse renoncer à ce droit acquis, sans motif ni formalité. Voici d'ailleurs ce qu'en dit Bousquet : « Le mariage est essentiellement un acte par lequel une femme, souvent sans être consultée, doit se mettre sexuellement à la disposition d'un mari, s'il y a lieu à côté de trois autres épouses et nombre illimité de concubines, pour être renvoyée incontinent, dès qu'elle a cessé de plaire[2]. » Nous sommes loin de la vision chrétienne du mariage, mais c'est dans le cadre de cette perspective musulmane qu'il faut juger les textes coraniques, ce que nous ne saurions attendre de notre auteur.

c. *La femme de Zayd*

Jean Damascène raconte ensuite l'histoire de Zayd, fils adoptif de Mahomet, dont la femme avait plu au Prophète.

1. *Al-Ṭalāq* est le titre de la sourate 65. C'était une pratique courante à la Mecque, comme elle l'était chez les anciens israélites (*Deut.* 24, 1). Les versets du Coran qui réglementent la répudiation sont très nombreux (Coran 2, 226,237.242 ; 4, 129 ; 33, 4.48 ; 58, 2.4 ; 65, 1 ; 66, 5). Ils précisent, entre autre, les devoirs du mari à l'égard de la femme répudiée ; le but est d'amener l'époux à reprendre sa femme, ne serait-ce que pour éviter les problèmes financiers délicats entraînés par ces séparations. Il convient, enfin, de préciser qu'en droit musulman ce n'est pas la seule forme de séparation entre époux. Cf. G.-H. Bousquet, *Le Droit musulman*, p. 120-124 ; R. Charles, *Le Droit musulman*, p. 54-57 ; M. Gaudefroy-Demombynes, *Mahomet*, p. 636-640.

2. G.-H. Bousquet, *L'éthique sexuelle de l'Islam*, p. 136.

Sur l'ordre de Dieu, Mahomet demanda à Zayd de répudier sa femme, pour qu'il puisse la prendre comme épouse [1]. La version du Coran est légèrement différente. Mahomet défendit à Zayd de répudier son épouse, mais Dieu imposa sa volonté : « (Prophète, rappelle-toi) quand tu disais à celui sur qui Allah et toi aviez répandu vos bienfaits : 'Garde auprès de toi ton épouse et sois pieux envers Allah!' (Rappelle-toi quand) tu cachais en ton âme ce qu'Allah devait faire paraître et (quand) tu craignais le jugement public alors qu'Allah était le plus digne que tu Le craignisses! Quand Zayd eut rompu tout commerce avec (son épouse), nous te la fîmes épouser... [2] »

d. *Interprétation de cet épisode*

Selon Jean, cet événement a amené Mahomet à proclamer une loi ordonnant qu'une femme répudiée soit épousée par un tiers avant de pouvoir être reprise par son ancien époux. Cette loi, la loi du *Muḥhallil* existe bien en effet : « Si (l'époux) répudie (son épouse), elle n'est plus licite ensuite pour lui avant qu'elle ne soit mariée à un époux autre que lui. Si celui-ci la répudie, nul grief à leur faire à tous deux s'ils reviennent ensemble, s'ils pensent appliquer les lois d'Allah. Voilà les lois d'Allah. Il les explique à un peuple qui sait [3]. »

---

1. Cet épisode de la femme de Zayd deviendra l'un des sujets préférés de la polémique byzantine. Il sera utilisé pour prouver que Mahomet n'était pas un prophète puisqu'il avait commis un adultère. (Selon l'Évangile peut-être : *Matth.* 19, 9 ; *Mc* 10, 10, mais pas pour l'Islam puisqu'il y avait eu répudiation auparavant). Ainsi Théophane le Confesseur parle-t-il de dérèglements sexuels. Cf. A.-Th. KHOURY, *Théologiens*, t. 2, p. 91 s.

2. Coran 33, 37.

3. Cf. G.-H. BOUSQUET, *L'éthique sexuelle de l'Islam*, p. 137-141.

Dans le Coran l'histoire de Zayd revêt une autre signification. Ce qui est en question c'est l'inceste. Zayd étant le fils adoptif de Mahomet, le problème était de savoir si l'adoption entraînait les mêmes interdits que les liens du sang à l'égard du mariage. L'ordre donné à Mahomet d'épouser la femme répudiée de son fils adoptif est une réponse à cette question : « Quand Zayd eut rompu tout commerce avec (son épouse), Nous te la fîmes épouser afin que nul grief ne fût fait aux croyants, à l'égard des épouses de leurs fils adoptifs, quand ceux-ci ont rompu tout commerce avec elles. Que l'ordre d'Allah soit exécuté [1] ! »

e. *Comparaison femme-champ*

Jean Damascène, en prétendant que Mahomet proclame : « Laboure la terre que Dieu t'a donnée, mets-y tout ton soin, et fais-le de telle et telle façon », cite le Coran presque textuellement : « Vos femmes sont (un champ) de labour pour vous. Venez à votre champ de labour, comme vous le voulez [2]. »

1. Coran 33, 37.
2. Coran 2, 223. Cette comparaison du sexe de l'homme à un soc et celui de la femme à un sillon était fréquente chez les primitifs (cf. S. DE BEAUVOIR, *Le deuxième sexe*, Paris 1949, t. 2, p. 249, note 2). D'autre part, l'Islam n'a pas la même attitude que le christianisme vis-à-vis de la sexualité, comme le montre ce *Ḥadīth* d'al-Navāwī : à un pauvre qui se plaignait de ne pouvoir faire l'aumône, en vue d'obtenir des récompenses célestes, le Prophète répondit : « Chaque fois que vous faites œuvre de chair, vous faites une aumône. » Réplique des croyants : « Comment ! chacun de nous satisferait ses appétits charnels et mériterait par là une rétribution ? » Il répondit : « Voyons ! Celui qui assouvit ses appétits de façon illicite ne se charge-t-il pas d'un péché ? De même, celui qui les satisfait de façon licite obtient une récompense » (*Les quarante Ḥadīth*, traduction Bousquet, 4ᵉ éd., cité par G.-H. BOUSQUET, *L'Éthique sexuelle de l'Islam*, p. 45-46).

8. La sourate de « la Chamelle »

a. *La chamelle de Dieu*

Il n'existe pas dans le Coran actuel de sourate ainsi intitulée [1], mais l'histoire d'une chamelle de Dieu revient plusieurs fois dans le texte coranique [2]. Il s'agit de la chamelle sacrée des Thamūd, peuplade établie au nord de Médine. Dans ce récit, Mahomet veut montrer comment sont châtiés ceux qui refusent d'écouter les prophètes. *Allāh* avait envoyé à ces gens un prophète du nom de Ṣalīḥ [3] ; comme ils exigeaient de ce dernier un signe prouvant sa mission, il répliqua : « Voici une chamelle. A elle appartient de boire (un jour), à vous de boire un (autre) jour désigné. Ne lui causez aucune meurtrissure, sinon vous serez soumis au tourment d'un jour redoutable [4] ! » Dieu avait envoyé cette chamelle aux Thamūd pour les tenter [5]. Or, ils la sacrifièrent ; pour les punir de n'avoir pas cru en la parole du prophète, *Allāh* les a anéantis jusqu'au dernier [6]. Cette histoire, au même titre que celle du peuple de Noé, des contribules de Loth et du Pharaon [7], est à situer dans le cadre d'un enseignement précis : Mahomet lançait un appel à la conversion en appuyant sa prédication sur des menaces et sur l'annonce de châtiments en cas d'endurcissement.

1. Mais il faut tenir compte du fait qu'on avait utilisé à Damas une version différente du Coran, dans laquelle les titres des sourates n'étaient pas toujours identiques à ceux du Coran actuel. (Cf. ch. III, note 13).

2. Coran 7, 71.75 ; 11, 67 ; 17, 61 ; 26, 155 ; 54, 23-32.

3. Coran 26, 141.

4. Coran 26, 155-158.

5. Coran 54, 27.

6. Coran 53, 52.

7. Coran 38, 11-12.

Le récit est fidèlement rapporté par Jean, mais sans qu'il en explicite la signification prophétique. De plus il ajoute un épisode étranger au texte actuel du Coran [1] : la chamelle avait eu une petite que Dieu recueillit près de lui à la mort de sa mère. Ce passage devient alors un prétexte pour ironiser sur le paradis musulman et remettre en question l'authenticité de la mission de Mahomet.

b. *Mahomet est un faux prophète*

L'auteur pose toute une série de questions, concernant aussi bien l'origine de cette chamelle que le lieu de son séjour actuel. Les musulmans ne peuvent avancer de réponse, et Jean en conclut que, si le mystère de la chamelle ne lui a pas été révélé, Mahomet ne peut prétendre avoir été l'interlocuteur de Dieu [2].

c. *Le paradis musulman*

Jean suppose la présence de la petite chamelle dans le paradis d'où coulent les trois fleuves, de lait, d'eau et de vin [3]. Le lait viendrait de la chamelle. Mais que les élus se méfient : si elle continue de boire la totalité de l'eau comme elle le faisait sur terre, ils en seraient réduits à boire le vin qui leur monterait vite à la tête et les

---

1. Certains passages du Coran d'Ubayy Ibn Ka'b ont pu disparaître du Coran actuel. (Cf. ch. III, note 13).
2. Cette conclusion se trouve en fait dans le passage suivant, concernant le paradis.
3. Le Coran parle de quatre ruisseaux : « (Voici) la représentation du Jardin qui a été promis aux pieux : il s'y trouvera des ruisseaux d'une eau non croupissante, des ruisseaux d'un lait au goût inaltérable, des ruisseaux de vin (*khamr*), volupté pour les buveurs, des ruisseaux de miel clarifié » (Coran 48, 16-17).

empêcherait de jouir des délices du paradis [1]. Cette histoire démontre bien que Mahomet n'est qu'un marchand de songes [2] et ce qui attend en fait les musulmans, ce sont les flammes de l'enfer [3].

9. **La sourate de « la Table »**

Jean cite la cinquième sourate intitulée exactement « La Table Servie » (*al-mā'ida*), titre qui lui a été donné parce qu'on y raconte un miracle dont a bénéficié Jésus : « (Rappelez-vous) quand les (Douze) Apôtres dirent : ʿÔ Jésus, fils de Marie ! ton Seigneur peut-il, du ciel, faire descendre sur nous une table servie ?ʾ — ʿSoyez pieux envers Allah, si vous êtes croyants !ʾ répondit (Jésus). ʿNous voulons manger de (ce que porte cette table) et que nos cœurs se tranquillisent. (Nous voulons) savoir que tu nous as dit vrai et nous trouver témoigner à ce propos.ʾ — ʿMon Dieu ! Mon Seigneur !ʾ dit Jésus, fils de Marie, ʿFais, du ciel, descendre sur nous une table qui sera pour nous une fête pour le premier et le dernier de nous et sera un signe (émanant) de Toi ! Donne-nous attribution, Toi qui es le meilleur des Attributeurs !ʾ Allah dit (alors) : ʿJe vais la faire descendre sur vous. Quiconque ensuite sera impie,

1. Le Coran prévoit l'objection : « Ils seront honorés dans les Jardins du Délice sur des lits se faisant face. On leur fera circuler des coupes d'une (boisson) limpide, claire, volupté pour les buveurs, ne contenant pas d'ivresse, inépuisable », Coran 37, 41-46.
2. Nous avons commenté au paragraphe 4b de ce même chapitre la place du songe dans la révélation coranique.
3. La totalité de ce passage tranche par son ironie et sa violence sur le reste de la présentation de l'Islam.

parmi vous, recevra de moi un tourment (tel) que Je n'infligerai à nul au monde un tourment semblable [1] '. »

Notre auteur se contente de résumer fidèlement cette citation, sans la commenter, rapportant que le Christ avait demandé à Dieu une table, et qu'elle lui fut accordée. Dieu lui avait répondu : « Je t'ai donné, ainsi qu'aux tiens, une table incorruptible. » Des critiques modernes ont vru voir dans ce passage une allusion à la Cène [2], ce qui semble improbable. Il ne faut pas se laisser abuser par le nombre des Apôtres, qui a été rajouté par Blachère, et qu'il a d'ailleurs mis entre parenthèses dans sa traduction. De plus, puisque Jésus n'a pas été mis à mort, pourquoi le Coran parlerait-il de son dernier repas ? De son côté le célèbre commentateur du Coran, Ṭabarī, rapporte de vieilles traditions qui font penser que le miracle de la table serait un écho de celui de la multiplication des pains, interprétation qui semble plus plausible [3]. Pour sa part Arnaldez suggère d'y voir le rappel d'un passage du Psaume 78 : « ... Ils tentèrent Dieu dans leur cœur, demandant de quoi manger pour eux-mêmes. Ils parlèrent contre Dieu et dirent : Dieu est-il capable de dresser une table dans le désert [4] ? »

---

1. Coran 5, 112-115. Les commentateurs du Coran se sont emparés de ce récit et l'ont abondamment commenté. Cf. R. ARNALDEZ, *Jésus*, p. 172-183.

2. Cf. R. BLACHÈRE, *Le Coran*, p. 150, note du verset 112.

3. *Matth.* 14, 15-21 ; 15, 32-38. Ṭabarī (839-923), dans ses commentaires sur le Coran, a fait une grande place aux traditions d'origine juive appelées *Isrā'īliyyāt*. Cependant, si dans l'Évangile c'est essentiellement la pitié qui poussa Jésus à réaliser ce miracle, la lecture du même événement par le Coran est différente : Il s'agissait pour Jésus d'affirmer la foi de ses disciples.

4. *Ps.* 78, 17-20. La traduction est de R. ARNALDEZ, *Jésus*, p. 235. L'iconographie byzantine présente parfois une table servie qui attend quelqu'un.

10. **La sourate de « la Vache »**

Ou plus exactement de « la Génisse » (*al-Baqara*). C'est la plus longue des sourates, puisqu'elle contient 286 versets. Y sont traités des sujets aussi divers que la Création, des attaques contre les juifs, Abraham, les interdits alimentaires, le jeûne, le pèlerinage, le mariage, l'usure, etc. Ils sont donc très abondants comme le signale notre auteur, qui se contente de mentionner le titre de la sourate sans en révéler le contenu.

11. **Pratiques et interdits**

Le chapitre 100 du *Livre des hérésies* se termine par une énumération des coutumes en usage parmi les musulmans.

a. *La circoncision*

Vieux rite sémitique antérieur à l'Islam, il n'en est pas question dans le Coran. Les Arabes chrétiens du désert de Syrie sacrifiaient probablement à cette coutume, eux aussi. Elle deviendra une pratique courante pour les musulmans mâles, sans prendre la signification religieuse qu'elle revêt dans le judaïsme [1].

b. *Refus du sabbat*

Pourquoi respecter le repos du sabbat puisqu'*Allāh* a créé le monde sans fatigue et n'a pas eu besoin de repos le

---

1. *Gen.* 17, 10. Pour le musulman il ne s'agit pas « d'obligation légale » (*farḍ*), mais de « coutume obligée » (*sunna wājiba*).

septième jour [1] ? Par cette prise de position Mahomet entendait bien se démarquer des juifs de Médine [2].

c. *Refus du baptême*

Parler de baptême en Islam est un non sens, le péché originel ayant été pardonné [3]. Pour être musulman, il suffira de prononcer, avec l'intention de faire sa soumission à Dieu, la profession de foi suivante : *Lā ilāha illā Allāh wa Muhammad rasūlu Allāh*, qui peut se traduire par : Il n'y a de divinité que Dieu, et Mahomet (n') est (que) son Prophète.

d. *Les interdits alimentaires*

Mahomet critique les interdits alimentaires des juifs, car toute nourriture est un don d'*Allāh* [4], ce qui ne l'empêche pas de déclarer lui-même certains aliments impurs [5]. Mais c'est l'intention qui compte avant tout; en manger n'est pas automatiquement un péché : « Quiconque est contraint (à en manger) sans (intention d'être) rebelle ou transgresseur, nul péché ne sera sur lui [6]. »

1. Coran 46, 32.
2. « Suis la religion d'Abraham... Le sabbat n'a été imposé qu'à ceux qui s'opposent à son sujet » (Coran 16, 124-125).
3. Coran 20, 120 ; 2, 35. Le péché originel proprement dit a été une faute personnelle d'Adam qui lui a été pardonnée. A.-Th. KHOURY (MANUEL II PALÉOLOGUE, *Entretien*, p. 160), note 3, rappelle que l'Islam n'ignore pas complètement le péché originel. Les commentateurs du verset 36 de la troisième sourate du Coran mentionnent, en effet, un *Ḥadīth* de Mahomet qui explique comment tout enfant est attaqué à sa naissance par le diable. Il lui donne un coup sur le côté et le fait pleurer. Seuls Jésus et Marie ont échappé au sort commun à tous les hommes.
4 Coran 7, 30.
5. Coran 16, 116 ; 6, 146.
6. Coran 2, 168.

e. *Interdiction du vin*

On considère généralement que cette interdiction s'est faite en trois étapes. Le vin a, tout d'abord, été considéré comme une faveur divine, signe de sa bienfaisance : « Des fruits des palmiers et des vignes, vous tirerez une boisson enivrante et un aliment excellent. En vérité cela est certes un signe pour un peuple qui raisonne [1]. » Puis le Coran met en garde contre les abus : « Ô vous qui croyez ! n'approchez point de la Prière, alors que vous êtes ivres [2]. » Pour en arriver finalement à l'interdiction absolue : « Ô vous qui croyez ! les boissons fermentées... sont seulement une souillure (procédant) de l'œuvre du Démon. Évitez-la [3] ! »

Jean Damascène était fort bien placé pour savoir que les califes transgressaient cette loi ; son père et lui-même, peut-être, avaient participé à des beuveries en leur compagnie, dans les châteaux du désert ou les monastères de la région de Damas. Témoin privilégié de ces manquements, il aurait pu railler l'hypocrisie des dignitaires musulmans. Il s'en est abstenu, n'ayant d'autre ambition que de nous informer sur la religion musulmane.

En conclusion, nous pensons qu'il est possible d'affirmer que le contenu de l'hérésie 100 est une bonne introduction à la connaissance de l'Islam, et apporte les informations essentielles au lecteur désireux de connaître cette religion. Si Jean a essayé d'être objectif dans son exposé, il a été amené à faire des choix, et, en conséquence, son récit comporte quelques lacunes. Ainsi ne parle-t-il

1. Coran 16, 69.
2. Coran 4, 46.
3. Coran 5, 92.

pas des cinq obligations de l'Islam [1], qui sont un critère d'appartenance à cette communauté bien plus essentiel que les interdictions énumérées à la fin du texte. L'auteur a surtout retenu ce qui pouvait être utile à un chrétien de son époque vivant au milieu des musulmans pour l'aider à situer cette nouvelle « hérésie » par rapport à l'orthodoxie. En mentionnant les deux critiques formulées par les musulmans : les chrétiens sont associationnistes et idolâtres, il nous renseigne sur les difficultés rencontrées par ces mêmes chrétiens pour répondre aux attaques dont ils pouvaient être victimes dans la vie de tous les jours. Sa connaissance du Coran est correcte, du moins ce qu'il nous en rapporte, et les citations assez fidèles, compte tenu des remarques que nous avons été amené à faire au sujet de l'état du Coran à son époque. Exceptons le passage concernant la petite chamelle et l'utilisation qui en a été faite. Nous reviendrons sur ce sujet au chapitre VI.

Pour juger la portée de ce chapitre que nous avons intitulé « l'Islam », il convient de le replacer dans le contexte plus général du *Livre des hérésies*. En outre, il ne faut pas oublier que dans sa *Controverse entre un Musulman et un Chrétien*, Jean donne un enseignement complémentaire, non plus simplement descriptif, mais d'ordre doctrinal, mettant ainsi à la disposition de ses coreligionnaires les arguments théologiques qui leur sont utiles lors de discussions avec des contradicteurs musulmans.

---

1. Qui sont : La profession de foi — le pèlerinage à la Mecque — le jeûne du Ramadan — l'aumone légale — les cinq prières quotidiennes.

CHAPITRE V

LA CONTROVERSE
ENTRE UN MUSULMAN
ET UN CHRÉTIEN :
COMMENTAIRES

Dans le cadre de petits dialogues fictifs, le Musulman critique plusieurs points de la doctrine chrétienne, contraignant son interlocuteur à répondre aux objections. Les sujets abordés amènent Jean à dépasser le stade de l'information élémentaire telle que nous l'avons trouvée dans l'hérésie 100 et à situer le débat sur le plan théologique.

Lors de la présentation de la Controverse au chapitre III, nous avons pu constater que les attaques du Musulman s'articulaient autour de deux thèmes majeurs : tout d'abord la question délicate de la liberté de l'homme et de la toute-puissance de Dieu, autrement dit les rapports entre le Créateur et les créatures. Les commentaires de cette première partie, qui comprend les controverses 1, 2 et 8 (= Kotter § 1-4 et 10), sont regroupés sous le titre de « libre arbitre ». La deuxième partie, autrement dit les controverses 3 à 7 et la controverse 9 (= Kotter § 5-9 et 11), porte essentiellement sur la christologie et sera présentée sous cette rubrique.

1re Partie : LE LIBRE ARBITRE

1re Controverse

1. L'homme est libre de faire le bien ou le mal
(Kotter 1)

Le Musulman se renseigne sur l'auteur du bien et du mal. Le chrétien lui répond que si Dieu est l'auteur du bien, le diable, et l'homme après lui, sont les seuls responsables du mal, Dieu leur ayant accordé le pouvoir d'agir librement. Toutefois, le pouvoir de l'homme se limite aux seuls domaines de la morale et de la foi.

La réponse du Chrétien résume parfaitement la pensée de Jean Damascène sur le problème de la toute puissance de Dieu et de l'initiative laissée à l'homme, telle qu'elle se trouve exposée tout au long de son œuvre. Dans l'ouvrage qu'il a consacré à la réfutation du manichéisme [1], Jean confesse sa foi en un Dieu unique, réfutant à l'avance toute

---

1. *Dialogue contre les Manichéens*, PTS 22, p. 35 s. L'époque de Jean Damascène a connu un renouveau du manichéisme, sous le nom de Paulicianisme. Les chrétiens et les musulmans se trouvent confrontés à un danger commun, la solution apportée au problème du mal par le manichéisme. Au milieu du VIIe siècle la secte des Pauliciens apparaît dans l'Empire byzantin, où elle se constitue en Église. Au début du VIIIe siècle, les manichéens, considérés comme des espions au service des sassanides, sont persécutés par Byzance et se réfugient en Perse, où ils viennent grossir les rangs des manichéens autochtones. La conquête arabe met fin aux persécutions dont ils sont également victimes de la part des mazdéens, et le VIIIe siècle sera une période florissante pour le manichéisme en Irak, grâce à la politique tolérante mise en œuvre par les umayyades. C'est ce danger qui amène Jean Damascène à écrire son *Dialogue contre les Manichéens*.

accusation de dualisme. Source de bonté et de justice, Il est cause de tout ce qui est bien [1] ; « Dieu n'est pas la cause de nos maux », affirme-t-il. C'est d'ailleurs ce titre qu'il choisit pour le chapitre 92 de *La Foi orthodoxe* [2].

Mais alors, d'où vient le mal ? C'est une invention du diable [3], qui, créé libre, avait le pouvoir de choisir entre le bien et le mal [4]. Tout comme le diable, l'homme est lui aussi maître de ses actes [5] ; lorsqu'il agit, il est le principe de ses propres œuvres. Il est donc libre [6]. Jean insiste en précisant que nos déterminations libres (τὰ ἐφ' ἡμῖν) ne dépendent pas de la Providence, mais de notre libre arbitre [7]. Si Dieu est la cause de tout le bien qui est dans les créatures, la créature libre seule garde l'initiative de la qualité morale de ses actes [8]. L'homme peut donc, selon son bon vouloir, obéir à Dieu ou se laisser entraîner par le diable. La vertu nous a certes été donnée par Dieu, puisqu'il est la source et la cause de tout bien, mais il dépend de nous, soit de persévérer dans la vertu, soit de quitter le droit chemin, c'est-à-dire de nous attacher au mal et de nous laisser guider par le démon [9]. Il est du pouvoir de l'homme de résister ou de succomber à ses désirs, et cela en toute liberté. Exactement comme pour le diable, que Dieu avait créé bon, et qui est devenu librement l'inventeur du mal [10]. Toutes ces références à l'œuvre de Jean démontrent bien son insistance à affirmer le pouvoir de l'homme. Dans sa réponse au Musulman, il

1. *La Foi orthodoxe*, I, 8, *PTS* 12, p. 18-19.
2. *La Foi orthodoxe*, IV, 19, *PTS* 12, p. 218.
3. *La Foi orthodoxe*, IV, 20 (93), *PTS* 12, p. 221, l. 34 s.
4. *La Foi orthodoxe*, I, 18 (18), *PTS* 12, p. 48 s.
5. *La Foi orthodoxe*, II, 26-27 (40 et 41),*PTS* 12, p. 97 s.
6. *La Foi orthodoxe*, II, 25 (39), *PTS* 12, p. 96.
7. *La Foi orthodoxe*, II, 29 (43), *PTS* 12, p. 100. l. 20 à 101, l. 25.
8. *La Foi orthodoxe*, IV, 19 (92), *PTS* 12, p. 218-219.
9. *La Foi orthodoxe*, II, 30 (44), *PTS* 12, p. 103-104.
10. *La Foi orthodoxe*, II, 27 (41), *PTS* 12, p. 98.

prend soin toutefois de préciser que ce pouvoir n'est nullement créateur. L'homme, par exemple, est incapable de fabriquer le soleil ou la lune. Encore une fois, l'auteur ne peut être suspect de dualisme.

Que nous apprend le Coran à ce sujet? Le moins que l'on puisse dire, c'est qu'il manque singulièrement de clarté, car les musulmans partisans de la liberté de l'homme, comme les auteurs favorables à la prédestination, peuvent citer, les uns comme les autres, de nombreux versets du livre révélé à l'appui de leur thèse. Le Coran affirme en effet la responsabilité de l'homme, et nous pouvons trouver de nombreux versets en faveur de ce pouvoir de l'homme [1]. Il ne saurait être question de les citer tous, mais quelques exemples nous permettront de constater que cette thèse est soutenue de façon explicite : « A chaque âme ce qu'elle se sera acquis et contre elle ce qu'elle se sera acquis [2] », dit le Coran, et aussi : « Malheur à eux pour ce qu'ils se sont acquis [3]. » La responsabilité de l'homme ne se limite pas au plan moral, la liberté est également totale dans le domaine de la foi : « Quiconque le veut, qu'il soit croyant, quiconque le veut, qu'il soit infidèle [4]. »

Mais, en contradiction avec les versets que nous venons de citer, le pouvoir discrétionnaire de Dieu à l'égard de l'homme est affirmé avec autant de vigueur. Dieu dirige, conduit et égare qui Il veut [5], dispensant son attribution à qui bon lui semble [6] : « Celui qu'Allah dirige est dans la

---

1. Cf. R. Blachère, *Le Coran*, Index, p. 721, au mot « Libre arbitre ».
2. Coran 2, 286.
3. Coran 2, 73.
4. Coran 18, 28.
5. Coran, 4, 4. Cf. R. Blachère, *Le Coran*, Index, p. 687 : Allah égare qui Il veut, et p. 686 : Allah conduit qui Il veut.
6. Coran 2, 208; 3, 26.32; 13, 26. Nous verrons plus loin l'importance de la notion d'attribution ou *kasb*.

bonne direction, ceux qu'Il égare sont les perdants [1]. » Un tel dirigisme laisse peu de place à l'initiative humaine, « A celui qui est égaré par Allah, tu ne saurais trouver le chemin (pour le ramener) [2]. » Le message coranique semble même réservé à une minorité d'élus : « Si Allah voulait, Il dirigerait les hommes en totalité [3]. » Une dernière citation tend à confirmer l'absolue dépendance de l'homme vis-à-vis de Dieu : « Allah fait ce qu'il veut [4]. » Cependant, ainsi que le précise Gaudefroy-Demombynes, il convient de situer chacune de ces phrases dans leur contexte historique. L'affirmation du déterminisme absolu n'est souvent qu'une réaction du Prophète en face d'un scandale, celui du refus de la Révélation — qui est pourtant une Révélation en langage clair — par ses concitoyens de la Mecque. Pour Mahomet, si les mecquois n'embrassent pas l'Islam, c'est que Dieu ne le veut pas [5]. Le manque de précision du Coran n'a pas échappé aux adversaires du Prophète ni sans doute à ses propres fidèles. C'est pourquoi un _Ḥadīth_ vient mettre un point final aux discussions concernant ces versets contradictoires du Coran : « Le Coran, dit le Prophète, n'a pas été révélé pour que vous tiriez argument d'une partie contre l'autre... Dans le Coran, une chose confirme plutôt l'autre. Ce que vous en comprenez, vous devez vous y conformer ; ce qui vous embarrasse, acceptez-le avec foi [6]. »

1. Coran 7, 177.
2. Coran 4, 90.
3. Coran 13, 20.
4. Coran 14, 32.
5. Voir à ce sujet M. GAUDEFROY-DEMOMBYNES, _Mahomet_, p. 329 et 352-368. Dans le prolongement du Coran, de nombreux _Ḥadīth_ sont favorables au _qadar_, ainsi cette définition de la foi : « La foi est que tu croies en Dieu, Ses anges, Ses livres, Ses envoyés et que tu croies dans le Décret divin, pour le bien et le mal, le doux et l'amer. » Cité par L. GARDET, _Dieu_, p. 119, note 1.
6. I. GOLDZIHER, _Le Dogme_, p. 63.

En fait le Coran ne fournit pas de réponse précise à la question de la liberté de l'homme, tout simplement parce qu'il « ne pose pas le problème théologique de la prédestination (il ne pose pas de problème), ni le problème philosophique de la liberté humaine, il évoque le mystère des rapports de la créature et du Créateur [1]. » Goldziher rappelle que les prophètes ne sont pas des théologiens et ne présentent pas un corps de doctrines organisées en système. La nécessité de l'élaboration d'une doctrine pour expliquer et interpréter la pensée du Prophète, voire en combler les lacunes, ne se fera sentir que plus tard, lorsque la communauté commencera à s'organiser et souvent sous l'influence du milieu ambiant [2]. C'est ce qui s'est passé pour la communauté musulmane : la responsabilité de l'homme, la toute puissance d'*Allāh* et son décret absolu seront les mystères sur lesquels s'exercera la réflexion des penseurs de l'Islam dès les premiers siècles de l'Hégire [3].

« La plus ancienne protestation contre la prédestination absolue vient de l'Islam syrien... Damas, centre intellectuel de l'Islam à l'époque du khalifat omayyade, est en même temps le centre de la spéculation sur le *qadar*, sur le fatalisme ; de là elle se répandit rapidement dans un rayon plus vaste [4]. » Dès 690, plusieurs causes amenèrent la

1. L. Gardet, art. « Allāh », *NEIs*, t. I, p. 420.
2. I. Goldziher, *Le Dogme*, p. 61, qui poursuit : « Ils (les théologiens) fournissent des réponses à des questions auxquelles le fondateur n'a jamais songé, concilient des contradictions qui ne l'avaient point troublé, imaginent des formules rigides et édifient un rempart de raisonnements à l'aide desquels ils croient mettre ces formules à l'abri d'attaques intérieures et extérieures. Ils déduisent ensuite des paroles du Prophète, souvent même en les prenant à la lettre, la somme de leurs propositions, groupées en un système coordonné..., ils argumentent avec une ingéniosité et une subtilité présomptueuses contre ceux qui tirent par les mêmes moyens d'autres conclusions de la parole vivante du Prophète. »
3. L. Gardet, art. « Allāh », *NEIs*, p. 421.
4. I. Goldziher, *Le Dogme*, p. 75.

communauté musulmane à prendre position sur des questions auxquelles le Coran ne donnait pas de réponse claire. Si l'on peut admettre qu'au départ une réflexion purement religieuse fut à l'origine de ce mouvement, les conditions politiques jouèrent également un rôle, sans oublier l'action stimulante de l'environnement, c'est-à-dire le contact avec les théologiens chrétiens.

Au départ de ce débat, donc, le problème du mal qui est théologique, et les questions qui en découlent : Peut-on rendre Dieu responsable du mal? La toute puissance de Dieu entrave-t-elle la liberté de l'homme? Bref, ce dernier est-il responsable de ses actes? Une partie des musulmans répond en refusant le déterminisme absolu qui est indigne de Dieu. D'autres soutiennent que soustraire les mauvaises actions de l'homme du domaine de la création d'*Allāh* revient à faire profession de dualisme. Ces deux tendances porteront un nom dans l'histoire : les partisans de la liberté de l'homme s'appelleront qadarites (*qadariyya*) [1],

---

1. C'est-à-dire « ceux qui restreignent la portée du décret divin en affirmant la responsabilité personnelle de la créature », D. SOURDEL, *Civilisation de l'Islam classique*, p. 139. Les Qadarites étaient nombreux à Damas. L'une des principales figures de ce mouvement était Ghaylān al-Dimashqī (le Damascène). Tout comme Jean, il travaillait dans l'administration. Sur ce personnage, voir Ch. PELLAT, art. « *Ghaylān* », *NEIs*, t. 2, p. 1050. Selon A. GUILLAUME, *JRAS*, p. 45, note 1, le mot qadarite viendrait de *qudra*, qui veut dire « pouvoir » (de l'homme), et non de *qadar*, qui signifie « déterminisme ». Sur cette école consulter : A. GUILLAUME, « Some remarks on free will and predestination in Islam, together with a translation of kitabu l-qadar from the Salih of al-Bukhari », *JRAS*, 1924, p. 45; D. B. MACDONALD, art. « Ḳadarīya », *SEIs*, p. 200-201; ainsi que *Development of muslim theology, jurisprudence and constitutional theory*, Lahore : The Premier Book House, 1964; W. M. WATT, *Free will and predestination in early Islam*, Londres, 1948; H. LAOUST, *Les Schismes de l'Islam*, p. 48-49; Morris S. SEALE, *Muslim theology. A Study of origine with reference to the Church Fathers*; L. GARDET et M. M. ANAWATI, *Introduction*, p. 37; J. VAN ESS, art. « Ḳadariyya », *NEIs*, t. 4, p. 384-388.

ceux du déterminisme absolu, jabarites (*mujbira*) [1].

Si nous déplaçons le problème sur le plan politique, la réponse choisie revêt la plus haute importance pour les conséquences pratiques qui en découlent. La question posée est celle-ci : Un souverain peut-il être tenu pour responsable de ses actes, ou bien l'autorité califale est-elle simplement l'expression de la volonté de Dieu ? Or, à ce moment précis de l'histoire musulmane, le pouvoir umayyade est de plus en plus contesté pour ses méthodes de gouvernement et jusque dans ses fondements mêmes. La doctrine jabarite obtient naturellement les faveurs des califes puisque, selon cette école, tout ce que fait le prince est voulu par Dieu, et se révolter contre le pouvoir c'est se révolter contre Dieu lui-même [2]. En revanche, les umayyades persécutent leurs adversaires qadarites dont les principaux chefs de file se trouvent mêlés à la vie politique de leur époque. Le fondateur du mouvement Ma'bad al-Juhanī, se révolte contre le gouverneur d'Irak et est mis à mort sous 'Abd al-Malik (685-705) ; 'Umar II (717-720), ainsi que Yazīd II (720-724) pourchassent les qadarites. Hishām (724-743) martyrise Ghaylān de Damas pour ses idées sur la liberté humaine, mais aussi pour avoir mis sur pied un programme politique : comme Hishām refusait de donner aux convertis les mêmes droits qu'aux Arabes, Ghaylan (qui était sans doute lui-même un converti)

1. De *Jabar*, qui signifie « contrainte ». Cf. W. M. WATT, art. « Djabariyya », *NEIs*, t. 2, p. 375. Quand 'Umar I vint à Damas en 637, il prononça un discours au cours duquel il souleva le problème du libre arbitre. L'opinion du calife fut que les êtres humains sont prédestinés au bien et au mal. M. ABIAD, *Culture et éducation arabo-islamique au Šam*, p. 52.

2. Le calife 'Abd al-Malik attira un rival dans son palais, le fit décapiter, puis lança la tête à la foule des partisans de sa victime qui attendait devant la porte, en disant : « Le Prince des Croyants (c'est-à-dire le calife) a tué votre chef, comme cela était fixé dans la prédestination éternelle et dans le décret inéluctable (de Dieu). » Cité par I. GOLDZIHER, *Le Dogme*, p. 78.

soutenait que cette décision allait à l'encontre de la loi musulmane et que c'était une raison suffisante pour déposer le calife. Walīd II (743-744) leur mène également la vie dure, et peut-être les qadarites prennent-ils part au complot qui entraîne son assassinat. Il est permis de le supposer, car son successeur, Yazīd III (744), est l'un de leurs partisans. Pendant la durée de son court règne, la doctrine de la liberté humaine devient le dogme officiel [1].

Ce survol historique rapide a permis de mettre en évidence que la prédestination était la doctrine soutenue par les califes de Damas. Jean le confirme dans cette première controverse, et l'on peut se demander si les chrétiens n'ont pas eu une influence quelconque sur l'évolution de la pensée des musulmans dans ce domaine. Van Ess le nie [2]. A son avis, le débat sur le libre arbitre, qui apparaît à Damas, n'est pas lié à des discussions éventuelles avec des chrétiens, mais trouve son fondement uniquement dans le Coran. Seale pense qu'il y a bien eu influence chrétienne [3]. Le penseur musulman Aḥmad Amīn confirme cette opinion : « Les rapports mutuels occasionnèrent des discussions sur le *qaḍā'* et le *qadar* [4], sur le déterminisme et le libre arbitre, sur les attributs de Dieu [5]... Et c'est peut-être là le fondement de la science du *kalām* en Islam [6]. » Laoust rappelle enfin que Ma'bad al-Juhanī, le fondateur du qadarisme, fut sans doute disciple d'un chrétien irakien, tandis que Ghaylān serait un

1. Cf. H. LAOUST, *Les Schismes*, p. 48-49.

2. J. VAN ESS, art. « Ḳadariyya », *NEIs*, t. 4, p. 384-388.

3. M. S. SEALE, *Muslim theology*, p. 27-29. C'est aussi l'avis de D. et J. SOURDEL, *Civilisation de l'Islam classique*, p. 139.

4. Le *qaḍa'* serait le décret prééternel, alors que la *qadar* est le décret particulier à chaque chose. Cf. L. GARDET, *Dieu*, p. 116.

5. Nous verrons plus loin que ce problème des attributs de Dieu est lié à celui du Coran créé et la Parole éternelle de Dieu.

6. Cité par L. GARDET et M. M. ANAWATI, *Introduction*, p. 37, note 4.

chrétien de Damas converti à l'Islam [1]. Plusieurs études actuellement en cours permettront probablement de donner une réponse aux nombreuses questions encore en suspens concernant l'histoire du qadarisme, sa doctrine, la personnalité de ses principaux adeptes, ainsi que le lien de cette école avec le christianisme [2] Toujours est-il que nous trouvons, au début de cette controverse, un écho du débat qui divisait alors les musulmans de Damas, et Jean réfute la doctrine jabarite soutenue par le calife, alors que sa propre théologie est beaucoup plus proche de la pensée qadarite.

2. La justice de Dieu (Kotter 1)

Le chrétien poursuit son raisonnement : il faut que l'homme soit libre, sinon Dieu serait injuste en le punissant pour des actes qui ne relèveraient pas de son libre choix. Les musulmans affirment également que Dieu est juste, mais leurs lois, tirées du Coran, châtient corporellement les hommes coupables de mauvaises actions. Il y a donc contradiction entre la doctrine de la prédestination soutenue par l'Islam et la loi qui est mise en pratique. Si l'homme n'est pas responsable, il ne saurait être coupable, et Dieu n'a pas à le punir ; Jean voit dans cette contradiction la preuve que le Coran n'est pas un

1. H. Laoust, *Les Schismes*, p. 48-49. Selon J. Van Ess, il était d'origine copte.
2. L. Gardet, *Dieu*, p. 478, note 3, signalait (en 1967) que des études américaines et allemandes étaient en cours sur ce sujet. Le travail récent de D. Gimaret, *Les Théories de l'acte humain en théologie musulmane*, n'aborde pas cette période. L'auteur se contente de renvoyer aux ouvrages de W. M. Watt et de J. Van Ess (voir la page XI).

livre révélé. Dans plusieurs passages de *La Foi orthodoxe*
notre auteur proclame sa foi en la justice de Dieu,
affirmant, par exemple, que « Dieu est bon et juste [1]. » « Il
est source de bonté et de justice [2] », « on ne peut lui
attribuer des actions immorales et injustes [3]. » Cette justice
se manifestera avec éclat le jour de la rétribution finale.

Ainsi que nous l'avons déjà souligné, le Dieu du Coran
est un Dieu juste. *Al-'Ādil*, le juste, est l'un des cent noms
qui lui sont donnés [4] : « Dieu est le plus juste des juges [5]. »
« Allah ne lèse point les hommes, ce sont les hommes qui
se lèsent eux-mêmes [6] », quand ils refusent de croire aux
messages des prophètes par exemple [7]. Le Coran ajoute :
« Quiconque fait œuvre pie, (le fait) pour soi, quiconque
agit mal, (le fait) contre soi [8]. » Il y aura donc un jugement
dernier et une rétribution qui tiendra compte de la foi et
des œuvres. Une Balance [9] permettra de donner à chaque
âme le juste prix de ce qu'elle se sera acquis [10] : « Ceux qui
auront cru et auront accompli des œuvres pies, je leur
donnerai leur exacte rétribution. Allah n'aime point les
injustices [11]. » La Balance du jugement est d'une précision

---

1. *La Foi orthodoxe*, I, 2 (2), *PTS* 12, p. 9, l. 13.
2. *La Foi orthodoxe*, I, 8 (8), *PTS* 12, p. 18, l. 5-6.
3. *La Foi orthodoxe*, II, 25 (39), *PTS* 12, p. 97, l. 23.
4. Dieu possède 100 noms, *al-asmā' al-ḥusnā*. Les hommes n'en
connaissent que 99, Dieu se réservant la connaissance du centième.
Cf. D. GIMARET, *Les Noms divins en Islam*.
5. Coran 11, 47. Sur la justice de Dieu dans le Coran voir
R. BLACHÈRE, *Le Coran*, p. 690, les paragraphes XII et XIII de
l'Index, au mot *Allāh*, où l'on trouvera toutes les références.
6. Coran 3, 178 ; 8, 53 ; 10, 45 ; 11, 103 ; 18, 47 ; 22, 10 ; 46, 18.
7. Coran 9, 71.
8. Coran 41, 46.
9. Coran 46, 16.
10. Coran 2, 281 : 3, 155. Retenons que cette notion d'acquisition
sera utilisée en Islam pour concilier la toute-puissance de Dieu avec
sa justice.
11. Coran 3, 50.

extrême puisque l'homme ne sera pas lésé du poids d'une fourmi [1], ou d'une pellicule de datte [2]. Et comme *Allāh* est non seulement le Juste mais encore le Généreux, *al-Karīm*, l'homme sera même rétribué bien au-delà de ce qu'il mérite. S'il fait une bonne action, *Allāh* doublera sa récompense [3], voire la décuplera [4]. Il sera en outre tenu compte des capacités individuelles, car il n'est pas demandé à chacun plus qu'il ne peut : « Allah n'impose à toute âme que sa capacité : à chaque âme ce qu'elle se sera acquis et contre elle ce qu'elle se sera acquis [5]. » « Ceux qui auront cru et accompli des œuvres pies — nous n'imposons à toute âme que sa capacité — ceux-là seront les hôtes du Jardin où ils seront immortels [6]. »

Parmi les premiers penseurs de l'Islam, les qadarites, partisans de la liberté de l'homme, n'auront aucune difficulté pour expliquer que Dieu est juste : les hommes étant responsables de leurs actes et capables d'un choix libre, il est logique qu'ils puissent être jugés en toute équité par Dieu. Leur thèse sera reprise et renforcée par la première véritable école théologique de l'Islam, celle des muʿtazilites [7], dont les adeptes se donneront eux-mêmes le

---

1. Coran 4, 44.
2. Coran 4, 79.
3. Coran 4, 44.
4. Coran 6, 61.
5. Coran 2, 286.
6. Coran 7, 40. Pour la rétribution selon les œuvres, cf. R. BLACHÈRE, *Le Coran*, p. 135-136, qui donne une colonne et demie de références.
7. Les principaux fondateurs de cette école sont Wāṣil b. ʿAṭāʾ qui a vécu à Basra et est mort en 749, ainsi que Amr b. ʿUbayd, mort en 762. Les cinq thèses principales de cette école sont : 1) le libre arbitre ; 2) la négation des attributs de Dieu (le Coran est créé) ; 3) l'éternité des peines de l'enfer ; 4) la condition du pécheur grave, qui est ni tout à fait infidèle ni tout à fait croyant ; 5) ordonner le bien et interdire le mal, par la force s'il le faut. Sur l'école muʿtazilite il est possible de consulter : L. GARDET et M. M. ANAWATI, *Introduc-*

nom de ahl al-'adl, c'est-à-dire « Défenseurs de la justice »
(de Dieu). Les jabarites, en revanche, se voient confrontés
à une contradiction insurmontable, résultant de l'affirmation simultanée de la prédestination absolue et de la justice
de Dieu qui rétribue selon les œuvres. Le jabarisme étant
la doctrine officielle dans la première moitié du VIIe siècle,
pour prouver que le livre saint de l'Islam est faux, il suffit
à Jean de souligner cette contradiction et de dénoncer les
sanctions appliquées par la loi musulmane et prévues dans
le Coran à l'encontre du voleur, de l'adultère et du
meurtrier. Pour un meurtre, c'est la loi du talion qui
prévaut [1], tandis que l'adultère doit subir la flagellation [2],
cent coups de fouet qui le transforment rapidement en
écorché, comme le décrit Jean Damascène. Pour le voleur
seul, notre auteur manque de précision : le Coran prévoit,
en fait, le supplice de la main coupée [3]. Si Dieu inflige de
tels supplices à des innocents, puisque reconnus irrespon-
sables, c'est qu'Il est injuste. Or, Il est juste ! Le Coran est

---

tion, p. 46-52 ; H. LAOUST, *Les Schismes*, p. 52-54 ; H. CORBIN,
Histoire de la philosophie islamique, p. 152-161 ; I. GOLDZIHER, *Le
Dogme*, p. 79-86. Cette école explique à sa façon le libre arbitre de
l'homme : « L'homme a une *qudra*, une puissance efficace sur ses
actes, puissance créée par Dieu une fois pour toutes en chaque
homme, et un *qadar*, un décret par lequel l'homme détermine et
mesure lui-même ses actes. » Cf. L. GARDET, *Dieu*, p. 117.

1. En fait, « le droit de requérir l'application de la peine reste une
affaire purement privée », selon G. H. BOUSQUET, *Le Droit musulman*, p. 84. Si le talion est autorisé (Coran 2, 173.190 ; 4, 94 ; 5, 49 ;
16, 127 ; 17, 35 ; 22, 59 ; 42, 38), la *diya* ou « prix du sang » est
conseillée.

2. Le verset 2 de la sourate 24 du Coran, qui ordonne la
flagellation, abroge les versets 19-20 de la sourate 4 qui laissaient la
possibilité de pardonner. Le Coran actuel ne parle pas de Lapidation,
mais la tradition veut qu'il y ait eu un verset « la lapidation », dont
on ne trouve plus aucune trace. Cf. R. BLACHÈRE, *Le Coran*, p. 376,
note du verset 2.

3. Coran 5, 42.

donc un livre rempli de mensonges. Telle est la conclusion qui s'impose selon le Damascène.

En fait, la théologie spéculative musulmane ('*ilm al-kalām*) trouvera une parade à cette difficulté qui paraissait insurmontable, et a imaginé une solution qui permet de sauvegarder à la fois la toute puissance de Dieu et sa justice : c'est la théorie du *kasb*, du sentiment de liberté qu'éprouve l'homme quand il agit. La notion de *kasb*, c'est-à-dire d'acquisition, trouve son origine dans le Coran [1]. Les partisans du *jabar*, contemporains de Jean Damascène, avaient déjà décrit le *kasb* comme la relation de l'homme à ses actes volontaires [2], et le premier théoricien du *kasb* (ou *iktisāb*) sera Ḍirār b. 'Amr qui vécut au VIIIe siècle [3]. Voici comment Gardet définit le

---

1. Coran 2, 286 ; 3, 25.161 ; etc.
2. W. M. WATT, *Free will*, p. 98.
3. Sur Ḍirār ibn 'Amr et le *kasb*, voir : D. GIMARET, *Théories de l'acte humain*, p. 64-73 ; W. M. WATT, « The Origin of the islamic doctrine of acquisition », *JRAS*, 1943, p. 234-247 ; M. SCHWARZ, « Acquisition (*Kasb*) in early *Kalām* », in essays presented to R. Walker, *Islamic philosophy and the classical tradition*, Oxford, 1972, p. 355-387 ; L. GARDET, art. « Kasb », *NEIs*, t. 4, p. 720. Ash'arī, cherchant une solution moyenne aux problèmes théologiques controversés, tente de concilier les extrêmes. Pour la liberté humaine et la justice divine sa doctrine est la suivante : « Les actes que Dieu punit sont bien créés en nous par Lui ; mais Il ne les punit qu'en tant qu'ils sont mis en rapport avec le *kasb* (sans efficace de notre part), et qu'ils se manifestent comme contraires à son précepte. Mise en rapport et manifestation extérieure qui excluent toute injustice de la part de Dieu » (L. GARDET, *Dieu*, p. 89). Ash'arī est le fondateur d'une école qui porte son nom et dont la doctrine est devenue la théologie orthodoxe de l'Islam à compter du Xe siècle. Il convient toutefois de relativiser cette affirmation car, en Islam, le *kalām*, tout comme la philosophie hellénisante (*al-falsafa*) et l'expérience mystique (*al-taṣawwuf*), est considéré comme une discipline marginale et même suspecte. Le seul domaine où le musulman peut exercer son activité intellectuelle pour approfondir sa foi est le *fiqh*, ou droit musulman, qui détermine comment les prescriptions coraniques doivent être observées. Sur Ash'arī et son

kasb : « Ce qui, dans son acte, appartient à l'homme n'est qu'une acquisition (*kasb*) par quoi l'acte lui est légalement attribué, sans qu'il en soit le créateur. Dieu crée en l'homme une capacité d'obéir ou de désobéir liée à l'acte. Pour le mal comme pour le bien, tout vient de Dieu. Il assiste ceux qu'Il veut diriger dans la voie droite en créant en eux le pouvoir d'obéir. En ceux qu'Il abandonne, dont Il entend sceller le cœur, Il crée le pouvoir de désobéir [1]. » Cependant, même si elle était déjà soutenue par certains de ses contemporains, la théorie du *kasb* était à peine élaborée à l'époque de Jean. C'est pourquoi il a pu argumenter si facilement contre une doctrine qui semblait ne pas pouvoir dénouer la contradiction attachée à l'affirmation simultanée de la justice de Dieu et de son pouvoir discrétionnaire vis-à-vis de l'homme.

3. Création et procréation (Kotter 1)

Au Musulman qui voudrait lui faire déclarer que Dieu crée l'enfant dans le corps de la mère adultère et se fait aunsi complice, donc auteur du mal, le Chrétien répond

école on peut consulter : H. CORBIN, *Histoire de la philosophie islamique*, p. 162-178; L. GARDET et M. M. ANAWATI, *Introduction*, p. 52-66.

1. L. GARDET, *Dieu*, p. 61, qui donne des explications complémentaires : « Pour qu'il y ait acte humain, il faut un pouvoir contingent, un acte accompli et un lien entre le pouvoir et l'acte. Le *kasb* est ce lien. Mais il n'est pas un effet direct du pouvoir sur l'acte, c'est une ʿ mise en annexion ʾ, en ʿ relation ʾ, de l'effet produit et de l'agent, sans aucune efficace du second sur le premier; l'un et l'autre sont directement créés par Dieu » (*op. cit.*, p. 63). « C'est par cette ʿ mise en relation ʾ que l'homme ʿ acquiert ʾ ses actes : Ils lui seront donc à bon droit imputés par Dieu d'un point de vue juridique... L'homme n'est pas sans liberté, mais sa liberté ne requiert pas qu'il ait une efficace sur ses actes » (*op. cit.*, p. 64).

que Dieu a achevé la création le sixième jour. Ce que le Musulman appelle création continue n'est autre que la procréation, le prolongement de l'œuvre de Dieu selon les lois de la nature fixées par Lui. Dieu ne coopère pas avec l'adultère, puisque l'homme est maître de ses actes et qu'Il laisse faire la nature. Ce qui est vrai pour l'homme vaut aussi pour les plantes comme pour les vers qui apparaissent dans les plaies, ainsi qu'il est expliqué dans la controverse 8 (correspondant au paragraphe 10 du texte grec de Kotter), toujours en fonction des lois fixées une fois pour toutes lors de la conclusion de la semaine de la création.

La doctrine soutenue par Jean dans ce passage trouve sa justification dans les textes scripturaires : la Genèse précise que la création a été entièrement achevée en six jours [1], et quand il a décrit la généalogie de Jésus, l'Évangile parle de la génération du fils par le père et non de création par Dieu dans le sein de la mère [2]. Mais nulle part ailleurs le Damascène n'explicite sa pensée, qui demeure donc très incomplète et très floue. Ainsi ne voit-on pas très bien à quel moment se situe, pour lui, la création de l'âme chez l'homme, étant donné que la procréation se limite à un phénomène purement naturel, selon des lois, déterminées par Dieu certes, mais sans intervention de sa part [3].

Ce paragraphe de la controverse montre que Jean connaît parfaitement l'enseignement coranique au sujet de la création de l'homme. Dans le Coran, en effet, la création d'Adam et celle des autres hommes sont mises sur le même plan et ont nécessité la même intervention directe de Dieu : « C'est Lui qui a originellement façonné l'Homme à partir d'une argile, puis a fait sa progéniture à partir d'une miction d'un vil liquide, puis l'a formé harmonieuse-

---

1. *Gen.* 2, 1.
2. *Matth.* 1, 1-16.
3. Cf. M. Jugie, art. « Saint Jean Damascène », c. 723.

ment et a insufflé en lui son Esprit de vie (*rūh*), (qui) vous a donné l'ouïe, la vue, les viscères... [1] » La création est donc permanente : « Il vous a créés, dans le sein de vos mères, création après création [2]. » Il semble même qu'il y ait eu un acte créateur différent à chaque étape du développement de l'enfant dans le sein de la mère : « Nous l'avons fait éjaculation dans un réceptacle solide. Puis Nous avons fait l'éjaculation adhérence. Nous avons fait l'adhérence masse flasque. Nous avons fait la masse flasque ossature, et Nous avons revêtu de chair l'ossature... [3] » Cette intervention du Créateur se poursuit après la naissance : « Nous déposons dans les utérus ce que Nous voulons, jusqu'à un terme fixé, et Nous vous (en) faisons sortir ensuite petit enfant, pour qu'ensuite vous atteigniez votre puberté [4] », et ainsi de suite jusqu'à la mort qui débouche sur la résurrection. C'est d'ailleurs comme annonce de ce dénouement final que la création trouve sa signification profonde. Si Dieu est capable de créer à partir de rien, à plus forte raison peut-il nous ressusciter : « De quoi l'a-t-Il créé? D'une goutte de sperme. Il l'a créé... puis Il l'a fait mourir et mettre au tombeau, et puis, quand Il voudra, Il le ressuscitera [5]. »

Les enseignements à tirer de l'acte créateur de Dieu sont multiples : il prouve que Dieu est unique [6], ou encore qu'Il fait ce qu'Il veut [7], mais le message coranique utilise la description de la création de l'homme essentiellement comme preuve de la résurrection finale : « (l'Homme) n'a-

---

1. Coran 32, 6-9.
2. Coran 39, 6.
3. Coran 23, 12-14.
4. Coran 22, 5.
5. Coran 80, 17-22.
6. « Nulle divinité excepté Lui » (Coran 39, 6).
7. « Nous disposons dans les utérus ce que Nous voulons » (Coran 22, 5).

t-il pas été une goutte de sperme éjaculée et ensuite coagulée? (Allah l') a créé et formé harmonieusement. Celui (qui fit cela) ne se trouve-t-il pas capable de ranimer les morts [1]? » *Allāh* appelle lui-même la résurrection une nouvelle création [2]. Le Coran ne tire donc pas argument de la création pour prouver que Dieu a créé le mal, ainsi que le pense Jean. Du moins ne l'utilise-t-il pas directement dans cette perspective. Cependant, comme la création démontre la toute-puissance de Dieu sur l'homme, il est possible que, dans les controverses avec les chrétiens, certains musulmans aient pu interpréter la création dans ce sens, vu qu'il y a intervention directe et constante de Dieu dans les actes humains : « Il l'a créé, puis Il a décrété son destin, puis le Chemin [3]. »

Pour expliquer la vision coranique de la création du monde et de l'homme, les penseurs de l'Islam feront appel à la philosophie atomiste, héritée de Démocrite et d'Épicure, et adaptée au dogme musulman de la création *ex nihilo* [4]. Il est difficile de savoir si les théologiens de l'Islam faisaient déjà référence à cette philosophie, dès le début du VIIIe siècle, mais toujours est-il que l'un des membres les plus éminents de l'école mu'tazilite de Basra, Abū Hudhayl al-'Allāf (752-840) fera de la théorie atomiste le corollaire de la proclamation de la toute-puissance de Dieu. Elle apparaît également à leurs adversaires ash'arites comme la philosophie la plus apte à préserver la liberté de Dieu et son pouvoir absolu. Pour une fois, l'unanimité des *mutakallimūn*, ou théologiens de l'Islam, partisans de la liberté de l'homme comme théoriciens du déterminisme, se réalisera autour de cette doctrine philosophique, qui sera parfaitement définie par le *qāḍī* Bāqillānī qui a vécu à

---

1. Coran 75, 37-40 ; mais aussi 32, 9-11 ; 23, 15-16.
2. Coran 50, 14.
3. Coran 80, 19.
4. L. GARDET et M. M. ANAWATI, *Introduction*, p. 63.

Bagdad au XIe siècle[1]. Selon lui, l'unique réalité est l'atome visible, créé par Dieu quand Il lui plaît, et qui doit être revêtu d'un accident pour exister. Plusieurs atomes donnent la substance, toujours matérielle. Aucun accident ne peut durer deux instants, c'est-à-dire deux atomes de temps. Ainsi atomes, accidents et corps ne durent qu'un instant, et sont créés chaque instant par Dieu, sans intermédiaire. Il n'y a aucun lien nécessaire, aucune relation de causalité entre deux accidents. La loi naturelle n'existe pas, il n'y a que des « habitudes » de Dieu, appelées ʿāda ou sunna. Ainsi Dieu a l'habitude de faire commencer le jour au moment du lever du soleil, mais il pourrait très bien changer son habitude et faire coïncider la nuit avec l'apparition de ce même soleil. Il n'y a aucune relation de cause à effet et un miracle n'est qu'un simple changement d'habitude de la part de Dieu. Les attributs négatifs sont eux-mêmes des accidents positifs produits constamment par le Créateur : le repos n'est pas une absence de mouvement, ni la mort une privation de vie.

Cette évolution extrême de l'atomisme ayant été adoptée par l'orthodoxie musulmane, il y a donc un fossé entre la signification chrétienne de la création et le sens qu'elle a pris en Islam. Jean semble avoir parfaitement compris cette différence, alors que la doctrine atomiste, qui permet de comprendre le contenu du Coran sur ce sujet, n'était pas encore complètement élaborée.

4. Le baptême (Kotter 2)

Le père engendre le fils et le baptême engendre les enfants de Dieu (Kotter 1). Le baptême est nécessaire au

1. Sur l'atomisme et al-Bāqillānī, cf. : I. GOLDZIHER, Le Dogme, p. 106-109 ; L. GARDET et M. M. ANAWATI, Introduction, p. 62-64 ; H. CORBIN, Histoire de la philosophie islamique, p. 137-176.

salut (Kotter 2). A l'appui de sa thèse sur la création
continue et sur la prédestination, le Musulman avance une
citation de Jérémie, dans laquelle Dieu dit au prophète
qu'Il l'a formé dans le sein de sa mère et qu'Il l'y a
sanctifié. Jean réaffirme la génération de l'homme par
l'homme et précise que le texte cité ne fait pas allusion à la
création continue ni à la prédestination, comme le prétend
le Musulman, mais au baptême d'où naissent les enfants de
Dieu. La réponse entraîne une autre interrogation du
Musulman : « Le baptême existait donc avant Jésus? »
Jean soutient cette opinion [1].

Ce passage soulève plusieurs questions. Tout d'abord, il
peut paraître curieux de voir le Musulman en référer à la
Bible pour contrer le Chrétien, alors que la vérité révélée
se trouve entièrement contenue dans le Coran. Le texte
biblique n'est reconnu authentique par l'Islam que dans la
mesure où il se trouve en conformité avec le livre révélé au
Prophète. Mais, dans la pratique, tout au long de l'histoire
de la théologie musulmane, nous voyons les *mutakallimūn* critiquer le christianisme à partir de l'Évangile lui-
même [2]. Dans le cadre précis de cette controverse,
l'utilisation de la Bible par le contradicteur n'est donc pas
impossible. Plus étrange est qu'il fasse appel à Jérémie,
personnage dont on ne trouve aucune trace dans le Coran.

---

1. Dans le texte édité par B. Kotter, nous changeons de
paragraphe, et le Musulman est maintenant appelé l'Adversaire.
2. C'est le cas d'ABŪ 'ISĀ AL-WARRĀQ, *Le Livre de la réfutation
des trois sectes chrétiennes*; JĀḤIẒ (Bagdad, IXe siècle), *Réfutation
des chrétiens*; AL-BĀQILLĀNĪ (mort en 1013 à Bagdad), *Tamhīd*. Un
chapitre de ce livre est intitulé : « Contre les chrétiens »; IBN ḤAZM
(Cordoue XIe siècle), *Kitāb al-fiṣal*. Cet auteur admet l'authenticité
du texte de l'Évangile ; AL-JUWAYNĪ (Médine et la Mecque, XIe siècle), *Al-Irshād*. La réfutation de la Trinité et de l'Incarnation se
trouve au chapitre V, sect. IX ; GHAZZĀLĪ (Perse, XIe siècle), *La
Réfutation excellente*. Ce dernier auteur réfute la divinité de Jésus
en s'appuyant sur le livre des Évangiles, qu'il admet comme un texte
non falsifié.

Celui-ci ne contient d'ailleurs aucune allusion aux grands prophètes de la Bible. Cependant, dans les premiers temps de l'Islam, plusieurs juifs convertis transcrivent en arabe des traditions bibliques connues sous le nom d'*Isrā'īliyyāt*, ce qui veut dire : « données juives » [1]. Ils élargirent ainsi les sources d'information musulmanes sur la Bible. Dernière observation, le Musulman semble être au courant de la signification du baptême, en particulier de son lien avec la personne du Christ, bien que le Coran ne parle pas du baptême chrétien. Une telle connaissance peut s'expliquer simplement par le nombre de chrétiens convertis à l'Islam à l'époque de Jean Damascène. Il ne faut pas oublier non plus que Damas est pour les musulmans la ville de Jean-Baptiste.

Il convient enfin de rappeler que ces controverses ne sont pas la retransmission de discussions réelles rapportées fidèlement, mais qu'elles nous livrent des dialogues imaginaires destinés à fournir aux lecteurs de Jean les réponses appropriées aux différentes critiques auxquelles étaient soumises les vérités fondamentales de la foi chrétienne. On peut donc supposer que l'auteur développe, comme une simple éventualité, l'objection tirée de Jérémie.

Dans sa réponse, le Damascène réaffirme une fois de plus le principe de la procréation comme celui de la liberté de l'homme. La même doctrine se trouve exposée clairement tout au long de son œuvre : il ne faut pas confondre prédestination et prescience de Dieu. Certes, la science de Dieu est universelle et Il voit les choses présentes et

---

1. « Dans le désir de préciser certaines allusions faites à l'Ancien Testament, les auteurs musulmans s'adressèrent à leurs compatriotes juifs et chrétiens, plus ou moins en possession de commentaires et de traditions diversement authentiques. De plus, il y eut des juifs convertis qui, inconsciemment ou consciemment, mirent au service de leur nouvelle foi leur science talmudique. » L. Gardet et M. M. Anawati, *Introduction*, p. 30. Les « données chrétiennes » s'appellent *masīḥiyyāt*.

futures avant qu'elles n'arrivent [1] ; comme si elles étaient
déjà arrivées, précise-t-il [2]. Tout se produit infailliblement
selon le plan qu'Il porte de toute éternité dans sa pensée [3].
Cependant, si Dieu prévoit tout, Il ne détermine pas
tout [4] : « La prescience de Dieu est vraie et infaillible, mais
ce n'est pas elle qui est la cause de la production de l'acte
futur ; c'est parce que nous devons faire ceci et cela qu'Il le
prévoit [5]. » Ce que Jean appelle προορισμός. C'est la
« sentence éternelle que Dieu a prononcée sur chacun,
après avoir consulté sa prescience, c'est-à-dire consé-
quemment à la prévision des mérites et des démérites [6] ».
Il dépend de nous que la prescience divine nous ait
enregistrés sur la liste des élus [7]. La doctrine de Jean sur la
prescience de Dieu est donc fort éloignée du déterminisme
absolu adopté par l'orthodoxie musulmane. Quant à la
théologie du baptême nécessaire au salut, exprimée ici, elle
est tout à fait conforme au contenu de La Foi orthodoxe [8].
Jean y énumère les différentes sortes de baptêmes, parmi
lesquels celui reçu dans la nuée (esprit) et la mer (eau), cité
précisément dans cette partie de la controverse [9], et il
ajoute que, si, le baptême fait de nous des enfants adoptifs
de Dieu, il nous faut en plus sa grâce [10].

1. La Foi orthodoxe, I, 14 (14), PTS 12, p. 43, l. 30-31.
2. Dialogue contre les manichéens, 37, PTS 22, p. 373.
3. La Foi orthodoxe, I, 9 (9), PTS 32, l. 17 s.
4. La Foi orthodoxe, II, 30 (44), PTS 12, p. 103, l. 2.
5. Dialogue contre les manichéens, 79, PTS 22, p. 394.
6. Dialogue contre les manichéens, 78, PTS 22, p. 393. Traduit
par M. JUGIE, art. « Saint Jean Damascène », c. 729.
7. Dialogue contre les manichéens, 79, PTS 22, p. 394.
8. La Foi orthodoxe, IV, 9 (82), PTS 12, p. 184, l. 67 s.
9. Jean énumère huit baptêmes différents : 1) Le Déluge ; 2) La
nuée (esprit) et la mer (eau) ; 3) La Loi ; 4) Le baptême de Jean
Baptiste ; 5) Le baptême de Jésus ; 6) La repentance ; 7) Le martyre ;
8) Le châtiment éternel (non salutaire, mais qui détruit le règne du
péché).
10. Au sujet de la grâce, Jean précise : « Sans son secours et sa

2e Controverse

Il faut distinguer la volonté de Dieu de sa tolérance
(Kotter 3 et 4)

Le Musulman fait une dernière tentative pour démontrer au Chrétien la fausseté de son opinion : si la soumission à la volonté de Dieu mérite récompense, il convient de changer d'attitude à l'égard des juifs qui n'ont fait qu'obéir à sa volonté en provoquant la mort de Jésus. En prenant des exemples tirés de la vie courante, Jean réfute ce raisonnement. Il établit une distinction entre ce que Dieu veut et ce qu'Il permet. Il veut le bien, mais Il permet le mal. Au cours de sa démonstration, le Damascène rappelle que nous pouvons nous lever sans que Dieu le veuille, et que, d'autre part, Il interdit le vol. Donc, si nous allons voler, Dieu ne veut certes pas que nous commettions ce vol, mais Il nous laisse faire.

Dans *La Foi orthodoxe*, au chapitre 92 intitulé : « Dieu n'est pas cause de nos maux », Jean insiste beaucoup sur cette permission de faire le mal, qu'il appelle παραχώρησις ou ἐξουσία, ne faisant d'ailleurs que reprendre la tradition de l'Église : « Il faut savoir que c'est la coutume de la Sainte Écriture de présenter la permission de Dieu comme une action positive de sa part [1]. » Mais cette permission n'entraîne pas la complicité de Dieu dans les actes mauvais

coopération, il nous est impossible de vouloir et de faire le bien. Mais il dépend de nous, ou de rester dans la vertu et de suivre Dieu qui nous y sollicite, ou de nous éloigner de la vertu, ce qui est se constituer dans le mal. » *La Foi orthodoxe*, II, 30 (44), *PTS* 12, p. 103, l. 9 s.

1. *La Foi orthodoxe*, IV, 19 (92), *PTS* 12, p. 218, l. 2 s.

de l'homme, même s'Il les prévoit : « Il prévoit beaucoup de choses qui ne lui plaisent pas et ce n'est pas lui qui en est la cause [1]. » Dieu pourrait, bien sûr, empêcher le mal, mais Il laisse l'homme responsable de ses actes : « Il peut tout, mais ne veut pas tout ce qu'Il peut [2]. » La même thèse sera soutenue en Islam par l'école qadarite puis par les mu'tazilites.

La première partie de la controverse se termine sur cette démonstration qui laisse le Musulman sans répartie. Jean prend soin de conclure que Dieu se garde le droit de punir le pécheur, quand Il le désire, et rappelle que c'est ainsi qu'Il a agi avec les juifs.

2ᵉ Partie : LA CHRISTOLOGIE

3ᵉ Controverse

Le Christ, Verbe de Dieu, est Dieu (Kotter 5)

Le Musulman demande qui est le Christ. Le Chrétien lui répond qu'il est le Verbe de Dieu, et, à son tour, questionne son contradicteur : « Comment le Christ est-il appelé dans tes Écritures ? » — « Esprit et Verbe de Dieu », répond le Musulman. Le Chrétien poursuit : « Le Verbe de Dieu est-il créé ou incréé ? » Si le Musulman répond incréé, le Chrétien lui réplique qu'il reconnaît implicitement la divinité du Christ. S'il répond créé, le

---

1. *Dialogue contre les manichéens*, 79, *PTS* 22, p. 394.
2. *La Foi orthodoxe*, I, 14 (14), *PTS* 12, p. 43, l. 32-33. Les mu'tazilites établissent la même distinction entre volonté et longanimité. Cf. L. Gardet, *Dieu*, p. 49.

Chrétien souhaite alors savoir si, avant leur création, Dieu se trouvait sans Esprit et sans Verbe. Le Musulman refuse de répondre, car une telle affirmation, qui revient à nier les attributs de Dieu, est considérée comme hérétique en Islam et entraîne des persécutions.

Au premier siècle de l'Hégire, le deuxième grand problème débattu est justement la création du Coran, et il semble que les discussions entre chrétiens et musulmans aient joué un certain rôle dans l'évolution et le développement de la doctrine de l'Islam. D'après Gardet et Anawati, les chrétiens utilisaient l'argument de la Parole de Dieu créée ou incréée pour acculer leurs adversaires à reconnaître le divinité de Jésus. D'où la nécessité pour ceux-ci de trouver une parade, et nous aurions là l'origine du débat sur la création du Coran [1].

A la question qui lui est adressée, le chrétien répond que, si l'Écriture donne au Christ beaucoup d'autres noms [2], celui de Verbe de Dieu lui convient parfaitement [3]. Si l'appellation de « Jésus, Fils de Marie » revient le plus souvent dans le Coran [4], celle de « Verbe de Dieu » est également réservée plusieurs fois au Christ [5]. Mais nous

---

1. L. Gardet et M. M. Anawati, *Introduction*, p. 38. Ils suivent d'ailleurs l'opinion de Becker à ce sujet. A l'appui de cette interprétation, le décret pris en 827 par le calife al-Ma'mūn pour imposer la doctrine du Coran créé. Selon lui, affirmer que le Coran est un attribut éternel de Dieu, c'est reprendre ce que disent les chrétiens au sujet du Verbe de Dieu, c'est-à-dire du Christ.

2. F. Diekamp, *Doctrina Patrum*, p. 286-290, donne une liste de 187 noms !

3. La pensée théologique de Jean Damascène se trouve explicitée dans plusieurs de ses ouvrages : *La Foi orthodoxe*, III, 1-IV, 8 (45-81) et IV 18 (91), *PTS* 12, p. 106-180 et 212-218 ; *La Profession de foi*, PG 95, c. 427-434 ; *Contre les jacobites*, 78-85, *PTS* 22, p. 134-142 ; *De la foi contre les nestoriens*, 43, *PTS* 22, p. 285-288 ; *Homélies du Samedi Saint*, 11-20, *PTS* 29, p. 121-146.

4. 23 fois.

5. Coran 3, 34 ; 4, 169 ; 3, 40.

savons que cette expression « Verbe de Dieu » revêtait une
signification totalement différente en Islam et en
chrétienté[1]. Pour les chrétiens, le Verbe de Dieu est le
Logos, deuxième personne de la Trinité ; il n'en est pas de
même pour les musulmans. La conclusion de Jean n'a pas
de sens à leurs yeux, car pour eux la Parole de Dieu n'est
pas une personne, mais un livre existant de toute éternité :
le Coran[2].

Le dogme du Coran incréé est actuellement un article de
foi dans l'Islam orthodoxe. Il n'en a pas toujours été ainsi,
et, au siècle de Jean Damascène, ce problème était fort
débattu pour une double raison : les musulmans voulaient,
tout d'abord, se démarquer des chrétiens en évitant que le
Verbe de Dieu ne soit assimilé au *Logos*, ainsi que le fait
Jean dans cette controverse. Mais il y avait également la
volonté de refuser des attributs à Dieu, pour mieux
affirmer son unicité absolue, *al-tawḥīd*, et neutraliser ainsi
toute tentative d'ouverture sur le dogme trinitaire.

Le débat sur le Coran a opposé les musulmans entre eux
pendant plusieurs siècles et c'est finalement la thèse
d'Ashʿarī qui sera retenue par la tradition[3]. Les partisans
de la doctrine opposée se recrutèrent dans les milieux

1. Cf. chapitre IV, paragraphe 3 b. Jean consacre un chapitre de
La Foi orthodoxe à ce sujet : « Dieu ne peut être séparé de Sa Parole
et de Son Esprit », I, 6 (6), *PTS* 12, p. 15 et 16.

2. Il est donc inexact de comparer le Coran à la Bible. Le Coran,
reproduction intégrale de la Mère du Livre qui se trouve près de
Dieu, est un livre révélé. Le Prophète est un simple transmetteur. La
Bible est composée de livres inspirés par Dieu à des auteurs sacrés
qui gardent leur personnalité et conservent leur style propre. D'où
l'aspect composite de cet ouvrage. Pour les chrétiens, la Révélation
c'est le Christ, une personne, une parole vivante ; l'équivalent pour
les musulmans c'est le Coran, un texte fixé de toute éternité, une
Parole immuable.

3. Ashʿarī soutient que le Coran éternel est la Parole incréée de
Dieu ; mais l'encre, les lettres séparées, avec lesquelles il a été écrit,
sont créées.

jarabites et muʿtazilites [1], mais surtout parmi les jahmites [2]. D'après Laoust, les fondateurs de cette école furent
les premiers à soutenir la thèse de la création du Coran [3].
Leur position découlait du refus absolu de donner à Dieu
des attributs [4]. Dieu n'ayant pas l'attribut éternel de la
Parole, le Coran ne pouvait être que créé [5]. Or, les
principaux jahmites furent persécutés vers la fin de la vie
de Jean Damascène, peut-être pour leurs croyances, mais
certainement pour des raisons politiques puisqu'ils parti-
cipèrent à une révolte contre le pouvoir de Damas. Jaʿad
fut mis à mort en 743, Jahm en 740, et l'un des plus
anciens *credo* musulman, le *Fiqh al-Akbar I*, déclare à
l'article 10 que la secte des jahmites est vouée à la
perdition [6]. Ainsi pouvons-nous comprendre pourquoi les
partisans de cette doctrine n'avaient pas intérêt à se faire
connaître des autorités, ainsi que le souligne notre auteur,

1. Cf. p. 146, note 7. Les partisans de cette secte se présentaient
comme les défenseurs de la justice de Dieu, mais ils s'affirmaient
également farouches partisans de l'unicité de Dieu ou *tawḥīd* (*ahl
al-ʿadl wa l-tawḥīd*). Pour les muʿtazilites, les attributs sont
identiques à l'essence, ils n'ont pas d'existence réelle. Les jabarites,
leurs adversaires irréductibles sur le problème de la liberté de
l'homme, seront comme eux partisans de refuser à Dieu tout attribut
ne faisant pas partie de son essence.

2. Le persan Jahm b. Ṣafwān, qui a donné son nom à cette secte,
était partisan du *jabar*, du Coran créé et de la négation absolue des
attributs. Cf. W. M. WATT, art. « Djahmiyya », *NEIs*, t. 2, p. 398-
399.

3. H. LAOUST, *Les Schismes*, p. 48, note 48.

4. La doctrine officielle de l'Islam est que les attributs sont réels,
mais pas à la façon des attributs humains. Ashʿarī inventera le
principe du *bilā kayf* (sans comment) : les attributs existent, mais on
ne peut préciser en quoi ils consistent ; « ils ne sont pas Dieu et ils ne
sont pas autre chose que Dieu » (GARDET et ANAWATI, *Introduction*,
p. 146). Dans ses ouvrages, Jean Damascène donne, lui aussi, de
longues listes d'attributs divins, en particulier dans *La Foi orthodoxe*, I, 2.8.14, *PTS* 12, p. 8, l. 10 s. ; p. 18, l. 1 s. ; p. 42.

5. H LAOUST, *Les Schismes*, p. 51.

6. L. GARDET et M. M. ANAWATI, *Introduction*, p. 140.

et ne cherchaient pas à se compromettre par leurs
déclarations de foi. La remarque finale de Jean permet
donc de situer, avec assez de précision, la date de ce débat.

4e Controverse

La Parole de Dieu et les communications de Dieu
(Kotter 6)

Nous pouvons distinguer trois parties dans cette controverse.

1. Le Musulman argumente à son tour, en partant de ce
même problème de la création ou de la non création de la
Parole de Dieu, et essaie d'acculer le Chrétien à
reconnaître que Jésus n'est pas Dieu. Pour le Chrétien, en
effet, dire que la Parole de Dieu est créée, c'est concéder
que le Verbe de Dieu est créé, et donc qu'il n'est pas Dieu.
Mais si le Chrétien affirme que le Verbe de Dieu est incréé,
le Musulman lui fait alors remarquer que, dans ce cas,
toutes les paroles de Dieu sont également incréées, et que
cependant elles ne sont pas Dieu.

2. Pour échapper au piège, le Chrétien doit confesser sa
foi en un seul Verbe de Dieu, incréé et « énypostase »[1],
ainsi que le reconnaît le Musulman lui-même. Il lui faut
ensuite établir une distinction, dans les Écritures, entre ce
qui est émanation du Verbe de Dieu (logia) et simples
communications divines (rhèmata).

---

1. « Énypostase » est la transcription de τὸ ἐνυπόστατον et c'est
l'orthographe adoptée par M. Jugie, vu l'absence d'esprit rude sur
l'upsilon. René R. KHAWAM, L'Univers des chrétiens d'Orient, p. 95,
préfère traduire « enhypostasié ».

Une remarque préliminaire concerne la personnalité de l'interlocuteur Musulman. Il semble bien que, contrairement à l'opinion de Sahas, il soit d'obédience orthodoxe, puisqu'il reconnaît que la Parole de Dieu, c'est-à-dire le Coran, est incréé [1]. Toutefois, si le Musulman reconnaît l'éternité de la Parole de Dieu, cela ne l'amène pas pour autant à croire qu'il s'agit d'une personne ou « énypostase ». Le choix de ce terme, par Jean, demande une explication, car il est riche en enseignements. L'auteur n'utilise pas le mot hypostase, qui désigne véritablement la personne, parce que le débat ne porte pas sur la Trinité, mais sur l'aspect divin de la personne de Jésus. L'hypostase, telle qu'elle est définie par Jean, c'est « l'individu concret subsistant en soi et selon soi d'une existence propre et indépendante [2]. » C'est le cas du Verbe. Du mot « énypostase », terme qu'il a repris à Léonce de Byzance, le Damascène donne trois définitions, mais seule la troisième concerne la personne du Christ : « On appelle aussi 'énypostase' (ἐνυπόστατον) la nature prise par une autre hypostase et ayant en elle la subsistance. Ainsi l'humanité du Seigneur, qui n'a pas subsisté en elle-même, même un instant, n'est pas hypostase mais plutôt « énypostase ». Elle a subsisté dans l'hypostase du Verbe de Dieu qui l'a prise, et c'est cette hypostase du Verbe qu'elle a eue et qu'elle a pour hypostase [3]. » Jean Damascène développe le même raisonnement dans un autre passage : « C'est à une nature humaine singulière, bien caractérisée par ses notes indivi-

---

1. D. J. SAHAS, *John of Damascus*, p. 115-116, prétend, en effet, qu'il s'agirait d'un jahmite.
2. Cf. M. JUGIE, art. « Saint Jean Damascène », *DTC*, c. 710. *Dialectique*, 44, *PTS* 7, 110. l 15.
3. M. JUGIE, *op. cit.*, c. 711. Cf. *Dialectique*, 44, *PTS* 7, p. 111, l. 17 s.

duelles, que le Verbe s'est uni. Cette nature humaine, sans doute, n'a jamais été un individu, une hypostase, parce qu'elle n'a jamais subsisté en elle-même et à part, mais elle est ἐνυπόστατος, elle a trouvé son existence et pris ses notes individuantes dans l'hypostase même du Verbe, qui la fait subsister en lui-même dans sa singularité avec tout ce qui la constitue [1]. » Et après l'Incarnation l'hypostase du Verbe est dite composée (ὑπόστασις σύνθετος), le Christ est l'hypostase du Verbe en tant qu'il possède deux natures [2]. En utilisant le terme « énypostase », le propos de Jean est de démontrer clairement que le Christ est Dieu, et dans cette profession de foi il aborde déjà le thème de l'union hypostatique qui sera l'objet des controverses suivantes.

Pour faire avancer le débat, notre auteur est amené à donner de nouvelles précisions sur la différence entre révélation et inspiration dans les Écritures. A la première il donne le nom de *logia*, les *logia* étant les recueils de paroles attribuées à Jésus qui ont servi à établir les textes des Évangiles. Ces paroles émanent directement du *Logos*. Quant aux autres textes de la Bible, Jean les appelle *rhèmata*, signifiant ainsi qu'ils sont composés de simples paroles, inspirées par Dieu certes, aux différents auteurs sacrés, mais qui ne sont pas des émanations directes du *Logos*, du Verbe. Il est par ailleurs intéressant de constater que, même si l'Islam ne connaît pas cette distinction entre révélation et inspiration, les commentateurs du Coran seront amenés, par la suite, à établir une différence entre le Coran et les manifestations de la parole de Dieu [3].

1. Cf. M. Jugie, *op. cit.*, c. 732. *La Foi orthodoxe*, III, 11 (55), *PTS* 12, p. 132.

2. *La Foi orthodoxe*, III, 3 (47), *PTS* 12, p. 111, l. 20 s.

3. D. J. Sahas, *John of Damascus*, p. 117, note 1, cite l'article 3 de la Profession de Foi musulmane connue sous le nom de *Fiqh Akbar II*, datant sans doute du xe siècle : « Le Coran est la Parole de Dieu, écrite dans des livres, gardée dans nos mémoires, récitée par les langues, révélée au Prophète. Le Coran est incréé, mais son écriture et sa prononciation par les hommes sont créés. » Muḥammad

3. Citant un psaume de David, le Musulman constate que les deux termes, *logia* et *rhèmata* sont utilisés indifféremment. Le Chrétien ne conteste pas, mais il explique qu'il ne faut pas confondre le sens propre et le sens figuré d'un mot. A partir d'exemples tirés de la Bible, il démontre la nécessité d'interpréter de façon allégorique les anthropomorphismes qui abondent dans les livres révélés.

Dans *La Foi orthodoxe* Jean Damascène explique que lorsqu'un auteur sacré donne vie à des êtres inanimés, il ne saurait être question de prendre ces images au sens propre ; ce ne sont que des symboles [1]. De même certains mots sont-ils utilisés par analogie : ainsi, puisque le Christ est Dieu, il ne peut être serviteur, et si Jésus est parfois appelé serviteur dans l'Évangile, c'est par pure analogie (προσηγοριχῶς) parce qu'il a pris la forme de serviteur [2]. Il arrive d'ailleurs à Jean lui-même d'avoir recours à ce style imagé et de donner vie à des êtres inanimés, en particulier dans ses homélies : « La nature n'ose devancer la grâce et s'efface devant elle », dit-il, et « la mort recule avec effroi. » Dernier exemple encore plus frappant : « le tombeau prend la parole dans une éloquente prosopopée [3].

Au siècle suivant, le problème du sens propre et du sens figuré des mots deviendra un sujet de débat parmi les commentateurs du Coran. Pour pouvoir expliquer les anthropomorphismes que contient ce livre, ils éprouveront

b. Karrām, mort en 869, fondateur de la tendance appelée *karrā miyya*, pense que la parole de Dieu (*kalām*) est éternelle, mais que son discours (*qawl*) est contingent. Or le Coran est discours et non Parole. Ce qui est exactement la distinction proposée par Jean Damascène.

1. *La Foi orthodoxe*, I, 11 (11), *PTS* 12, p. 33.
2. *La Foi orthodoxe*, III, 21 (65), *PTS* 12, p. 164, l. 29.
3. Cités par P. VOULET, *Homélies*, p. 15, note 4 (Nativité, 2 ; 2 Dormition, 30 ; 2 Dormition, 17).

eux-aussi le besoin d'aller au-delà du sens propre ou apparent (*zāhir*) du texte coranique et feront appel à l'interprétation allégorique (*ta'wīl*) ou à la métaphore (*majāz*) [1]. Peut-être le débat était-il déjà amorcé à l'époque de Jean Damascène, ce qui expliquerait sa démonstration.

5*e* Controverse

L'Incarnation (Kotter 7)

Le dialogue s'engage maintenant sur la manière dont s'est réalisée l'Incarnation : « Comment Dieu est-Il descendu dans la Vierge ? » Le Chrétien invite son interlocuteur à comparer ce qu'en dit le Coran : « Dieu a purifié la Vierge Marie au-dessus de toute chair féminine. L'Esprit de Dieu et Son Verbe sont descendus en elle », avec la réponse donnée par l'ange le jour de la Visitation : « l'Esprit Saint descendra sur toi et la puissance du Très-Haut te couvrira de son ombre. » Après avoir fait remarquer la similitude des deux textes, le Chrétien précise que le verbe descendre doit être pris au sens figuré. Dieu, qui contient l'univers dans sa main, comme l'affirme la Bible, ne saurait ni monter ni descendre réellement.

La citation du Coran rapportée par Jean surprend par sa précision, l'original disant exactement : « Ô Marie ! Allah t'a choisie et purifiée. Il t'a choisie sur (toutes) les femmes

---

1. L. GARDET ET M. M. ANAWATI, *Introduction*, p. 394. Ghazālī, dans son ouvrage *La Réfutation excellente*, explique que les textes de l'Évangile concernant l'Incarnation doivent être pris dans un sens figuré. Ainsi, quand le Christ dit : « Le Père et moi sommes un » (*Jn* 10, 30), c'est simplement une métaphore du même type que celle qui exprime dans le même Évangile l'unité des fidèles et de Dieu.

de ce monde [1]. » Et s'il a bien retenu ce texte, c'est que l'idée de purification de la Vierge par l'Esprit Saint est l'un de ses thèmes favoris, repris plusieurs fois dans d'autres ouvrages, *La Foi orthodoxe* par exemple : « Le Saint-Esprit descendit sur elle pour la purifier [2] » ; et dans l'une des homélies sur la Dormition : « l'Esprit Saint communique une parfaite pureté à la Vierge [3]. » Cependant, si le récit du Coran est très proche de celui de l'Évangile, la signification qu'il revêt est très différente. Les expressions Esprit de Dieu et Verbe de Dieu ne recouvrant pas les mêmes réalités pour les chrétiens et pour les musulmans, ainsi que nous l'avons montré précédemment dans notre commentaire de l'hérésie 100 [4].

Selon Jugie, Jean Damascène est par excellence le théologien de l'Incarnation [5], et, dans ce court dialogue, notre grand docteur expose de façon succincte la doctrine qu'il développe dans bon nombre de ses écrits, en particulier lors de sa polémique avec les nestoriens [6]. Mais l'explication la plus claire et la plus nette sur le « Comment » de l'Incarnation nous est donnée dans *La Foi orthodoxe* : « Aussitôt après le consentement de la Vierge, le Saint-Esprit descendit sur elle pour la purifier, la rendre

---

1. Coran 3, 37. Et plus loin : « Ô Marie ! Allah t'annonce un Verbe (émanant) de Lui », Coran 3, 40.

2. *La Foi orthodoxe*, III, 2 (46), *PTS* 12, p. 109, l. 15-19.

3. *Première homélie sur la Dormition*, paragraphe 3, *PTS* 29, p. 483-500.

4. Cf. chapitre IV, paragraphe 3.

5. M. JUGIE, art. « Saint Jean Damascène », *DTC*, c. 730.

6. Les principaux passages de son œuvre concernant l'Incarnation sont : *La Foi orthodoxe*, I, 2 (2) : « Le Fils unique de Dieu, est né de la Vierge et *Théotokos*, par le Saint-Esprit », *PTS* 12, p. 9, l. 20 s. De même II, 12 (56), *PTS* 12, p. 133 s. ; IV, 14 (86), *PTS* 12, p. 198 s. *Contre les nestoriens*, 41, *PTS* 22, p. 280 ; 43, *PTS* 22, p. 286-287. *Ire Homélie sur la Dormition*, 2e paragraphe, *PTS* 29, p. 483-400. C. CHEVALIER, *La Mariologie*, p. 95-115, s'étend longuement sur ce sujet.

capable de recevoir le Verbe et de devenir sa mère. La Vertu et la Sagesse subsistante du Très-Haut, c'est-à-dire le Fils de Dieu, consubstantiel au Père, la couvrit de son ombre et se forma de sa substance immaculée et très pure une chair animée d'une âme raisonnable et intelligente, prémices de notre masse, et cela par voie de création immédiate, par l'opération du Saint-Esprit [1]. » Nous sommes bien loin de ce que croient les musulmans : pour eux la naissance de Jésus a été miraculeuse, certes, mais il n'en reste pas moins uniquement un homme.

Le verbe descendre doit être pris au sens figuré, précise Jean. Dans sa controverse précédente il s'était déjà étendu longuement sur l'importance de la distinction qu'il fallait établir entre le sens propre et le sens figuré d'un mot. Tout un chapitre de *La Foi orthodoxe* a d'ailleurs été consacré à l'explication des anthropomorphismes les plus courants dans la Bible [2]. Mais dans le cadre précis d'une discussion avec les musulmans sur l'Incarnation, la remarque du Damascène revêt une importance particulière. Les chrétiens se sont heurtés rapidement à des problèmes de vocabulaire pour faire comprendre aux disciples du Prophète les mystères de la foi chrétienne. Le sens exact attribué à certains mots n'étant pas toujours le même dans les deux communautés, cet obstacle n'a pas facilité le dialogue et a été source d'incompréhension entre les interlocuteurs. Une étude approfondie des termes arabes utilisés par les chrétiens du VIIIe siècle pour parler de l'Incarnation, de la Révélation, de la descente de Dieu, pourrait apporter un éclairage nouveau sur ces malentendus.

A titre d'exemple, il existe deux mots arabes pour exprimer la descente de Dieu : ce sont *tanzīl* et *ḥulūl* [3].

---

1. *La Foi orthodoxe*, III, 2 (46), *PTS* 12, p. 109, l. 16 s.
2. *La Foi orthodoxe*, I, 11 (11), *PTS* 12, p. 33-34.
3. Le *Dictionnaire Arabe-Français* de Kasimirski donne les

Le premier s'appliquera à la révélation coranique tandis que le second sera retenu par les chrétiens pour expliquer l'Incarnation du Verbe de Dieu, et de ce fait il sera proscrit par les auteurs musulmans [1]. Ainsi Bāqillānī explique-t-il que, pour les chrétiens, le Verbe, qui est le Fils, est descendu, *halla* (verbe d'où est tiré le substantif *hulūl*), dans le corps du Messie. Ce mot revêtira le sens de visitation divine, d'inhabitation, d'infusion, et sera condamné, aussi bien par les mu'tazilites que par les sunnites, comme ayant une résonance strictement chrétienne [2].

En cette période de son histoire, l'Église melkite optait pour l'arabisation, nécessaire à sa survie, et entreprenait de redéfinir sa théologie dans une langue qui lui était jusquelà étrangère. Dans le même temps, les musulmans se trouvaient confrontés à un problème identique : leur éveil

---

définitions suivantes : *Nazala* veut dire descendre d'un endroit plus haut vers un autre plus bas; descendre dans un lieu, mettre pied à terre, faire halte. La forme *nazzala* (*'alā*) signifie la parole de Dieu qui descend sur un prophète. *Halla* veut dire aussi descendre dans un lieu, faire halte. Ces deux termes sont utilisés indifféremment par les chrétiens arabes contemporains. La Bible de l'Imprimerie Catholique de Beyrouth traduit le passage dont il est question dans le texte : « L'Esprit descendra sur toi », par *yahillu* (le mot est *'alayka*) alayka (N.T. p. 95). C'est le verbe *halla* qui est utilisé. Par contre, quand l'Esprit descend sur le Christ au moment du baptême (*Lc* 3, 22), la traduction nous donne *nazala 'alayhi al-rūhu l-qudūs*. Cette fois, c'est le verbe *nazala* que nous retrouvons (N.T. p. 101).

1. G. C. Anawati et L. Gardet, *La Mystique musulmane*, p. 43, note 9.

2. L. Massignon, *Essai*, p. 39 ; L. Gardet, *Dieu*, p. 48 ; L. Gardet, *La Pensée religieuse d'Avicenne*, p. 156, note 1, dit à propos de la mystique musulmane : « Le problème... du *hulūl*, infusion, d'où incarnation, a dominé en un sens toute l'histoire du şūfisme... Le *hulūl* fut suspecté comme signifiant une incarnation de la Divinité. L'accusation de *hulūl* fut l'une des principales élevées contre Hallāj, qui avait dit : 'Nous sommes deux esprits infondus dans un même corps.' » Hallāj est un mystique musulman, né en Perse en 858, condamné à mort et crucifié en 922 à Bagdad.

à la réflexion théologique les mettait dans l'obligation de forger un vocabulaire nouveau pour maîtriser les subtilités de cette discipline qu'ils ignoraient. Et dans l'acharnement que met Jean à bien définir le sens des mots, on peut voir une allusion indirecte aux difficultés rencontrées, aussi bien par les chrétiens chalcédoniens que par les musulmans de cette époque, pour élaborer un vocabulaire théologique arabe précis. Il serait d'ailleurs intéressant, si cela s'avérait possible, de rechercher dans quelle mesure la langue religieuse et liturgique des Arabes chrétiens du *limes* syrien ou de la région de Ḥīra a pu influencer le vocabulaire des théologiens de l'Islam comme celui des théologiens melkites.

6ᵉ *Controverse*

L'union hypostatique (Kotter 8)

Si le Christ était Dieu, s'inquiète le Musulman, comment pouvait-il manger, boire et dormir? Le Chrétien se lance dans une longue explication sur l'union hypostatique :

1. Au moment de l'Incarnation, le Verbe éternel de Dieu est devenu un homme parfait dans le sein de la Vierge.

2. C'est cet homme qui a bu, mangé et dormi, qui a été crucifié et qui est mort, et non le Verbe de Dieu.

3. Dans le Christ il y a une seule hypostase, mais il y a deux natures. La Parole de Dieu a pris chair en tant que personne, non en tant que nature.

4. L'union hypostatique n'a pas entraîné l'adjonction d'une quatrième personne à la Trinité.

Cet exposé semblerait mieux à sa place dans un dialogue avec des nestoriens ou des monophysites, dont la christologie s'écarte du dogme défini par le concile de Chalcédoine. Cependant, contrairement aux apparences, une telle démonstration se justifie pleinement dans le cadre d'une controverse avec les musulmans. Au cours des pages précédentes nous avons vu que les premiers commentateurs du Coran étaient divisés en plusieurs écoles. L'une d'entre elles, appelée *Hashwiyya*, c'est-à-dire « corporéiste »[1], soutenait qu'il fallait prendre à la lettre les versets anthropomorphiques du Coran. Ils attribuaient ainsi à Dieu des attitudes et des qualités corporelles : Dieu est vraiment assis sur un trône ; Il en descend exactement comme un mortel descend un escalier, etc. Or, Gardet et Anawati nous apprennent que « cette tendance eut beaucoup d'influence sur le peuple et donna naissance à toute une dialectique entre chrétiens et musulmans : puisque vous admettez que Dieu s'assoit sur un trône, disaient les chrétiens, à plus forte raison devez-vous admettre qu'Il puisse, dans l'Incarnation, assumer la nature humaine, bien plus digne qu'un trône[2]. »

Il est donc normal de voir Jean Damascène, l'un des docteurs de l'Église d'Orient qui a le plus médité sur le mystère de l'Incarnation, aborder avec les musulmans un sujet débattu à l'intérieur même de l'Islam : la « corporéité » de Dieu. Sa doctrine se trouve abondamment développée dans plusieurs passages de la *Dialectique* : comme l'hypostase ou la personne, explique-t-il, « est l'individu concret subsistant en soi et selon soi d'une

---

1. Nom donné par les opposants à cette doctrine, *ḥashwiyya* est un terme injurieux, tiré de *ḥashw* qui veut dire farce, dans le sens culinaire du terme. Il s'applique aux traditionnalistes extrémistes qui acceptent à la lettre les traditions grossièrement anthropomorphiques. Cf. F. ROSENTHAL, art. « Ḥashwiyya », *NEIs*, t. 3, p. 276-277.

2. L. GARDET et M. M. ANAWATI, *Introduction*, p. 396.

existence propre et indépendante [1] », il y a union hypostatique « lorsqu'une nature est unie à une autre hypostase en
qui elle trouve son appui et sa subsistance. C'est le cas de
l'Incarnation du Verbe. L'humanité du Christ n'a jamais
été une hypostase. Dès le premier instant elle a été
soutenue dans l'être par l'hypostase du Verbe qui lui a
servi d'hypostase [2]. » Dans *La Foi orthodoxe*, Jean décrit
cette union de façon encore plus détaillée : « Le Verbe de
Dieu lui-même a servi d'hypostase à la chair, car ce n'est
pas à une chair préalablement douée d'une subsistance
indépendante que le Verbe s'est uni... Mais le Verbe lui-
même est devenu hypostase pour la chair, de sorte que,
dès que la chair a existé, au même moment elle a été la
chair de Dieu le Verbe, au même moment elle a été animée
d'une âme rationnelle et intelligente... Celui qui était déjà
par nature Dieu parfait, le même est devenu par nature
homme parfait. Il s'est uni selon l'hypostase, sans confusion ni changement ni séparation [3]. » Le Christ, c'est
l'hypostase du Verbe en tant qu'il possède les deux
natures, et Jean peut donc affirmer que la personne du
Christ est à la fois créée et incréée : « L'unique hypostase
du Verbe incarné est incréée en raison de la divinité et
créée en raison de l'humanité [4]. » C'est donc pourquoi seul

---

1. M. Jugie, art. « Saint Jean Damascène », *DTC*, c. 710. Cf.
Dialectique, 44, *PTS* 7, p. 110, l. 15 s.

2. M. Jugie, *op. cit.*, c. 712. Cf. *Dialectique*, 66, *PTS* 7, p.139, l.
25 s.

3. M. Jugie, *op. cit.*, c. 731. Cf. *La Foi orthodoxe*, III, 2 (46), *PTS*
12, p. 110, l. 25 s. Plusieurs chapitres de ce livre sont entièrement
consacrés à l'union hypostatique, ainsi que le chapitre 3 de la
IIIe partie (47), intitulé : « Il y a deux natures dans le Christ » (contre
les monophysites), *PTS* 12, p. 111, et le chapitre 7 de cette même
IIIe partie (51), intitulé : « l'hypostase unique et composée du
Verbe » (c'est-à-dire qu'elle subsiste dans une nouvelle nature et joue
un double rôle), *PTS* 12, p. 122.

4. M. Jugie, art. « Saint Jean Damascène », c. 733. Cf. *La Foi
orthodoxe*, IV, 5 (78), *PTS* 12, p. 177, l. 3 s. Jean Damascène

l'homme Jésus a mangé, bu et souffert[1]. La distinction établie entre personne et nature permet également de démontrer pourquoi l'union hypostatique n'a pas entraîné l'adjonction d'une quatrième personne à la Trinité, comme le prétend le Musulman.

Toute autre est l'opinion des penseurs de l'Islam, et, dans ce débat, la difficulté provient du manque d'accord préalable entre chrétiens orthodoxes et musulmans sur le sens exact des mots « personne » et « nature ». Si, malheureusement, nous ne sommes pas en possession de textes musulmans, datant de l'époque de Jean Damascène, qui nous permettraient de bien saisir les obstacles sur lesquels butaient les interlocuteurs, ce que nous savons par les différentes critiques des dogmes de l'Incarnation et de la Trinité émanant d'auteurs plus tardifs nous permet de comprendre qu'un vrai dialogue se heurtait à des difficultés insurmontables[2].

L'écueil principal était, une fois de plus, le vocabulaire arabe utilisé par les théologiens chrétiens. Le mot grec *ousia* qui signifie à la fois essence et substance, est traduit par *jawhar*, mot d'origine persane, signifiant essence pour les musulmans, mais en tant que substrat à un accident. Elle est supposée étendue, et, de ce fait, ne peut

poursuit : « Il faut éviter deux écueils : diviser l'unique Christ et nier la différence des natures. »

1. Jean a intitulé un des chapitres de *La Foi orthodoxe* III, 26 (70), *PTS* 12, p. 169, l. 3 s. : « Les souffrances du corps du Seigneur et l'impassibilité de sa divinité. ».

2. R. ARNALDEZ, « Conditions d'un dialogue avec l'Islam », *Les missions catholiques*, Juillet 1964, expose en sept points les difficultés que rencontre ce dialogue, la septième difficulté étant l'ambiguïté des mots : « Les mots n'ont pas du tout la même valeur en arabe coranique et dans les langues de culture chrétienne... Traduits dans leurs correspondants arabes, ils prennent un tout autre sens sous l'influence des idées coraniques. La même ambiguïté frappe également le vocabulaire technique de la théologie. On peut alors parler de tout sans se comprendre... »

s'appliquer à Dieu. Hypostase est traduit par *uqnūm* (pl. *aqānīm*), terme d'origine syriaque, inconnu des musulmans du VIIIe siècle. Quant à l'union hypostatique, elle est rendue par le mot *ittiḥād*, utilisé également par les mystiques de l'Islam pour exprimer l'union à Dieu, mais en excluant toute idée de fusion [1]. Tous ces malentendus amèneront Bāqillānī à conclure que Dieu ne peut être substance (*jawhar*), que la doctrine des hypostases (*al-aqānīm*) est insoutenable, et que l'union hypostatique (*al-ittiḥād*) est impossible [2].

L'incompréhension mutuelle est parfaitement illustrée par le commentaire d'Ibn Ḥazm sur l'union hypostatique, dans son livre intitulé *al-Fiṣal*, et elle est d'autant plus manifeste que le théologien musulman renonce même à utiliser le terme *uqnūm* pour désigner la personne, et le remplace par le mot *shay'* qui signifie exactement

1. Ce mot revêt plusieurs sens chez les auteurs musulmans. Mais au sens propre il signifie qu'un seul objet devient, tout en restant lui-même, quelque chose d'autre qu'il n'était pas auparavant. Dans un sens réel, l'*ittiḥād* est considéré comme nécessairement impossible ; de là le principe : *al-ithnān lā yattaḥidān*, que l'on peut traduire approximativement : deux choses séparées ne peuvent devenir une seule et rester deux. Ce principe s'applique à l'union hypostatique, c'est-à-dire à l'union avec l'humanité (*ittiḥād al-lāhūt bi l-nāsūt*), qui correspond à un *ḥulūl*. Cf. N. A. NICHOLSON (G. G. ANAWATI), *NEIs*, t. 4, p. 295-296. Les musulmans admettent bien une certaine forme d'*ittiḥād*, avec le sens d'*ittiṣāl*, c'est-à-dire une conjonction qui exclut l'idée d'une identité d'âme avec Dieu, mais lui refusent le sens de *ḥulūl* qui est l'inhabitation de l'Esprit de Dieu, sans confusion de nature, dans l'âme purifiée du mystique.

2. Dans ce même ouvrage, intitulé *Kitāb al-tamhīd*, al-Bāqillānī soutient que l'union hypostatique, telle que la conçoivent les melkites (dans l'union les deux deviennent un), ne peut se faire que par mélange, ce qui est le propre des corps : ainsi l'eau et la terre peuvent devenir une brique. Cf. L. GARDET et M. M. ANAWATI, *Introduction*, p. 155. De son côté al-Juwaynī, dans son livre *al-Shāmil*, réfute de la même façon la doctrine chrétienne concernant la substance, les hypostases et l'union.

« chose » : « L'Incarnation est impossible car elle introdui-rait une nouveauté en Dieu, ce qui est contraire à sa nature. Si dans l'Incarnation Dieu change d'état et devient homme, le Messie, Dieu devenu homme, n'est plus Dieu mais homme ; inversement, si c'est l'homme qui devient Dieu, le Messie n'est plus homme, il est Dieu ; s'il est les deux à la fois, ni Dieu ni l'homme n'ont changé d'état de telle sorte que l'un devienne l'autre, et ils sont juxtaposés, comme l'enseigne la doctrine nestorienne des deux natures et des deux personnes dans le Christ [1]. » La citation d'Ibn Ḥazm est intéressante à plus d'un titre. Elle permet de comprendre pourquoi les nestoriens, dont la christologie se rapprochait de la vision islamique du Christ, avaient la faveur des disciples du Prophète. De plus, comme tous les critiques musulmans, Ibn Ḥazm souligne le désaccord existant entre les chrétiens au sujet de l'union hypostati-que, et il utilise cette absence d'unanimité comme argu-ment contre la crédibilité du dogme de l'Incarnation.

Les musulmans ne peuvent accepter les conclusions de Jean Damascène. Pour eux, si le Christ est Dieu et s'il a souffert sur la croix, Dieu est mort, ainsi que l'explique Bāqillānī : « Si au moment de la mort l'union a subsisté, il faut que le Fils de Dieu soit mort, de même qu'il a été crucifié. Si on peut crucifier l'homme-Dieu, c'est l'homme-Dieu qui est mort, et par conséquent Dieu meurt dans son union à cet homme. Or si le Fils meurt, c'est le Père et

---

1. Ibn Ḥazm est un partisan du sens apparent des textes sacrés (ẓāhirite). Son *Kitāb al-fiṣal* est un ouvrage apologétique qui démontre la supériorité de l'Islam sur les autres religions, doublé d'un traité d'hérésiographie dénonçant les erreurs dogmatiques à l'intérieur de l'Islam. Le passage cité a été traduit par R. ARNALDEZ, *Grammaire et théologie chez Ibn Ḥazm de Cordoue*, p. 308. Dans le même chapitre, Ibn Ḥazm dénonce l'union hypostatique : l'homme et Dieu deviennent ensemble une troisième chose, et, dans ce cas, dit-il, le Christ n'est ni Dieu ni homme.

l'Esprit qui vont mourir aussi, et la substance aussi. Tout
meurt [1]. »

De même, la présence d'une quatrième personne au sein
de la Trinité, conséquence logique — pour eux — de
l'union hypostatique, revient régulièrement dans l'analyse
qu'en font les *mutakallimūn*. Pour Bāqillānī, si la substance est Dieu et si les trois personnes sont Dieu, cela fait
quatre et la Trinité (*tathlīth*) est détruite. En effet, dès
qu'une substance réunit trois personnes, il faut compter
quatre. Al-Juwaynī demande également pourquoi les
chrétiens se limitent à trois personnes en Dieu : Si le Père
est l'hypostase de l'Existence, le Fils celle de l'Intelligence
et l'Esprit celle de la Vie, il faudrait adjoindre au moins
une quatrième hypostase, celle de la Puissance, *al-
Qudra* [2]. Il s'agit là, il est vrai, de réfutations assez tardives
du dogme chrétien. Mais les premières attaques contre
l'union hypostatique, plus malhabiles car ne s'appuyant
pas sur un outil philosophique très élaboré, se sont
manifestées dès le début de l'Islam, et il n'est donc pas
étonnant de voir notre auteur faire une mise au point sur
le sens exact de cette doctrine dans le cadre d'une
controverse traitant de l'Incarnation.

7e Controverse

La Dormition de la Vierge (Kotter 9)

Le Musulman demande si la mère de Dieu est morte ou
vivante. Jean répond que la mort — notre mort douloureu-

---

1. Texte traduit par R. Arnaldez et non publié à notre connaissance.
2. AL-JUWAYNĪ, *al-Irshād*, ch. v, section IX, p. 53, traduction de
Luciani.

se qui est une conséquence du péché — n'a pas eu de prise sur elle. Il conviendrait plutôt de parler de dormition.

Marie, pour l'Islam, n'est que la mère d'un grand prophète, Jésus. La mort de la Vierge n'est pas mentionnée dans le Coran, pas plus que dans l'Évangile. Cependant, dans le prolongement d'une discussion sur l'Incarnation, la question posée au Chrétien sur le sort de la mère de Dieu semble tout à fait logique. D'autant plus que notre auteur insiste beaucoup dans ses œuvres sur le fait que la génération du Christ se rapporte à la personne et non à la nature : c'est l'hypostase du Verbe qui est engendrée, et Marie est vraiment *Théotokos* [1]. De plus, il a prononcé lui-même trois homélies sur la Dormition.

Jean croit en la mort de Marie : « Elle est donc morte la source de vie, la mère de mon Seigneur ! Oui, il fallait que l'être formé de la terre retournât à la terre, et par cette voie montât au ciel, en recevant de la terre, après lui avoir remis son corps, le don d'une vie parfaitement pure [2]. » Si Marie se devait d'imiter son fils qui s'était lui-même soumis à la mort [3], il y a cependant une grande différence entre la mort des serviteurs de Dieu et la mort de la mère de Dieu, et Jean préfère, pour cette raison, donner le nom de Dormition à la fin terrestre de la Vierge [4]. Cette mort est survenue sans souffrance, car l'aiguillon de la mort, le péché, était mortifié en elle [5]. Jean enjolive même l'événement au point de prétendre que Marie a rendu la mort souriante [6]. Pour les mêmes raisons, son corps a ignoré la

1. *La Foi orthodoxe*, IV, 7 (80), *PTS* 12, p. 179, l. 17.
2. *3e Homélie sur la Dormition*, traduction de P. VOULET, *Homélies*, p. 187.
3. *Ire Homélie sur la Dormition*, 10, *PTS* 29, p. 483-500 ; *3e Homélie sur la Dormition*, 3, *PTS* 29, p. 548-555.
4. Jean utilise le mot ἐκδημία.
5. *Ire Homélie sur la Dormition*, *PTS* 29, p. 483-500.
6. *Ire Homélie sur la Dormition*, *PTS* 29, p. 483-500.

dissolution et la corruption [1]. Enfin toujours à l'imitation de son fils, Marie serait ressuscitée le troisième jour [2]. A l'appui de sa démonstration le Damascène utilise deux textes tirés des Écritures. Le premier est en fait une citation extraite d'un sermon de saint André de Crète sur la Dormition [3]. Il ne faut toutefois pas s'étonner outre mesure de ce qui peut être considéré, au premier abord, comme une erreur, les écrits des Pères revêtant pour Jean la même autorité que les textes tirés de la Bible [4].

9ᵉ Controverse

Le Christ est plus grand que Jean-Baptiste (Kotter 11)

Le Musulman affirme que Jean-Baptiste est supérieur à Jésus puisqu'il l'a baptisé et purifié. Pour lui répondre, le Chrétien a recours à un argument *ad hominem* : Au bain, c'est bien l'esclave qui lave le maître ; on ne peut soutenir pour autant que l'esclave est plus grand que le maître. Telle était la situation de Jean-Baptiste par rapport à Jésus lorsqu'il l'a baptisé dans le Jourdain, là où le Seigneur a fracassé les têtes des démons qui y étaient cachés [5].

1. *Iʳᵉ Homélie sur la Dormition*, 10, *PTS* 29, p. 483-500.
2. *2ᵉ Homélie sur la Dormition*, 2-3.8.14.17, *PTS* 29, p. 516-540 ; *3ᵉ Homélie sur la Dormition*, 3, *PTS* 29, p. 548-555. Cf. M. Jugie, art, « Saint Jean Damascène », c. 738.
3. Saint André de Crète fut à la fois le contemporain de Jean Damascène et son compatriote. Né à Damas vers 660, il est décédé en 740. Moine à Saint-Sabas, il a prononcé lui aussi trois homélies sur la Dormition, *PG* 97.
4. Sans négliger l'hypothèse d'une interpolation due à un copiste.
5. Cette dernière précision sur le baptême de Jésus, Jean la reprend dans *La Foi orthodoxe*, IV, 9 (82), *PTS* 12, p. 84, l. 77 s. :

Le Musulman est toujours à la recherche d'arguments pour démontrer que le Christ n'est pas Dieu, ce que confirme à ses yeux, la situation d'infériorité de Jésus par rapport à Jean-Baptiste lors de son baptême. Si Jean-Baptiste est bien mentionné dans plusieurs passages du Coran, il n'y est jamais fait allusion au rôle qu'il a joué au moment du baptême dans le Jourdain[1]. L'idée de la supériorité de Jean par rapport à Jésus a toutefois été évoquée dans la tradition musulmane, en particulier par Ibn Ḥazm : « Jésus dit-il, mange et boit ; s'il est vrai que Jean-Baptiste pouvait se passer de manger et de boire, ce ne pouvait être que par une faveur divine que Jésus n'avait pas[2]. » Par conséquent, Jean était plus grand que le Christ. La réponse avancée par Jean Damascène laisse le Musulman sans objection. Ce dernier se retire, mettant ainsi fin à la controverse[3].

« si Jésus s'est fait baptiser, ce n'est pas qu'il avait besoin de purification, mais pour broyer dans l'eau les têtes des dragons ».

1. Le Coran parle de Jean-Baptiste à trois reprises : Il est mentionné dans la chaîne des prophètes entre Zacharie et Jésus (sourate 6, 85) ; la sourate 19, 7-15 raconte la naissance de Jean et énumère ses qualités ; le même sujet est repris dans la sourate 3, 39 où l'ange dit à Zacharie : « Allah t'annonce (la naissance de) Jean qui déclarera véridique un Verbe (émanant) d'Allah. » Cf. R. ARNALDEZ, *Jésus fils de Marie*, p. 61-73. Rappelons également que le chef de Jean-Baptiste est vénéré à la mosquée des Umayyades, à Damas précisément.

2. Texte traduit par R. Arnaldez et non publié, à notre connaissance.

3. A la suite de ce texte, Migne a cependant rajouté une petite controverse qui met en scène Théodore Abū Qurra et un Musulman (*PG* 94, c. 1596-1597). Il s'agit, en fait, de l'*Opuscule* 18 de Th. Abū Qurra. Mais l'auteur dit lui-même qu'il ne fait que retransmettre l'enseignement oral de Jean Damascène (διὰ φωνῆς Ἰωάννου Δαμασκηνοῦ). Bien que non retenu par B. Kotter, il nous paraît intéressant de donner un bref résumé de ce dialogue qui porte sur l'authenticité de la mission de Mahomet : le Musulman et Abū Qurra sont d'accord pour observer une progression dans la Révélation. Le judaïsme représente un progrès par rapport au paganisme, mais il

Mais s'il est à court d'arguments, le Musulman ne doit pas être pour autant pleinement convaincu par la démonstration du Chrétien. Cette suite de petites controverses démontre, si besoin était, les limites d'un dialogue engagé sur de telles bases. Chaque protagoniste possède ses propres Écritures et veut prouver à l'autre qu'il a tort, en s'appuyant sur des textes qui n'ont pas la même signification pour tous. Le résultat est donc négatif, chacun restant ancré dans ses propres convictions. Il est certes important de connaître le contenu du Coran et de la Tradition, mais à condition de ne pas les lire dans une optique chrétienne, et d'avoir comme seul but de mieux comprendre l'adversaire au lieu de chercher à le convaincre de mauvaise foi en comparant ses Écritures à l'Évangile. La même démarche serait souhaitable de la part des musulmans à l'égard de l'Ancien et du Nouveau Testament. Sans doute est-ce demander l'impossible, si l'on en croit Manuel II Paléologue, qui, avant d'entamer un cycle de vingt-six controverses avec un savant musulman, a soin de mettre au point une méthode pour éviter de buter sur ce genre d'obstacles. Il constate que pour les musulmans les chrétiens ont falsifié la Bible, tandis que ces derniers soutiennent que,

doit lui-même céder la place au christianisme. Le Musulman poursuit le raisonnement et en déduit, en bonne logique, que l'Islam achève la révélation. Ce que réfute Abū Qurra : Moïse a appuyé son enseignement sur des miracles qui prouvent sa mission (le bâton transformé en serpent, la main lépreuse, etc.). Le Christ a fait de même (il est né de la Vierge, a changé l'eau en vin, multiplié les pains, guéri les infirmes, ressuscité des morts et est ressuscité lui-même), et démontré qu'il venait de Dieu, ainsi que l'avait annoncé Moïse. Or Jésus dit : « La Loi et les prophètes vont jusqu'à Jean-Baptiste. Que celui qui a des oreilles pour entendre entende. » Il n'y a donc pas de place pour Mahomet qui ne se trouve mentionné nulle part dans la liste des prophètes. Ainsi se termine la controverse rapportée par Abū Qurra. Nous avons vu précédemment la réponse qu'apportaient les musulmans à de telles objections (cf. chapitre IV, paragraphe 4 a).

dans le Coran, le Prophète a rapporté les textes de la Bible selon son bon plaisir. Dans ce cas, « puisqu'il n'y a aucun accord sur la valeur démonstrative des textes scripturaires, dit-il, il faut renoncer à y avoir recours [1]. » Il faut faire appel uniquement au raisonnement et aux arguments de convenance.

Si la démarche de Jean était parfaitement adaptée à des disputes avec les chrétiens nestoriens et monophysites, de confessions différentes, certes, mais attachés aux mêmes Écritures, elle ne convenait absolument pas aux conditions d'un dialogue avec les musulmans pour qui le Coran est la parole même de Dieu et de ce fait ne saurait être remis en question. A la décharge de l'auteur il convient de souligner que le débat était engagé dans cette voie par les musulmans eux-mêmes, les chrétiens devant se contenter, le plus souvent, de répondre aux attaques de leurs adversaires.

L'intérêt de l'ensemble de cette controverse réside moins dans son aspect pédagogique que dans le témoignage qu'elle apporte sur l'existence de tels débats entre chrétiens et musulmans à Damas, sous la dynastie umayyade, ainsi que dans le contenu de ces discussions. Le fait qu'elles pouvaient se dérouler librement prouve le climat de tolérance dont jouissaient les chrétiens au cours de cette

---

1. Manuel est né en 1350. La dédicace à son frère Théodore, le prologue, ainsi que deux des controverses ont été publiés par MIGNE, *PG* 156, c. 126 A-173 C. La 7ᵉ controverse a été publiée et traduite par A.-Th. KHOURY, *Entretiens avec un Musulman*, Paris 1966 (*SC* nº 115). Pour le passage cité, cf. MIGNE, *op. cit.*, p. 48. Telle était déjà la position des musulmans dès le IXᵉ siècle. Dans ses dialogues, Th. Abū Qurra fait dire à son interlocuteur musulman : « Convaincs-moi, non à partir de ton Écriture, mais à partir de notions communément admises » (Op. 22, *PG* 97, c. 1533 A). Et encore : « Convaincs-moi, non par vos auteurs, Isaïe et Matthieu, à qui je n'accorde aucune valeur, mais par le moyen de notions nécessitantes et communément admises » (Op. 24, *PG* 97, c. 1556 B, traduction A.-Th. Khoury).

période [1]. Les sujets débattus montrent que, dès cette époque, chrétiens et musulmans avaient une bonne connaissance des textes sacrés de l'adversaire et des principaux points de sa doctrine. On peut enfin y retrouver l'écho des dissensions politico-religieuses qui se manifestaient à l'intérieur de l'Islam, dissensions un peu attisées, sinon provoquées par le contact avec la pensée chrétienne, et rapportées ici par un témoin privilégié et compétent, dans la mesure cependant où le texte de la *Controverse entre un Musulman et un Chrétien* peut être attribué à Jean Damascène.

2. Nous avons signalé dans l'introduction historique, au chapitre premier, que des chefs de tribus arabes chrétiennes furent victimes de persécution pour non-conversion à l'Islam. Quelques prédicateurs imprudents eurent la langue coupée. Toutefois, le châtiment réservé aux opposants musulmans considérés comme hérétiques fut encore plus sévère. Ainsi Ghaylān de Damas (cf. p. 141, note 1) mourut crucifié après avoir eu les mains et les pieds sectionnés.

CHAPITRE VI

AUTHENTICITÉ DES TEXTES

L'attribution à Jean Damascène de la 100ᵉ hérésie consacrée à l'Islam, et de la *Controverse entre un Musulman et un Chrétien*, ne fait pas l'unanimité. Plusieurs auteurs ont remis en cause leur authenticité, apportant de sérieux arguments à l'appui de leur thèse, ces mêmes arguments ayant été réfutés d'une façon tout aussi convaincante par les partisans de l'opinion adverse. Nous y avons fait allusion au cours des chapitres précédents [1], et, avant de présenter la traduction, nous pensons que le moment est venu d'examiner les problèmes concernant l'auteur de ces deux ouvrages. Nous n'avons pas la prétention de vouloir mettre un point final à ce débat. Notre projet se borne à exposer et à critiquer les différents arguments qui ont été développés, pour essayer d'aboutir, dans la mesure du possible, à des conclusions, sinon définitives, du moins les plus probables, dans l'état actuel de nos connaissances.

Les problèmes soulevés par l'authenticité étant très différents pour l'un et l'autre des deux textes, il nous a semblé nécessaire, dans un souci de clarté, de les étudier séparément.

---

1. Cf. chapitre III.

I. L'ISLAM

Jusqu'à la parution des premiers travaux de B. Kotter en 1959 [1], et avant son édition en 1981 du *Livre des hérésies* [2], les critiques et les commentateurs des œuvres de Jean Damascène n'avaient à leur disposition que les textes de la Patrologie Grecque de Migne. Le *Livre des hérésies* s'y présente comme une collection de cent trois hérésies, le tout suivi d'une conclusion. L'Islam vient en 101e position [3]. Les cent premières ayant été reprises à des catalogues antérieurs, la majorité des auteurs en a conclu, avec M. Jugie, que les trois dernières seulement constituaient l'apport original du Damascène [4]. Ainsi J. Hoeck [5], J. M. Merril [6] et F. H. Chase [7] rejoignent-ils cette opinion.

Malheureusement, la conclusion qui se trouve dans la Patrologie Grecque précise que le texte ne comprend que cent hérésies [8]. B. Altaner, en se fondant sur cette conclusion, en a déduit que les cent premières uniquement appartenaient à l'ouvrage composé par Jean, la présence des trois autres étant à mettre au compte d'un apport plus

---

1. B. Kotter, *Die Überlieferung des Pege Gnoseos des hl. Johannes von Damaskos.*
2. B. Kotter, *PTS* 22.
3. Migne, *PG* 94, c. 764-773.
4. « Il n'y a vraiment d'original que ce qui regarde l'Islamisme, l'Iconoclasme et la secte mystique des Aposkhites », M. Jugie, art. « Saint Jean Damascène », c. 697.
5. J. Hoeck, *Stand und Aufgaben*, p. 18, fin de la note 1.
6. J. M. Merril, *Tractate of John of Damascus on Islam*, p. 88.
7. F. H. Chase, *S. John of Damascus*, p. xxxi.
8. « Les hérésies ci-dessus mentionnées, qui sont au nombre de cent, ont été exposées brièvement, mais nous en avons donné l'essentiel » (*PG* 94, c. 777 B).

tardif [1]. Sa thèse sera reprise, en particulier par A. Kallis [2],
S. Géro [3], et B. Studer [4], sans que ces derniers apportent
quelque document nouveau pour justifier leur prise de
position. De son côté, C. Dyovouniotes pense que la
présentation de l'Islam, bien qu'elle se trouve en 101e
position dans le texte de Migne, devait faire partie, à
l'origine, de la liste des cent. L'hérésie qui se trouve
recensée à cette place aurait été ajoutée tardivement, tout
comme l'Iconoclasme et la doctrine des Aposchites [5]. Il y
aurait donc eu un remaniement de l'ouvrage.

Une remarque s'impose : toutes ces opinions ont été
émises dans le cadre d'ouvrages généraux portant sur la
totalité de l'œuvre de Jean [6], et émanent de théologiens
dont la préoccupation essentielle était l'étude de la
doctrine du dernier Père de l'Église Grecque. Ses écrits
sur l'Islam ne présentaient pour eux qu'un intérêt mineur.

---

1. « Seul ce qui est dit sur les trois dernières (ch. 101-103)
représente une addition originale, qui a probablement été ajoutée
d'une autre main » (B. ALTANER, *Précis de Patrologie* (adapté par
Chirat), Paris-Tournai, 1961, p. 725).

2. A. KALLIS, « Handapparat Zum Johannes Damaskenos », *Studien* 16 (1967).

3. S. GÉRO, « Byzantine Iconoclasm », p. 61, note 8, est encore
plus affirmatif : « Jean n'a pas écrit le chapitre 101 », dit-il. Mais il
n'apporte aucune preuve.

4. B. STUDER, art. « Saint Jean Damascène », *DSp*, c. 454, se
contente de dire que le texte ne semble pas authentique. De même
pour M. O. KING, « S. Joannis Damasceni, 'De Haeresibus' cap. CI
and Islam », *Studia Patristica* VII (TU 93), Berlin 1966, p. 76-81 ;
T. CHRISTIENSEN, « Johannes Damaskenos opgør med Islam »,
Dansk Theologisk Tidsskrift 32 (1969), p. 34-50 ; A. ARGYRIOU,
« Une controverse entre un chrétien et un musulman inédite », *RSR*
XLI (1967), p. 237, note 3.

5. C. DYOVOUNIOTES, Ἰωάννης, p. 44. Hypothèse confirmée par les
travaux de B. Kotter fondés sur l'étude des manuscrits, qui resituent
« l'Islam » à sa vraie place.

6. Excepté l'ouvrage de J. M. Merril qui se limite aux écrits de
Jean sur l'Islam.

De plus, en non spécialistes de ces questions, ils ont dû, dans la majorité des cas, se contenter de reprendre à leur compte les thèses soutenues par leurs prédécesseurs, sans pouvoir porter de jugement critique. Il est donc difficile d'accepter tel quel l'avis qu'ils ont pu émettre, soit en faveur, soit à l'encontre de l'authenticité des écrits du Damascène sur l'Islam et d'en tirer une conclusion quelconque.

La première étude approfondie consacrée au chapitre du *Livre des hérésies* sur l'Islam, connu alors sous le nom d'hérésie 100, est à mettre au crédit d'A. Abel. Dans un article paru en 1961, après avoir procédé à l'examen critique du contenu du texte, il conclut en affirmant qu'il s'agit d'un ouvrage tardif ne pouvant être attribué au Damascène [1]. Selon lui, il conviendrait de le dater de la fin du xe siècle, et l'auteur se serait inspiré de l'ouvrage intitulé *Contre Mahomet*, d'auteur inconnu [2]. Deux ans plus tard, dans un second article [3], A. Abel modifie son jugement, estimant que nous avons affaire à un texte encore plus tardif, extrait du *Trésor de la foi orthodoxe*, de Nicétas Choniate, datant du xiiie siècle [4]. Le livre XX du *Trésor* s'intitule en effet *La Religion des Agaréniens*, et se compose de 18 paragraphes dont les 7 premiers et

---

1. A. ABEL, « La polémique damascénienne et son influence sur les origines de la théologie musulmane », p. 65, note 1.

2. Le *Contre Mahomet*, d'un auteur inconnu du xe-xie siècle, est un texte composite qui n'apporte rien de personnel. Cf. MIGNE, *PG* 104, c. 1448 B-1557 B.

3. A. ABEL, « Le chapitre ci du Livre des Hérésies de Jean Damascène : son inauthenticité », *Studia Islamica* 19 (1963), p. 5-25. Rappelons qu'avant la parution des travaux de B. Kotter ce texte était connu sous le nom d'Hérésie 101.

4. Nicétas Choniate (ou Acominate), originaire de Konia dans la Turquie actuelle, a écrit un traité intitulé : *Le Trésor de la foi orthodoxe*. Le chapitre xx de cet ouvrage est consacré à l'Islam (*PG* 140, c. 105-121). De la colonne 105 à la colonne 113 nous retrouvons la reproduction intégrale de la 100e hérésie de Jean Damascène.

une partie du 9ᵉ sont la reproduction exacte du passage sur l'Islam contenu dans le *Livre des hérésies* de Jean Damascène.

Le plan du livre XX du *Trésor de la foi orthodoxe* est le suivant :

— Les paragraphes 1 à 7 correspondent au texte de l'hérésie 100 sur l'Islam.

— Le paragraphe 8 est une discussion sur le paradis, étrangère à l'hérésie 100.

— Le paragraphe 9 comprend :

• l'énumération, à la fin de l'hérésie 100, d'interdits et de coutumes.

• la reprise de la première phrase de l'hérésie 100 précisant la date de la prédication de Mahomet.

• une allusion au problème du libre arbitre.

— Les paragraphes 10 à 18 étudient quelques sourates du Coran.

Le texte de Nicétas étant plus long et plus complet que celui de Jean, lui paraissant aussi plus structuré, A. Abel en a tiré argument pour affirmer que c'était lui l'original, l'hérésie 100 n'en étant qu'un extrait. L'unité du chapitre XX du *Trésor* étant d'autre part, pour lui, chose acquise, A. Abel donne plusieurs exemples destinés à prouver sa composition tardive : la discussion du paragraphe 8 sur le paradis relève d'une tradition du IXᵉ siècle[1] ; l'auteur parle du *Jihād* au paragraphe 10, reprochant à

---

1. A. ABEL, « Le chapitre CI », p. 16-17. Mahomet sera le portier du paradis. Il en interdira l'entrée aux juifs pour avoir transgressé la Loi et aux chrétiens, pour avoir déclaré que Jésus était Dieu. Mahomet entrera au paradis avec 70.000 fidèles qui ne seront pas soumis au jugement comme les autres musulmans (*PG* 140, c. 113 A-C).

l'Islam de se propager par la force, ce qui laisse supposer les succès militaires des années 855-856 contre Byzance en Asie Mineure[1] ; de même la dénonciation, au paragraphe 11, du laxisme de l'Islam en matière sexuelle et de l'obscénité de certains passages du Coran est un argument utilisé par les polémistes byzantins à partir du IXe siècle seulement[2] ; enfin l'habitude prise par les musulmans de faire référence à la Bible dans leurs ouvrages polémiques, ainsi qu'il est signalé au paragraphe 14, date également de la même époque[3].

En réponse à cette démonstration, nous faisons remarquer qu'aucun des passages incriminés n'appartient à l'hérésie 100. Les arguments qu'A. Abel a pu tirer des paragraphes 8, 10, 11 et 14 du chapitre XX du *Trésor* ne peuvent être retenus contre l'attribution de cet écrit à Jean Damascène. D'autant plus que la thèse d'A. Abel concernant l'unité du chapitre XX du *Trésor* se trouve contestée par A.-Th. Khoury et D. J. Sahas, qui la réfutent point par point[4], et concluent que, contrairement aux affirma-

1. A. ABEL, *op. cit.*, p. 18. Le *jihād* est une notion coranique : Coran 2, 186.245 ; 4, 73.86 ; 8, 15.40.61 ; 9, 13.14.29.36.124 ; 22,40. Il y avait déjà eu de nombreux succès sur les Byzantins dès l'époque umayyade. Les musulmans avaient même assiégé la ville de Byzance : « Les expéditions n'avaient pas pour unique but la recherche du butin, on essayait aussi de progresser vers Constantinople que Mu'āwiya souhaitait prendre. En 688, pour la première fois, les Arabes apparaissent sur la rive orientale du Bosphore... Le siège commence, mais les murailles de la ville sont solides... Les Arabes lèvent le siège en été 669... En 674, les troupes de Mu'āwiya attaquent Constantinople par terre et par mer... Les Arabes lèvent le siège en 677 », N. ELISSÉEFF, *L'Orient musulman au Moyen Age*, p. 88-89.

2. A. ABEL, *op. cit.*, p. 17. C'est le cas de THÉOPHANE LE CONFESSEUR, *Chronographie*, *PG* 108, 684 B-689 B, où il parle de la prédication de Mahomet.

3. A. ABEL, *op. cit.*, p. 18.

4. A. Th. KHOURY, *Théologiens*, t. 1, p. 54-56. D. J. SAHAS, *John of Damascus*, p. 64-66. S. Géro ne semble pas convaincu par les

tions d'A. Abel, nous sommes en présence d'un texte composite[1]. D. J. Sahas remarque qu'au paragraphe 9, après avoir énuméré les interdits et les traditions musulmanes, l'auteur donne une indication sur l'époque de la prédication de Mahomet. Or, la même précision se retrouve au début de l'hérésie 100. Pour lui ce rappel sert de conclusion à tout l'exposé qui précède[2], et avec le paragraphe 10 commence une deuxième partie totalement indépendante de la première. Il constate également que les Byzantins, à partir du IXe siècle, ont tous reproché au Prophète d'avoir reçu la révélation coranique au cours d'une crise d'épilepsie[3]. Nicétas Choniate est le seul à n'avoir pas mentionné cette maladie de Mahomet. Un tel oubli laisse supposer qu'il a reproduit fidèlement un texte antérieur au IXe siècle.

De son côté A.-Th. Khoury critique la thèse de l'unité du chapitre xx du *Trésor* de façon encore plus radicale, affirmant que ce texte ne doit rien à Nicétas et qu'il regroupe des extraits d'ouvrages appartenant à quatre auteurs différents, dont Jean Damascène[4].

---

explications de Sahas, sans en donner les raisons : « D. J. Sahas's recent attempt to refute A. Abel's detailed objections against the authenticity of Haeresis 101 is not very convincing », *Byzantine Iconoclasm*, p. 61, note 8.

1. L'hérésie 100 est déjà elle-même sans unité. Voir l'analyse de ce texte faite au chapitre III.

2. D. J. SAHAS, *op. cit.*, p. 65.

3. D. J. SAHAS, *op. cit.*, p. 75, note 1.

4. Outre Jean Damascène, ce sont Zygabène, Nicétas de Byzance et Georges Hamartolos, tous auteurs du IXe siècle. Cf. A.-Th. KHOURY, *Théologiens*, t. 1, p. 250. Par ailleurs D. J. Sahas souligne que la fin du paragraphe 9 du chapitre xx du *Trésor* parle du libre arbitre (*PG* 140, c. 113 A-C). Il pense qu'il y a là une allusion à la *Controverse entre un Musulman et un Chrétien* du Damascène, dont une partie est consacrée au problème de la liberté (paragraphes 1, 2, 3 et 4 du texte de la *Controverse* éditée par Kotter). Cette allusion serait destinée à rappeler que l'exposé qui précède est de l'auteur de « l'Islam » (hérésie 100).

Reste à examiner une autre série d'objections soulevées par A. Abel et qui portent cette fois sur le contenu même de l'hérésie 100, qui correspond donc aux paragraphes 1 à 7 du chapitre xx du *Trésor*. Il note plusieurs détails qui rendent impossible l'attribution de ce texte au Damascène : le Coran y est fidèlement cité à plusieurs reprises, ce qui suppose un recours à cet ouvrage. Or la première traduction grecque du Coran date du ixe siècle, bien après la mort de Jean[1] ; de même le terme « associateur » n'était pas encore en usage à l'encontre des chrétiens à l'époque de Jean Damascène[2] ; l'histoire de la chamelle, telle qu'elle est racontée[3], appartiendrait à une tradition plus tardive ; enfin A. Abel croit voir dans le texte une allusion au *mi'rāj*, tradition qui remonterait également au ixe siècle[4].

A ces objections nous répondons que Jean pouvait très bien se passer d'une traduction du Coran, étant donné sa bonne connaissance de l'arabe et les relations qu'il avait entretenues avec les dignitaires musulmans de Damas[5]. D'autre part, l'utilisation du terme « associateur » s'est faite plus tôt que ne le dit A. Abel[6]. En revanche, si l'histoire de la chamelle est coranique, celle de la petite chamelle que nous trouvons dans ce texte pose quelques problèmes[7]. Nous y reviendrons. Quant à l'allusion au *mi'rāj*, elle n'est pas évidente. Et pourquoi dater cette

---

1. Elle aurait été faite à la demande de Nicétas de Byzance.
2. Voir notre commentaire au chapitre iv, paragraphe 5, qui démontre le contraire.
3. Lignes 114-121 dans l'édition de B. Kotter.
4. Le « voyage nocturne » de Mahomet ou *Isra'*, de la Mecque au Temple de Jérusalem, suivi de son « ascension » ou *Mi'rāj*, du sommet du Temple au Trône de Dieu est un miracle dont parlent le Coran et les *Ḥadīth*.
5. Voir au chapitre ii, le paragraphe concernant la vie de Jean.
6. Voir chapitre iv, paragraphe 5 a.
7. Voir chapitre iv, paragraphe 8 a.

tradition du IXe siècle puisqu'elle remonte à l'époque du Prophète [1] ? Les critiques d'A. Abel concernant le contenu de l'hérésie 100 ne peuvent donc être retenues comme arguments valables en faveur d'une datation tardive de cet ouvrage.

La preuve définitive que l'hérésie 100 n'est pas un extrait du chapitre XX du *Trésor de la Foi orthodoxe* de Nicétas Choniate a été fournie par B. Kotter, qui a retrouvé des manuscrits du texte attribué à Jean Damascène remontant au IXe siècle [2]. De plus, la version raccourcie qui est rapportée dans la *Doctrina Patrum* se trouve déjà dans un manuscrit du VIIIe siècle [3]. L'hérésie 100 ne peut donc être extraite d'un ouvrage du XIIIe siècle.

Une remarque permet à D. J. Sahas de donner une précision au sujet de la date de rédaction de l'héré-

---

1. Une sourate du Coran, la sourate 17, porte le titre de « Voyage Nocturne », à cause du premier verset : « Gloire à celui qui a transporté Son serviteur, la nuit, de la Mosquée Sacrée à la Mosquée très Éloignée autour de laquelle Nous avons mis Notre bénédiction. » R. BLACHÈRE, *Le Coran*, p. 305, n° 1, donne le commentaire suivant au sujet de la Mosquée très Éloignée : « Pour les contemporains de Mahomet, cela semble avoir représenté un sanctuaire céleste. L'*isra'*, ou « voyage nocturne », apparaît alors comme une ascension (*mi'raj*), au cours de laquelle Mahomet, sous la conduite d'un Archange, est admis, au Septième Ciel, à contempler la face de Dieu. C'est sans doute plus tard, peut-être sous le Califat des Omayyades de Damas, quand on chercha à déposséder la Mecque de sa prérogative de métropole religieuse et unique de l'Islam, que l'expression Mosquée très Éloignée ne désigna plus la « Jérusalem Céleste », mais la ville même de Judée. L'*isra'* n'apparaît plus alors comme une ascension, mais comme un voyage nocturne au cours duquel Mahomet fut miraculeusement transporté de la Mecque à Jérusalem sur une monture fantastique, la fameuse al-Boraq. » C. C. ANAWATI et L. GARDET, *La Mystique musulmane*, p. 24 rapportent que Ḥasan al-Baṣrī, mystique ayant vécu au VIIIe siècle, parle déjà du *mi'raj*. C'est donc une tradition antérieure au IXe siècle, contrairement à ce qu'affirme A. Abel.

2. B. KOTTER, *PTS* 22, p. 4. C'est le Mosq. Synod. gr. 315.

3. F. DIEKAMP, *Doctrina Patrum*, p. 270.

sie 100 [1]. Il note en effet que l'auteur traite Mahomet de
faux prophète et mentionne sa rencontre avec Baḥīrā pour
prouver qu'il avait eu connaissance de certains passages de
la Bible et s'en était inspiré pour rédiger le Coran [2]. Ce
même épisode du moine Baḥīrā sera justement utilisé par
les musulmans comme preuve de la reconnaissance de la
mission prophétique de Mahomet par les chrétiens. Cette
interprétation faite par des commentateurs musulmans
remonte à la fin du VIIIe siècle. L'auteur de l'hérésie 100
ne semble pas en avoir eu connaissance, vu qu'il ne fait pas
allusion à la version musulmane de la rencontre de Baḥḥīrā
et Mahomet, et qu'il ne la réfute pas. Il est donc permis de
penser que la rédaction du texte sur l'Islam est antérieure
à la fin du VIIIe siècle.

Que peut-on retenir de l'examen critique du second article d'A. Abel? Quelles conclusions pouvons-nous tirer
du commentaire effectué au chapitre IV pour essayer de
faire le point sur le problème de l'authenticité de l'hérésie 100?

1. On ne peut attribuer ce texte à un auteur du
XIIIe siècle et les arguments utilisés par A. Abel à l'encontre de l'authenticité ne peuvent être retenus.

2. La liste des 100 hérésies figurant dans la *Doctrina
Patrum* était déjà fixée à la fin du VIIIe siècle et l'Islam y
occupait la dernière place. La version définitive, éditée par
B. Kotter, connue dès le IXe siècle, était dès cette époque
attribuée à Jean Damascène.

3. L'étude commentée du contenu de l'hérésie 100,
entreprise au chapitre IV, a permis de constater : que
l'auteur vivait sous domination musulmane, l'Islam étant
reconnu par lui religion dominante; qu'il connaissait

---

1. D. J. Sahas, *John of Damascus on Islam*, p. 73, note 5.
2. Cf. chapitre IV, p. 97.

certains passages du Coran, non encore traduit en grec, ainsi que la doctrine musulmane en cours d'élaboration à cette époque. Nos remarques laissent supposer que l'auteur maîtrisait la langue arabe et qu'il tenait ses informations directement d'interlocuteurs musulmans. Or qui mieux que Jean remplit toutes ces conditions, et qui, autre que lui, parmi les écrivains byzantins du VIIIᵉ siècle, peut prétendre correspondre au profil de l'auteur tel qu'il se dégage des précédentes conclusions [1] ?

4. Si nous exceptons l'épisode de la petite chamelle, nous ne trouvons aucune outrance dans la critique de l'Islam, même si le ton est assez souvent ironique. Cette retenue tranche avec les habitudes prises par les polémistes byzantins à partir de Nicétas de Byzance au IXᵉ siècle [2]. Une telle modération était sans doute imposée à l'auteur par le fait qu'il vivait en terre d'Islam et relevait de la plus élémentaire prudence. N'oublions pas que depuis la querelle iconoclaste il s'était fait beaucoup d'ennemis du côté de Byzance. Une légende ayant trait à sa vie rapporte, que sur dénonciation de l'empereur byzantin, le calife de Damas l'aurait convaincu de trahison et lui aurait coupé la main que la Vierge aurait remis en place la nuit suivante pour le remercier d'avoir si bien écrit sur elle ! Mais il est également permis de se demander si la description « objective » de l'Islam ne tient pas au fait qu'il connaissait la religion dont il parle mieux que ses successeurs, et surtout si le souvenir des liens d'amitié qu'il avait entretenus avec des musulmans ne lui interdisait pas de proférer des insultes à leur égard.

---

1. Cf. chapitre II sur la vie de Jean Damascène.
2. NICÉTAS DE BYZANCE a composé trois ouvrages sur l'Islam au IXᵉ siècle : un *Exposé de la foi chrétienne*, (*PG* 105, c. 808 A-821), une *Réponse et réfutation*, (*id.*, c. 821-841, une *Réfutation du Coran*, (*id.*, c. 669-805).

5. La doctrine chrétienne exprimée dans l'exposé sur l'Islam ne se trouve jamais en contradiction avec le contenu dogmatique développé dans les différents ouvrages de Jean Damascène.

Aucun argument contre l'authenticité, portant soit sur la date soit sur le contenu, ne peut être retenu. L'appui d'une tradition qui remonte au IXe siècle, ainsi que l'étude critique du texte, nous permettent de penser que l'on peut attribuer l'hérésie 100 à Jean Damascène, sinon avec certitude — un faisceau de présomptions ne faisant pas une preuve —, du moins avec une très grande probabilité. En attendant qu'un élément nouveau — la découverte d'un manuscrit, par exemple — nous permette de confirmer cette conclusion ou au contraire nous amène à réviser notre jugement, nous n'avons aucune raison pour ne pas reprendre à notre compte l'opinion émise par les auteurs des deux plus récentes études consacrées à ce texte. Selon B. Kotter, si les avis concernant l'authenticité divergent, car il y a des « pour » et des « contre », il faut reconnaître que les « pour » pèsent plus que les « contre »[1]. D. J. Sahas, encore plus catégorique, soutient que l'hérésie 100 « appartient bien, selon toute probabilité, au *Livre des hérésies* de Jean Damascène[2]. »

On ne peut affirmer cependant que la rédaction définitive du chapitre sur l'Islam soit intégralement de la plume de Jean. Le texte initial a été sujet à des interpolations, tout comme l'ensemble de l'œuvre du Damascène[3]. Mais

---

1. B. Kotter, *PTS* 22, p. 7.
2. D. J. Sahas, *John of Damascus on Islam*, p. 66.
3. Ainsi des extraits d'ouvrages étrangers à Jean ont-ils été introduits dans le texte du *Livre des hérésies* repris par Migne. Dans l'Hérésie 80 celle des Messaliens (*PG* 94, c. 728 A-737), ont été ajoutés des chapitres de la doctrine des Messaliens tirés de leurs livres, et un extrait de *L'Histoire Ecclésiastique* de

les transformations apportées ne remettent pas en cause la valeur fondamentale de l'ouvrage, ainsi que le souligne A.-Th. Khoury : « Des textes à succès ont été recopiés, répétés et accommodés parfois durant des siècles. Il s'est trouvé des copistes et des rédacteurs qui ont, sans scrupule, remanié ces textes et les ont traités au gré de leurs propres desseins. De là ces variantes, les additions, les nuances, les formules nouvelles, les détails en somme qui ont été introduits dans le texte original. Des traces de manipulation se voient, par exemple, dans le chapitre du *De Haeresibus* de Jean Damascène. A la vérité, ces remaniements n'affectent pas le fond qui demeure en général intégral [1]. »

Des modifications éventuelles pourraient expliquer la présence des deux passages qui détonnent par rapport au reste de l'ouvrage : l'histoire de la petite chamelle et, à un moindre degré, car elle correspond à une réalité, l'énumération des interdits. L'aventure de la petite chamelle a pu être ajoutée au IXe siècle, comme le suggère A. Abel, car si le récit surprend déjà par lui-même, le style adopté par l'auteur choque encore plus [2]. Il laisse éclater avec violence son mépris pour l'Islam et sa haine à l'égard des fidèles de cette religion. Il est difficile d'admettre qu'une telle diatribe ait pu être rédigée, même en grec, sous domination musulmane. Quant au final, si les rites et les interdits qui y sont énumérés sont exacts, il s'agit là d'un regard bien superficiel sur l'Islam [3]. De la part d'une personne aussi bien informée que Jean, nous aurions pu nous attendre plutôt à la description des cinq « Piliers de

THÉODORET (*PG* 82, c. 1141-1145). De même un extrait du principal ouvrage dogmatique de JEAN PHILIPON (mort en 565) a été ajouté à l'hérésie monophysite (*PG* 94, c. 744-753).

1. A.-Th. KHOURY, *Théologiens*, t. 1, p. 315.
2. Cf. chapitre IV, paragraphe 8 c.
3. Cf. chapitre IV, paragraphe 11.

l'Islam », obligations auxquelles tout musulman doit se soumettre, et qui démarquent l'Islam du Christianisme sur le plan des rites. Mais de la part de Jean, ce n'est sans doute pas une omission : il estimait un tel exposé superflu et inutile. Les chrétiens syriens, vivant au milieu des musulmans, savaient que ceux-ci priaient cinq fois par jour, partaient en pèlerinage une fois l'an, jeûnaient la durée du mois de ramadan et non pendant le carême, pratiquaient l'aumône légale qui les dispensait de l'impôt, et enfin ils n'ignoraient pas que la profession de foi était suffisante pour embrasser l'Islam, à une époque où les conversions se multipliaient. En revanche, il devenait urgent d'informer la communauté chrétienne sur la doctrine de la nouvelle religion et sur le contenu du Coran. C'est la tâche que Jean s'était fixée dans son exposé sur l'Islam.

Une dernière éventualité reste à examiner : la possibilité d'une élaboration progressive du texte par l'auteur lui-même. Il en existe une version abrégée, contenue dans la *Doctrina Patrum* [1], et dont la longueur correspond, à peu près, à celle des autres chapitres du *Livre des hérésies*. On pourrait donc penser que nous avons là une première formulation, qui sera développée par la suite [2]. D'ailleurs le livre de la *Source de la connaissance* n'est lui-même que la rédaction finale, l'aboutissement d'une recherche et d'une réflexion de toute une vie, dont les premières ébauches se retrouvent dans les écrits dogmatiques et philosophiques datant des premières années de la présence de Jean à Saint-Sabas [3]. La pensée du Damascène s'étant

---

1. B. KOTTER, *PTS* 22, p. 60-61 (jusqu'à la ligne 25). F. DIEKAMP, *Doctrina Patrum*, 270, 14-16. C'est-à-dire jusqu'à « Dieu le prit (Jésus) auprès de Lui parce qu'Il l'aimai.t »

2. F. DIEKAMP, *Doctrina Patrum*, p. LXIX, pense que ce passage serait même antérieur au Damascène, mais B. KOTTER, *Uberliefe-rung*, p. 211-214, en a démontré l'impossibilité.

3. A commencer par la *Profession de Foi*, prononcée le jour de son ordination (*PG* 95, c. 417-435).

enrichie et ayant évolué au cours de longues années de prédication et d'enseignement, il a éprouvé le besoin, au terme de son existence, de rédiger cette *Somme* pour faire le point sur sa doctrine autant que pour satisfaire son ami Cosmas qui lui en avait passé la commande. De plus, ainsi que le rappelle M. Jugie, « le saint Docteur, sur la fin de sa vie, fit une révision générale de tous ses écrits pour en retoucher le fond et la forme [1] ». Peut-être aurait-il, au moment de cette ultime révision, enrichi le passage sur l'Islam de divers éléments contenus dans son enseignement oral et ajouté alors tout ce qui ne figure pas dans la première version transmise par la *Doctrina Patrum*. Une telle démarche pourrait expliquer le caractère composite que revêt l'hérésie 100 [2].

Le chapitre 100 du *Livre des hérésies* peut être considéré comme une honnête source d'informations sur l'Islam et comme un témoignage irremplaçable sur la somme des connaissances qu'un chrétien de Damas, jouissant il est vrai de conditions exceptionnellement favorables, pouvait avoir sur la religion des nouveaux maîtres. C'est également l'opinion d'A. Abel, en précisant toutefois que nous n'apportons pas la même réponse que lui au problème de l'authenticité : « S'il est authentique, le chapitre CI du περὶ αἱρέσεων de Jean Damascène [3] est le plus ancien témoignage qui nous soit parvenu, en langue grecque, sur la connaissance de l'Islam, sinon parmi les Byzantins, du moins parmi les chrétiens soumis à la conquête et, par eux, transmise aux Byzantins. Par lui, en effet, et pourvu que, dans l'ensemble composite dont il fait partie, il ait le caractère de l'authenticité, il nous paraît possible de nous rendre compte du degré de connaissance que les chrétiens

---

1. M. JUGIE, art. « Saint Jean Damascène », c. 696.
2. Cf. le plan figurant au chapitre III.
3. C'est-à-dire le chapitre 100 selon la nouvelle numérotation de B. Kotter.

de langue grecque, vivant en terre d'Islam, pouvaient avoir, au début du VIIIe siècle, de la religion des conquérants, de leurs idées, de leur doctrine. Dans une certaine mesure, ce chapitre pourrait même nous aider à mesurer le niveau doctrinal de l'Islam de ce temps. Enfin, et surtout, nous pourrions le tenir pour le point de départ de la polémique grecque contre l'Islam[1]. »

Il convient cependant de nuancer cette dernière estimation, car si, Jean a bien inspiré et informé les polémistes byzantins, on ne peut le tenir responsable de la tournure générale que prendra toute cette littérature polémique. Ainsi P. Khoury souligne-t-il que, malgré ses insuffisances — information solide mais incomplète — le chapitre de Jean Damascène a exercé une influence considérable sur l'orientation intellectuelle des chrétiens face à l'Islam, mais sans en revêtir les excès : « Beaucoup se sont appropriés ses idées mais aussi son texte sur cette religion. Les citations du Coran auraient incité Nicétas à entreprendre son étude sur le texte coranique[2]. Mais c'est Nicétas qui fixera les thèses extrémistes qui ont dominé la pensée byzantine et fixé, pour des siècles, ses prises de position face à l'Islam[3]. »

II. LA CONTROVERSE ENTRE UN MUSULMAN ET UN CHRÉTIEN

Comme pour l'hérésie 100, les avis concernant l'authenticité de cette controverse sont très partagés, et, dans la

---

1. A. ABEL, « Le chapitre CI », p. 5.
2. Nicétas de Byzance (IXe siècle) et non Nicétas Choniate (XIIIe siècle).
3. P. KHOURY, *POC* 1957, p. 63.

plupart des cas, les opinions émises par les différents critiques ne reposent que sur de simples impressions.

C. Dyovouniotes pense que l'auteur de la *Controverse entre un Musulman et un Chrétien* est moins compétent sur le sujet que ne devait l'être Jean Damascène lui-même. En conséquence, il se refuse à la classer parmi les œuvres du grand Docteur [1]. J. Langen, en revanche, estime qu'il n'y a aucune raison pour douter de l'authenticité [2]. H. Beck [3] et J. Hoeck [4], plus nuancés dans leurs conclusions, ne s'engagent pas et se contentent de proposer Jean comme auteur possible. Les partisans de l'authenticité sont quand même plus nombreux que les adversaires, mais aucun d'entre eux n'apporte d'argument décisif en faveur de sa thèse [5].

Les manuscrits étudiés par B. Kotter ne nous sont d'aucun secours en la matière, car ils ne fournissent pas d'information sur l'auteur. Dans la majorité des cas, le texte de la *Controverse* contenu dans ces manuscrits fait suite à celui du *Livre des hérésies* de Jean Damascène, dont le dernier chapitre parle également de l'Islam [6], avec toutefois une césure entre les deux ouvrages, ce qui ne

---

1. C. Dyovouniotes, Ἰωάννης, p. vii et 52. Même refus, mais non motivé, chez M. Gordillo, *Damascenica*, p. 82 et J. Meyendorff, « Byzantine views of Islam », p. 117.

2. J. Langen, *Johannes von Damascus*, p. 160.

3. H. Beck, *Vorschung*, p. 40.

4. J. Hoeck, « Stand and Aufgaben », p. 23.

5. D. J. Sahas, *John of Damascus*, p. 102, note 2, donne une liste d'auteurs, essentiellement anglo-saxons : R. Bell, *The Origin of Islam*, p. 186 ; D. B. Macdonald, *Development of muslim theology*, p. 132 ; C. Güterbock, *Der Islam*, p. 12 ; J. W. Sweetman, *Islam and christian theology*, Part I, vol. 1, p. 66 ; N. Daniel, *Islam and the West*, p. 4 ; J. T. Addison, *The Christian approach to the moslem*, p. 27.

6. B. Kotter, *PTS* 22, p. 420. Excepté deux cas dans lesquels la *Controverse* fait suite à la *Panoplie* de Zigabène (texte sur l'Islam qui fait de nombreux emprunts à l'Hérésie 100).

permet pas d'attribuer le second texte à l'auteur de celui qui précède. Selon B. Kotter[1], l'attribution de la *Controverse* à Jean Damascène remonte à la traduction latine de ses œuvres par R. Grosseteste (publiée en 1546). Le manuscrit utilisé par le traducteur comportait une séparation entre l'hérésie 100 et la *Controverse*. Ce détail a été négligé par R. Grosseteste, et comme les deux textes se rapportaient à l'Islam, on en a déduit par la suite que le second était du même auteur que le *Livre des hérésies*.

Un élément de réponse sur la date de la *Controverse entre un Musulman et un Chrétien* nous est fourni par le fait que certains opuscules d'Abū Qurra, en particulier l'op. 18, reproduisent une grande partie de cet ouvrage[2]. Trois hypothèses sont alors possibles : 1) Les *Opuscules* d'Abū Qurra sont antérieurs à la *Controverse*. 2) La *Controverse* a inspiré Abū Qurra. 3) Les deux versions ont une source commune plus ancienne. Selon B. Kotter, la troisième hypothèse ne repose sur rien. D'autre part il rejette la première pour des raisons internes[3]. La seule possibilité qui reste est donc la dépendance du texte d'Abū Qurra par rapport à la *Controverse*[4], qui date ainsi de la fin du VIIIe siècle ou du début du IXe siècle, au plus tard. Th. Abū Qurra semble lui-même confirmer cette dépendance. En effet, la deuxième partie de son op. 18 développe une question posée par le Musulman et qui ne se trouve pas dans la *Controverse*. Or, Th. Abū Qurra prend soin de mentionner qu'il a puisé son inspiration dans l'enseignement oral de Jean Damascène, dont il se dit le disciple[5].

---

1. B. KOTTER, *PTS* 22, p. 420, note 2.
2. A l'exception des paragraphes 7 et 8 de B. Kotter. Le plan du chapitre III donne les *Opuscules* de Th. Abū Qurra qui reprennent les mêmes sujets.
3. B. KOTTER, *PTS* 22, p. 420.
4. B. KOTTER, *PTS* 22, p. 420.
5. *PG* 94, c. 1596 (διὰ φωνῆς Ἰωάννου Δαμασκηνοῦ). Il ne peut avoir été l'élève de Jean Damascène à proprement parler, puisque sa

Théodore, par cette démarche, veut-il signifier que la
partie précédente, c'est-à-dire notre *Controverse*, doit être
rapportée également, par extension, à Jean Damascène? Il
est possible de le supposer, mais, on ne peut en tirer de
conclusion définitive [1].

L'étude du contenu de la *Controverse entre un Musulman et un Chrétien*, entreprise au chapitre v, a permis de
constater que l'auteur était bien informé, non seulement
sur l'Islam et le Coran, mais encore sur les différents
courants de pensée qui agitaient le monde musulman au
VIIIe siècle. Certes Jean part de la position chrétienne sur
le libre arbitre pour attaquer un point de vue musulman,
dominant à l'époque umayyade, le jabarisme, mais avec
des arguments que les qadarites utilisaient. Une connaissance aussi précise laisse supposer des contacts étroits avec
des penseurs musulmans ainsi que la maîtrise de la langue
arabe, dans laquelle tous ces problèmes étaient débattus. Si
peu de chrétiens, à cette époque, étaient en mesure de
posséder de telles informations, Jean Damascène, lui,
remplissait les conditions voulues : Damas, la ville de sa
jeunesse, était le centre politique et religieux de l'Empire
musulman ; les privilèges dont bénéficiaient sa famille,
l'amitié qui le liait avec les gens au pouvoir, ainsi que la
pratique courante de la langue arabe, imposée par son

---

date de naissance coïncide à peu près avec celle de la mort de Jean
Damascène. Il s'agirait plutôt d'une tradition transmise oralement à
Saint-Sabas. Autre détail qui n'est peut être pas dénué de signification : dans la plupart de ses dialogues, Th. Abū Qurra se met lui-
même en scène comme interlocuteur. Dans les *Opuscules* 18, 9, 35,
36, 37 et 38, qui reprennent les thèmes développés dans la
Controverse, Théodore s'efface et le partenaire du Musulman dans le
dialogue devient tout simplement un Chrétien. P. KHOURY, *POC*,
p. 73, y voit une indication discrète de Th. Abū Qurra destinée à
faire comprendre qu'il n'est pas l'auteur de ces dialogues et qu'il faut
les rapporter à Jean Damascène.

1. B. KOTTER, *PTS* 22, p. 421.

emploi, le plaçaient dans une situation extrêmement favorable pour pouvoir débattre de sujets aussi épineux que la création du Coran et le libre arbitre, sans avoir à craindre de sanction de la part des autorités. Ce n'était pas le cas pour le commun des chrétiens, ni même pour les musulmans qui risquaient eux aussi le martyre [1].

Enfin, dans ce même chapitre v nous avons pu mettre en évidence que le contenu doctrinal de la *Controverse entre un Musulman et un Chrétien* se trouvait toujours en parfaite conformité avec l'enseignement théologique transmis par Jean Damascène dans l'ensemble de son œuvre.

Tous ces éléments amènent B. Kotter à penser que l'auteur, qui connaît si bien l'Islam, pourrait bien être Jean Damascène pour le contenu, mais peut-être pas pour la forme [2]. Les différentes versions qui nous sont parvenues ont d'ailleurs toutes été fortement remaniées. B. Kotter signale de très grandes variations entre les manuscrits, aucun ne pouvant prétendre offrir l'ouvrage original, ni même un texte sans faute. Lui-même nous en propose une version reconstruite, résultant d'un compromis qui tient compte et de la grammaire et du sens général [3]. La présentation actuelle serait à attribuer à des copistes, le texte initial n'ayant vraisemblablement été qu'une suite de petites controverses indépendantes, à l'image de celles que nous retrouvons dans les *Opuscules* de Th. Abū Qurra [4]. *La controverse entre un Musulman et un Chrétien* n'aurait donc pas été composée directement ni révisée par Jean Damascène, et M. Jugie pense qu'elle est le résumé de leçons orales [5].

---

1. Pour le traitement infligé aux qadarites, voir p. 182, note 1.
2. B. KOTTER, *PTS* 22, p. 422.
3. B. KOTTER, *PTS* 22, p. 426.
4. B. KOTTER, *PTS* 22, p. 426.
5. M. JUGIE, art. « Saint Jean Damascène », c. 701.

S'il n'est donc pas possible d'affirmer que Jean en est le rédacteur définitif, il est cependant légitime de considérer ce texte au moins comme un héritage de l'enseignement du Damascène, et, à ce titre, de le retenir comme partie intégrante de ses œuvres, ainsi que l'a jugé B. Kotter dans son édition critique.

1. D. J. SAHAS, *John of Damascus on Islam*, p. 102.

LES ÉDITIONS PRINCIPALES

I. L'ISLAM

La traduction latine des œuvres de Jean Damascène —
qui comprend l'hérésie 100 — a été éditée pour la
première fois à Paris, en 1544, par Joachim Périon.

Deux ans plus tard, en 1546, de R. Grosseteste a été
publiée, aussi à Cologne, une édition des œuvres complètes
de Jean, dans leur version latine uniquement.

J.-B. Cotelier a réalisé à Paris, en 1677, la première
édition du texte grec (manuscrit : Paris, gr. 1320 s. 11).

Nous retrouvons l'hérésie 100 dans l'édition des œuvres
complètes du Damascène faite par M. LEQUIEN, *Sancti
Patris Nostri Johannis Damasceni Monachi et Presbyteri
Hierosolymitani, Opera Omnia quae exstant*, Paris 1712,
2 vol., t. 1, p. 307-330. L'édition de Venise, datant de
1748, reproduit fidèlement cette publication.

En 1864, Migne reprend le texte de Lequien, dans le
volume 94 de sa Patrologie Grecque, c. 763-774.

Il faut attendre 1981 pour pouvoir enfin disposer d'une
édition critique de cette œuvre de Jean Damascène,
réalisée par B. KOTTER, *Die Schriften des Johannes von
Damaskos. IV Liber de Haeresibus. Opera Polemica*,
Berlin 1981 (PTS 22), p. 60-67.

L'auteur de cette édition a utilisé les manuscrits suivants
pour établir son texte :

B   Messan. gr. 116 s. 10.
C   Cryptoferr. II (Patr.) 11 (B α 11) s. 10.
D   Paris. Suppl. gr. 8 s. 12.
P   Marc. gr. II 196 (coll. 1403) s. 11.
Q   Cesenas, Malatest. Pian. 3. 190 s. 12.
R   Monac. gr. 467 s. 11.
S   Paris. Coisl. 34 a. 1042.
T   Vat. gr. 720 s. 10.
U   Paris. gr. 1320 s. 11.
W   Vindob. hist. gr. 56 ca. a. 1000.

La lettre précédant chaque référence est celle qui a été
retenue par B. Kotter lors de l'établissement de son
apparat critique, pour désigner ces différents manuscrits.

II. LA CONTROVERSE ENTRE UN MUSULMAN
ET UN CHRÉTIEN

La traduction latine de la *Controverse* a été publiée dans
l'édition de R. Grosseteste de 1546 et dans celle de
M. Lequien de 1712, *Opera*, t. 1, p. 467-469.

La première édition du texte grec est due à GALLAND,
Διάλεξις Σαρακηνοῦ καὶ Χριστιανοῦ, Bibl. Vet. Patr. XIII,
Venise 1779, p. 272-276 (manuscrit : Vinbod. theol.
gr. 306).

En 1864, Migne reproduit d'abord le texte de
M. Lequien, disposant en regard du texte latin les extraits
des *Opuscules* de Th. Abū Qurra qui s'y rapportent (*PG*
94, c. 1585-1598). Il publie également le texte de Galland
qu'il présente comme une deuxième controverse différente
de la précédente, dont il n'a pu retrouver que la traduction
latine (*PG* 96, c. 1335-1548).

B. Kotter, *PTS* 22, p. 427-438, a édité un essai de reconstitution du texte original, à partir des manuscrits ci-dessous énumérés :

O Vallic. gr. 3, s. 13.
V Vindob. theol. gr. 306, s. 13.
X Ambros. 658, s. 12.
Z Escorial. R. III. 1, s. 12.

TEXTE ET TRADUCTION

⟨Περὶ αἱρέσεως ρ'⟩

1. Ἔστι δὲ καὶ ἡ μέχρι τοῦ νῦν κρατοῦσα λαοπλανὴς θρησκεία τῶν Ἰσμαηλιτῶν πρόδρομος οὖσα τοῦ ἀντιχρίστου. Κατάγεται δὲ ἀπὸ τοῦ Ἰσμαὴλ τοῦ ἐκ τῆς Ἄγαρ τεχθέντος τῷ Ἀβραάμ· διόπερ Ἀγαρηνοὶ καὶ Ἰσμαηλῖται
5 προσαγορεύονται. Σαρακηνοὺς δὲ αὐτοὺς καλοῦσιν ὡς ἐκ τῆς Σάρρας κενοὺς διὰ τὸ εἰρῆσθαι ὑπὸ τῆς Ἄγαρ τῷ ἀγγέλῳ· Σάρρα κενήν με ἀπέλυσεν[a].

Οὗτοι μὲν οὖν εἰδωλολατρήσαντες καὶ προσκυνήσαντες
10 τῷ ἑωσφόρῳ ἄστρῳ καὶ τῇ Ἀφροδίτῃ, ἣν δὴ καὶ Χαβὰρ τῇ ἑαυτῶν ἐπωνόμασαν γλώσσῃ, ὅπερ σημαίνει μεγάλη.

Ἕως μὲν οὖν τῶν Ἡρακλείου χρόνων προφανῶς εἰδωλολάτρουν, ἀφ' οὗ χρόνου καὶ δεῦρο ψευδοπροφήτης αὐτοῖς ἀνεφύη | Μάμεδ ἐπονομαζόμενος, ὃς τῇ τε παλαιᾷ καὶ νέᾳ
15 διαθήκῃ περιτυχών, ὁμοίως ἀρειανῷ προσομιλήσας δῆθεν

---

a. Gen. 21, 10-18

1. Une inscription de Palmyre, datant de 114-115 avant Jésus-Christ, donne une autre transcription du nom de Mahomet : Θαιμοαμεδης (AIGRAIN, art. « Arabie », c. 1263).

2. Le manuscrit U : περιτυχών Ἑβραίοις καὶ χριστιανοῖς, δῆθεν Ἀρειανοῖς καὶ Νεστοριανοῖς πανταχόθεν ἐν ἀρυσάμενος, ἐξ Ἰουδαίων μὲν μοναρχίαν, ἐξ Ἀρειανῶν δὲ λόγον καὶ πνεῦμα κτιστά, ἀπὸ δὲ Νεστοριανῶν ἀνθρωπολατρείαν· ἑαυτῷ θρησκείαν περιποιεῖται καὶ προφάσει δῆθεν θεοσεβείας τὸ ἔθνος εἰσποιησάμενος. Jean y précise que Mahomet

‹HÉRÉSIE 100›
L'ISLAM

Introduction   **1.** Il y a aussi la religion des Ismaélites qui domine encore de nos jours, égare
les peuples, et annonce la venue de l'antéchrist. Elle tire
son origine d'Ismaël, le fils d'Abraham et d'Agar. Pour
cette raison on les nomme Agarènes et Ismaélites ; on les
appelle aussi Sarrasins, ce qui signifie dépouillés par Sara.
Agar répondit, en effet, à l'ange : « Sara m'a renvoyée
dépouillée [a] ».

Ils étaient donc idolâtres et adoraient l'Étoile du Matin
et Aphrodite, qu'ils ont appelée précisément *Chabar* dans
leur langue, ce qui veut dire grande.

**Apparition
de l'Islam**   Donc, jusqu'à l'époque d'Héraclius, ils
ont ouvertement pratiqué l'idolâtrie. A partir de cette époque et jusqu'à nos jours un
faux prophète, du nom de Mahomet [1], s'est levé parmi eux,
qui [2], après avoir pris connaissance, par hasard, de

avait rencontré des juifs et des chrétiens ; les chrétiens rencontrés
étaient sans doute nestoriens et ariens, de toute façon hérétiques.
Aux juifs il avait emprunté la monarchie, aux ariens le Verbe et
l'Esprit créés, aux nestoriens l'anthropolâtrie, hérésie qui consistait à
nier la divinité du Christ. LAMPE (*A Patristic greek lexicon*, p. 140)
note que le mot anthropolâtre a été utilisé dans la controverse
chrétienne : contre les ariens ; contre les orthodoxes par les appolina-
ristes ; mais que c'était surtout une épithète appliquée aux nestoriens.

μοναχῷ ἰδίαν συνεστήσατο αἵρεσιν. Καὶ προφάσει τὸ δοκεῖν
θεοσεβείας τὸ ἔθνος εἰσποιησάμενος, ἐξ οὐρανοῦ γραφὴν ὑπὸ
θεοῦ κατενεχθῆναι ἐπ' αὐτὸν διαθρυλλεῖ. Τινὰ δὲ συντάγμα-
τα ἐν τῇ παρ' αὐτοῦ βίβλῳ χαράξας γέλωτος ἄξια τὸ σέβας
20 αὐτοῖς οὕτω παραδίδωσι.

2. Λέγει ἕνα θεὸν εἶναι ποιητὴν τῶν ὅλων, μήτε γεννη-
θέντα μήτε γεγεννηκότα. Λέγει τὸν Χριστὸν λόγον εἶναι τοῦ
θεοῦ καὶ πνεῦμα αὐτοῦ, κτιστὸν δὲ καὶ δοῦλον, καὶ ὅτι ἐκ
Μαρίας, τῆς ἀδελφῆς Μωσέως καὶ Ἀαρών, ἄνευ σπορᾶς
5 ἐτέχθη. Ὁ γὰρ λόγος, φησί, τοῦ θεοῦ καὶ τὸ πνεῦμα
εἰσῆλθεν εἰς τὴν Μαρίαν, καὶ ἐγέννησε τὸν Ἰησοῦν προφήτην
ὄντα καὶ δοῦλον τοῦ θεοῦ. Καὶ ὅτι οἱ Ἰουδαῖοι παρανομή-
σαντες ἠθέλησαν αὐτὸν σταυρῶσαι καὶ κρατήσαντες ἐσταύ-
ρωσαν τὴν σκιὰν αὐτοῦ, αὐτὸς δὲ ὁ Χριστὸς οὐκ ἐσταυρώθη,
10 φησίν, οὔτε ἀπέθανεν· ὁ γὰρ θεὸς ἔλαβεν αὐτὸν πρὸς ἑαυτὸν
εἰς τὸν οὐρανὸν διὰ τὸ φιλεῖν αὐτόν. Καὶ τοῦτο δὲ λέγει ὅτι,
τοῦ Χριστοῦ ἀνελθόντος εἰς τοὺς οὐρανούς, ἐπηρώτησεν
αὐτὸν ὁ θεὸς λέγων· Ὦ Ἰησοῦ, σὺ εἶπας ὅτι υἱός εἰμι τοῦ
θεοῦ καὶ θεός; Καὶ ἀπεκρίθη, φησίν, ὁ Ἰησοῦς· Ἵλεώς μοι,
15 κύριε· σὺ οἶδας ὅτι οὐκ εἶπον οὐδὲ ὑπερηφανῶ εἶναι δοῦλός
σου· ἀλλ' οἱ ἄνθρωποι οἱ παραβάται ἔγραψαν ὅτι εἶπον τὸν
λόγον τοῦτον, καὶ ἐψεύσαντο κατ' ἐμοῦ καί εἰσι πεπλανημέ-
νοι. Καὶ ἀπεκρίθη, φησίν, αὐτῷ ὁ θεός· Οἶδα ὅτι σὺ οὐκ
ἔλεγες τὸν λόγον τοῦτον.

1. D. J. SAHAS, *John of Damascus on Islam*, p. 133, traduit
différemment : « The Word of God and the Spirit entered Mary and
she gave birth to Jesus ».

l'Ancien et du Nouveau Testament, et, de même, fréquenté vraisemblablement un moine arien, fonda sa propre hérésie. Après s'être concilié la faveur du peuple en simulant la piété, il insinue qu'une Écriture venue du ciel lui a été révélée par Dieu. Ayant rédigé dans son livre quelques doctrines risibles, il leur transmet cette façon d'adorer Dieu.

Théologie coranique **2.** Il dit qu'il y a un seul Dieu, créateur de toutes choses, qu'Il n'a pas été engendré et qu'Il n'a pas engendré. Selon ses dires, le Christ est le Verbe de Dieu et son Esprit, mais il est créé et il est un serviteur ; il est né sans semence de Marie, la sœur de Moïse et d'Aaron. En effet, dit-il, le Verbe et l'Esprit de Dieu sont entrés en Marie et ont engendré Jésus [1], qui fut un prophète et un serviteur de Dieu. Et, selon lui, les juifs, au mépris de la Loi, voulurent le mettre en croix, et, après s'être emparés de lui, ils n'ont crucifié que son ombre. Le Christ lui-même, dit-il, ne subit ni la croix ni la mort. En effet, Dieu l'a pris près de lui dans le ciel, parce qu'Il l'aimait. Et il dit également, qu'une fois le Christ monté aux cieux, Dieu l'a interrogé en disant : « Jésus ! as-tu dit : Je suis le fils de Dieu et Dieu ? » Jésus, d'après lui, a répondu : « Sois miséricordieux envers moi, Seigneur ! Tu sais que je n'ai pas dit cela et que je ne dédaigne pas d'être ton serviteur. Mais les hommes mauvais ont écrit que j'avais fait cette déclaration ; ils ont menti à mon égard, et ils sont dans l'erreur ». Dieu, dit-il, lui a répondu : « Je sais que tu n'as pas fait cette déclaration [2] ».

2. Coran 5, 116.

3. Καὶ ἄλλα πολλὰ τερατολογῶν ἐν τῇ τοιαύτῃ
συγγραφῇ γέλωτος ἄξια, ταύτην πρὸς θεοῦ ἐπ' αὐτὸν
κατενεχθῆναι φρυάττεται. Ἡμῶν δὲ λεγόντων · Καὶ τίς
ἐστιν ὁ μαρτυρῶν, ὅτι γραφὴν αὐτῷ δέδωκεν ὁ θεός, ἢ τίς
5 τῶν προφητῶν προεῖπεν, ὅτι τοιοῦτος ἀνίσταται προφήτης,
καὶ διαπορούντων αὐτοῖς, ὡς ὁ Μωσῆς τοῦ θεοῦ κατὰ τὸ
Σινὰ b ὄρος ἐπόψεσι παντὸς τοῦ λαοῦ, ἐν νεφέλῃ καὶ πυρὶ καὶ
γνόφῳ καὶ θυέλλῃ φανέντος ἐδέξατο τὸν νόμον c, καὶ ὅτι
πάντες οἱ προφῆται ἀπὸ Μωσέως καὶ καθεξῆς περὶ τῆς τοῦ
10 Χριστοῦ παρουσίας προηγόρευσαν καὶ ὅτι θεὸς ὁ Χριστὸς
καὶ θεοῦ υἱὸς σαρκούμενος ἥξει καὶ σταυρωθησόμενος
θνήσκων καὶ ἀναστησόμενος καὶ ὅτι κριτὴς οὗτος ζώντων
καὶ νεκρῶν, καὶ λεγόντων ἡμῶν, πῶς οὐχ οὕτως ἦλθεν ὁ
προφήτης ὑμῶν, ἄλλων μαρτυρούντων περὶ αὐτοῦ, ἀλλ' οὐδὲ
15 παρόντων ὑμῶν ὁ θεός, ὡς τῷ Μωσεῖ βλέποντος παντὸς τοῦ
λαοῦ, καπνιζομένου τοῦ ὄρους δέδωκε τὸν νόμον, κἀκείνῳ
τὴν γραφήν, ἥν φατε, παρέσχεν, ἵνα καὶ ὑμεῖς τὸ βέβαιον
ἔχητε, ἀποκρίνονται, ὅτι ὁ θεός, ὅσα θέλει, ποιεῖ. Τοῦτο καὶ
| ἡμεῖς, φαμέν, οἴδαμεν, ἀλλ', ὅπως ἡ γραφὴ κατῆλθεν εἰς
20 τὸν προφήτην ὑμῶν, ἐρωτῶμεν. Καὶ ἀποκρίνονται ὅτι, ἐν
ὅσῳ κοιμᾶται, κατέβη ἡ γραφὴ ἐπάνω αὐτοῦ. Καὶ τὸ
γελοιῶδες πρὸς αὐτοὺς λέγομεν ἡμεῖς ὅτι λοιπόν, ἐπειδὴ
κοιμώμενος ἐδέξατο τὴν γραφὴν καὶ οὐκ ᾔσθετο τῆς
ἐνεργείας, εἰς αὐτὸν ἐπληρώθη τὸ τῆς δημώδους παροιμίας.

b. Cf. Lév. 26, 46 ‖ c. Cf. Ex. 19,9.16-19; 20, 18; 24, 15-17

1. La citation manque. A. Th. Khoury signale que le proverbe se
trouve dans la *Panoplie* de Zigabène : « Qui dort divague et voit
souvent des rêves étranges » (*PG* 130, c. 1336 D). MIGNE, PG 94,

Critique de la révélation

3. Beaucoup d'autres absurdités dignes de rire sont rapportées dans cet Écrit, et il se vante qu'il est descendu sur lui venant de Dieu. Mais nous disons : Qui témoigne que Dieu lui a donné une Écriture, ou qui, parmi les prophètes, a annoncé qu'un tel prophète devait venir? Nous les mettons dans l'embarras quand nous leur disons : Moïse avait reçu la Loi sur le Sinaï[b], à la vue de tout le peuple, quand Dieu apparut dans la nuée, le feu, les ténèbres et la tempête[c] ; et tous les prophètes, depuis Moïse, ont tour à tour annoncé que le Christ viendra, que le Christ est Dieu et que le fils de Dieu arrivera en prenant chair, sera crucifié, qu'il mourra et ressuscitera, et que c'est lui qui jugera les vivants et les morts. Et quand nous disons : Pourquoi votre prophète n'est-il pas venu de la même façon, avec d'autres pour lui porter témoignage, et pourquoi Dieu, qui a donné la Loi à Moïse aux yeux de tout le peuple, sur une montagne fumante, ne lui a-t-Il pas transmis de même l'Écriture dont vous parlez, en votre présence, pour asseoir votre certitude? Ils répondent que Dieu fait ce qu'Il veut. Cela, disons-nous, nous le savons bien nous aussi, mais nous demandons comment l'Écriture a été révélée à votre prophète. Ils répondent que c'est pendant son sommeil que l'Écriture est descendue sur lui. Pour nous moquer d'eux nous disons : Puisqu'il a reçu l'Écriture pendant son sommeil, sans se rendre compte de cette activité, l'adage populaire lui convient parfaitement [1].

c. 767, note d, suggère une citation de Platon : « Vous me débitez des songes » ('Ονείρατά μοι λέγεις) sans autre précision.

25 Πάλιν ἡμῶν ἐρωτώντων · Πῶς αὐτοῦ ἐντειλαμένου ὑμῖν ἐν
τῇ γραφῇ ὑμῶν μηδὲν ποιεῖν ἢ δέχεσθαι ἄνευ μαρτύρων, οὐκ
ἠρωτήσατε αὐτόν ὅτι πρῶτον αὐτὸς ἀπόδειξον διὰ
μαρτύρων ὅτι προφήτης εἶ καὶ ὅτι ἀπὸ θεοῦ ἐξῆλθες, καὶ
ποία γραφὴ μαρτυρεῖ περὶ σοῦ, σιωπῶσιν αἰδούμενοι. Πρὸς
30 οὓς εὐλόγως φαμέν · Ἐπειδὴ γυναῖκα γῆμαι οὐκ ἔξεστιν
ὑμῖν ἄνευ μαρτύρων οὐδὲ ἀγοράζειν οὐδὲ κτᾶσθαι, οὔτε δὲ
ὑμεῖς αὐτοὶ καταδέχεσθε ὄνους ἢ κτῆνος ἀμάρτυρον ἔχειν,
ἔχετε μὲν καὶ γυναῖκας καὶ κτήματα καὶ ὄνους καὶ τὰ λοιπὰ
διὰ μαρτύρων, μόνην δὲ πίστιν καὶ γραφὴν ἀμάρτυρον
35 ἔχετε · ὁ γὰρ ταύτην ὑμῖν παραδοὺς οὐδαμόθεν ἔχει τὸ
βέβαιον οὐδέ τις προμάρτυς ἐκείνου γνωρίζεται, ἀλλὰ καὶ
κοιμώμενος ἐδέξατο ταύτην.

4. Καλοῦσι δὲ ἡμᾶς ἑταιριαστάς, ὅτι, φησίν, ἑταῖρον τῷ
θεῷ παρεισάγομεν λέγοντες εἶναι τὸν Χριστὸν υἱὸν θεοῦ καὶ
θεόν. Πρὸς οὓς φαμεν ὅτι τοῦτο οἱ προφῆται καὶ ἡ γραφὴ
παραδέδωκεν · ὑμεῖς δέ, ὡς διισχυρίζεσθε, τοὺς προφήτας
5 δέχεσθε. Εἰ οὖν κακῶς λέγομεν τὸν Χριστὸν θεοῦ υἱόν,
ἐκεῖνοι ἐδίδαξαν καὶ παρέδωκαν ἡμῖν. Καί τινες μὲν αὐτῶν
φασιν, ὅτι ἡμεῖς τοὺς προφήτας ἀλληγορήσαντες τοιαῦτα
προσεθείκαμεν, ἄλλοι δέ φασιν ὅτι οἱ Ἑβραῖοι μισοῦντες
ἡμᾶς ἐπλάνησαν ὡς ἀπὸ τῶν προφητῶν γράψαντες, ἵνα
10 ἡμεῖς ἀπολώμεθα.

1. Outre Barthélémy d'Édesse (*PG* 104, c. 1456 B : ἀρνητὰς
ὀνομάζει καὶ ἑτεριστάς), Jean est le seul auteur à avoir utilisé ce mot

Nous leur demandons à nouveau : Puisque lui-même vous a ordonné, dans votre Écriture, de ne rien faire ou de ne rien recevoir sans témoins, pourquoi ne lui avez-vous pas demandé : toi le premier, prouve à l'aide de témoins que tu es prophète et que tu es envoyé de Dieu ; et quelle Écriture témoigne en ta faveur. Honteux, ils gardent le silence. Avec raison nous leur disons : puisqu'il ne vous est pas permis d'épouser une femme, ni d'acheter ni d'acquérir sans témoins, et que vous n'admettez pas de posséder ne fût-ce que des ânes ou du bétail, sans un témoin, vous ne prenez donc femmes, biens, ânes et le reste que devant témoins ; seules donc la foi et l'Écriture vous les acceptez sans un témoin ! Car celui qui vous a transmis cette Écriture ne possède de garantie d'aucun côté, et on ne connaît personne qui ait témoigné en sa faveur par avance. Bien plus, il l'a reçue pendant son sommeil !

L'accusation d'associationnisme

4. Ils nous appellent « associateurs » [1] parce que, disent-ils, nous introduisons à côté de Dieu un associé lorsque nous disons que le Christ est fils de Dieu et Dieu. Nous leur disons : c'est ce que les prophètes et l'Écriture nous ont transmis. Vous aussi, ainsi que vous l'affirmez, vous acceptez les prophètes. Et si nous disons à tort que le Christ est fils de Dieu, ce sont eux qui nous l'ont enseigné et qui nous l'ont transmis. Certains d'entre eux disent que nous avons ajouté cela aux prophètes, en les interprétant de façon allégorique, et d'autres que les Hébreux, par haine, nous ont égarés en attribuant ces textes aux prophètes, pour nous perdre.

ἑταιριατής dans un tel sens (G. W. H. Lampe, *A Patristic greek lexicon*, p. 552).

Πάλιν δέ φαμεν πρὸς αὐτούς · Ὑμῶν λεγόντων ὅτι ὁ
Χριστὸς λόγος ἐστὶ τοῦ θεοῦ καὶ πνεῦμα, πῶς λοιδορεῖτε
ἡμᾶς ὡς ἑταιριαστάς; Ὁ γὰρ λόγος καὶ τὸ πνεῦμα
ἀχώριστόν ἐστι τοῦ ἐν ᾧ πέφυκεν · εἰ οὖν ἐν τῷ θεῷ ἐστιν
15 ὡς λόγος αὐτοῦ, δῆλον ὅτι καὶ θεός ἐστιν. Εἰ δὲ ἐκτός ἐστι
τοῦ θεοῦ, ἄλογός ἐστι καθ' ὑμᾶς ὁ θεὸς καὶ ἄπνους. Οὐκοῦν
φεύγοντες ἑταιριάζειν τὸν θεὸν ἐκόψατε αὐτόν. Κρεῖσσον
γὰρ ἦν λέγειν ὑμᾶς ὅτι ἑταῖρον ἔχει, ἢ κόπτειν αὐτὸν καὶ ὡς
λίθον ἢ ξύλον ἤ τι τῶν ἀναισθήτων παρεισάγειν. Ὥστε ὑμεῖς
20 μὲν ἡμᾶς ψευδηγοροῦντες ἑταιριαστὰς καλεῖτε · ἡμεῖς δὲ
κόπτας ὑμᾶς προσαγορεύομεν τοῦ θεοῦ.

5. Διαβάλλουσι δὲ ἡμᾶς ὡς εἰδωλολάτρας προσκυνοῦντας
τὸν σταυρόν, ὃν καὶ βδελύττονται. Καί φαμεν | πρὸς αὐτούς ·
Πῶς οὖν ὑμεῖς λίθῳ προστρίβεσθε κατὰ τὸν Χαβαθὰν ὑμῶν
καὶ φιλεῖτε τὸν λίθον ἀσπαζόμενοι; Καί τινες αὐτῶν φασιν,
5 ἐπάνω αὐτοῦ τὸν Ἀβραὰμ συνουσιάσαι τῇ Ἄγαρ, ἄλλοι δὲ
ὅτι ἐπ' αὐτὸν προσέδησε τὴν κάμηλον μέλλων θύειν τὸν
Ἰσαάκ. Καὶ πρὸς αὐτοὺς ἀποκρινόμεθα · Τῆς γραφῆς
λεγούσης ὅτι ὄρος ἦν ἀλσῶδες καὶ ξύλα, ἀφ' ὧν καὶ εἰς τὴν
ὁλοκάρπωσιν σχίσας ὁ Ἀβραὰμ ἐπέθηκε τῷ Ἰσαάκ, καὶ ὅτι
10 μετὰ τῶν παίδων τὰς ὄνους κατέλιπεν[d]. Πόθεν οὖν ὑμῖν τὸ
ληρεῖν; Οὐ γὰρ ἐκεῖσε ξύλα δρυμώδη κεῖται οὔτε ὄνοι
διοδεύουσιν. Αἰδοῦνται μέν, ὅμως φασὶν εἶναι τὸν λίθον τοῦ
Ἀβραάμ. Εἶτά φαμεν · Ἔστω τοῦ Ἀβραάμ, ὡς ὑμεῖς
ληρεῖτε · τοῦτον οὖν ἀσπαζόμενοι, ὅτι μόνον ὁ Ἀβραὰμ ἐπ'
15 αὐτὸν συνουσίασε γυναικὶ ἢ ὅτι τὴν κάμηλον προσέδησεν,

d. Cf. Gen. 22,3

A nouveau nous leur disons : Vous qui dites que le
Christ est Verbe et Esprit de Dieu, pourquoi nous injuriez-
vous comme « associateurs » ? Car le Verbe et l'Esprit sont
choses inséparables de celui dans lequel ils se trouvent
naturellement. Si donc il est en Dieu comme Verbe de
Dieu, il est évidemment Dieu lui aussi. Mais s'il est hors
de Dieu, Dieu est selon vous sans Verbe et sans Esprit.
Donc, en évitant d'associer quelqu'un à Dieu, vous le
mutilez. Il serait préférable pour vous, en effet, de dire
qu'il a un associé, plutôt que de le mutiler et de le rendre
semblable à une pierre, à du bois, ou à quelque objet
inanimé. C'est pourquoi, en nous appelant « associateurs »,
vous dites des mensonges ; nous, en retour, nous vous
appelons « mutilateurs » de Dieu.

L'accusation d'idolâtrie   **5.** Ils nous accusent aussi d'idolâtrie
parce que nous nous prosternons devant la
croix qu'ils ont en horreur. Nous leur
disons alors : Pourquoi donc vous frottez-vous à cette
pierre dans votre *Ka'ba* [1], et aimez-vous la pierre au point
de l'embrasser ? Certains d'entre eux disent que c'est sur
elle qu'Abraham s'est uni à Agar, d'autres qu'il y a attaché
la chamelle au moment de sacrifier Isaac. Nous leur
répondons : il y avait là, selon l'Écriture, une montagne
buissonneuse et des arbres ; Abraham en coupa pour
l'holocauste et en chargea Isaac, et il laissa les ânes en
arrière avec les serviteurs [d]. Pourquoi alors ces stupidités ?
A cet endroit, en effet, il n'y a pas de bois provenant d'une
forêt, et les ânes n'y passent pas. Ils éprouvent alors de la
honte ; ils disent cependant que c'est la pierre d'Abraham.
Ensuite nous disons : Qu'elle soit d'Abraham, comme
vous l'affirmez stupidement ! Vous n'avez pas honte de
l'embrasser uniquement parce qu'Abraham s'est uni sur

---

1. Chabatha(n) dans le texte.

οὐκ αἰδεῖσθε, ἀλλ' ἡμᾶς εὐθύνετε, ὅτι τὸν σταυρὸν τοῦ
Χριστοῦ προσκυνοῦμεν, δι' οὗ δαιμόνων ἰσχὺς καὶ διαβάλου
καταλέλυται πλάνη. Οὗτος δέ, ὅν φασι λίθον, κεφαλὴ τῆς
Ἀφροδίτης ἐστίν, ἢ προσεκύνουν, ἢν δὴ καὶ Χαβὰρ προση-
20 γόρευον, ἐφ' ὅν καὶ μέχρι νῦν ἐγγλυφίδος ἀποσκίασμα τοῖς
ἀκριβῶς κατανοοῦσι φαίνεται.

6. Οὗτος ὁ Μάμεδ πολλάς, ὡς εἴρηται, ληρωδίας συντά-
ξας ἑκάστῃ τούτων προσηγορίαν ἐπέθηκεν, οἷον ἡ γραφὴ
« τῆς γυναικὸς » καὶ ἐν αὐτῇ τέσσαρας γυναῖκας προφανῶς
λαμβάνειν νομοθετεῖ καὶ παλλακάς, ἐὰν δύνηται χιλίας, ὅσας
5 ἡ χεὶρ αὐτοῦ κατάσχῃ ὑποκειμένας ἐκ τῶν τεσσάρων
γυναικῶν. Ἢν δ' ἂν βουληθῇ ἀπολύειν, ἢν ἐθελήσειε, καὶ
κομίζεται ἄλλην, ἐκ τοιαύτης αἰτίας νομοθετήσας. Σύμπο-
νον ἔσχεν ὁ Μάμεδ Ζεὶδ προσαγορευόμενον. Οὗτος γυναῖκα
ὡραίαν ἔσχεν, ἧς ἠράσθη ὁ Μάμεδ. Καθημένων οὖν αὐτῶν
10 φησιν ὁ Μάμεδ · Ὁ δεῖνα, ὁ θεὸς ἐνετείλατό μοι τὴν γυναῖκά
σου λαβεῖν. Ὁ δὲ ἀπεκρίθη · Ἀπόστολος εἶ · ποίησον ὥς σοι
ὁ θεὸς εἶπε · λάβε τὴν γυναῖκά μου. Μᾶλλον δέ, ἵνα ἄνωθεν
εἴπωμεν, ἔφη πρὸς αὐτόν · Ὁ θεὸς ἐνετείλατό μοι, ἵνα
ἀπολύσῃς τὴν γυναῖκά σου. Ὁ δὲ ἀπέλυσε. Καὶ μεθ' ἡμέρας
15 ἄλλας φησίν · Ἵνα κἀγὼ αὐτὴν λάβω, ἐνετείλατο ὁ θεός.
Εἶτα λαβὼν καὶ μοιχεύσας αὐτὴν τοιοῦτον ἔθηκε νόμον · Ὁ

---

1. Dans le texte, ἡ γραφή a le sens de sourate, chapitre.
G. W. H. Lampe, *op. cit.*, p. 322-323, signale que ce mot, accompagné d'un titre, ne se trouve que chez Jean Damascène. Il en précise

elle à une femme, ou parce qu'il y a attaché la chamelle, mais vous nous blâmez parce que nous nous prosternons devant la croix du Christ qui a ruiné la puissance des démons et les séductions du diable! On raconte d'ailleurs que cette pierre est la tête d'Aphrodite, devant laquelle ils se prosternaient et qu'ils appelaient *Chabar*. Et de nos jours encore, la trace d'une effigie apparaît à ceux qui observent minutieusement.

L'écrit de
La Femme

6. Ce Mahomet, comme il a été dit, a composé de nombreux écrits stupides et donné un titre à chacun d'eux. Ainsi l'écrit [1] de *La Femme* [2], où il est prescrit clairement à chacun de prendre quatre femmes et mille concubines, si c'est possible, autant que sa main en retient soumises en dehors des quatre femmes ; et il peut répudier une, s'il le veut, et en prendre une autre. Il a établi cette loi pour la raison suivante : Mahomet avait un compagnon appelé Zayd. Cet homme avait une belle femme dont Mahomet s'éprit. Alors qu'ils étaient assis ensemble, Mahomet dit : Ami, Dieu m'a donné l'ordre de prendre ta femme. Zayd répondit : Tu es un envoyé, fais comme Dieu t'a dit, prends ma femme. Ou plus exactement, pour prendre le récit par le commencement, il lui dit : Dieu m'a donné l'ordre que tu répudies ta femme. Celui-ci la répudia. Quelques jours plus tard il dit : Dieu m'a donné l'ordre de la prendre moi-même. Après l'avoir prise et commis l'adultère avec elle, il promulgua cette loi : Que celui qui

le sens : « Accompanied by a title feature of mahomedians scriptures ».
2. Sourate 4 du Coran.

βουλόμενος ἀπολυέτω τὴν γυναῖκα αὐτοῦ. Ἐὰν δὲ μετὰ τὸ
ἀπολῦσαι ἐπ' αὐτὴν ἀναστρέψῃ, γαμείτω αὐτὴν ἄλλος. Οὐ
γὰρ ἔξεστι λαβεῖν αὐτήν, εἰ μὴ γαμηθῇ ὑφ' ἑτέρου. Ἐὰν δὲ
20 καὶ ἀδελφὸς ἀπολύσῃ, γαμείτω αὐτὴν ἀδελφὸς αὐτοῦ ὁ
βουλόμενος. Ἐν αὐτῇ δὲ τῇ γραφῇ τοιαῦτα παραγγέλλει ·
Ἔργασαι τὴν γῆν, ἣν ἔδωκέ σοι ὁ θεός, καὶ φιλοκάλησον
αὐτήν, καὶ τόδε ποίησον καὶ τοιῶσδε, ἵνα μὴ πάντα λέγω ὡς
ἐκεῖνος αἰσχρά.

7. Πάλιν γραφὴ τῆς καμήλου τοῦ θεοῦ, περὶ ἧς λέγει, ὅτι
ἦν κάμηλος ἐκ τοῦ θεοῦ καὶ ἔπινεν ὅλον τὸν ποταμὸν καὶ οὐ
διήρχετο μεταξὺ δύο ὀρέων διὰ τὸ | μὴ χωρεῖσθαι. Λαὸς
οὖν, φησίν, ἦν ἐν τῷ τόπῳ, καὶ τὴν μὲν μίαν ἡμέραν αὐτὸς
5 ἔπινε τὸ ὕδωρ, ἡ δὲ κάμηλος τῇ ἑξῆς. Πίνουσα δὲ τὸ ὕδωρ
ἔτρεφεν αὐτοὺς τὸ γάλα παρεχομένη ἀντὶ τοῦ ὕδατος.
Ἀνέστησαν οὖν οἱ ἄνδρες ἐκεῖνοι, φησί, πονηροὶ ὄντες καὶ
ἀπέκτειναν τὴν κάμηλον · τῆς δὲ γέννημα ὑπῆρχεν μικρὰ
κάμηλος, ἥτις, φησί, τῆς μητρὸς ἀναιρεθείσης ἀνεβόησε
10 πρὸς τὸν θεόν, καὶ ἔλαβεν αὐτὴν πρὸς ἑαυτόν. Πρὸς οὕς
φαμεν · Πόθεν ἡ κάμηλος ἐκείνη; Καὶ λέγουσιν ὅτι ἐκ
θεοῦ. Καί φαμεν · Συνεβιβάσθη ταύτῃ κάμελος ἄλλη; Καὶ
λέγουσιν · Οὐχί. Πόθεν οὖν, φαμέν, ἐγέννησεν; Ὁρῶμεν γὰρ
τὴν κάμηλον ὑμῶν ἀπάτορα καὶ ἀμήτορα καὶ ἀγενεαλόγη-
15 τον, γεννήσασα δὲ κακὸν ἔπαθεν. Ἀλλ' οὐδὲ ὁ βιβάσας
φαίνεται, καὶ ἡ μικρὰ κάμηλος ἀνελήφθη. Ὁ οὖν προφήτης
ὑμῶν, ᾧ, καθὼς λέγετε, ἐλάλησεν ὁ θεός, διὰ τί περὶ τῆς
καμήλου οὐκ ἔμαθε, ποῦ βόσκεται καὶ τίνες γαλεύονται

1. Sourate 2, 223.

le désire répudie sa femme. Mais si, après l'avoir répudiée,
il revient vers elle, qu'un autre l'épouse. Il n'est pas
permis, en effet, de la prendre si elle n'a pas été épousée
par un autre. Et si c'est un frère qui répudie, que son
frère l'épouse s'il le désire. Dans le même écrit il donne
des recommandations de ce genre : « Laboure la terre que
Dieu t'a donnée, et mets-y tout ton soin ; fais cela, et de
telle façon [1] » — pour ne pas dire comme lui des
obscénités.

La Chamelle de Dieu　　**7.** Il y a encore l'écrit de la *Chamelle de Dieu.* A son sujet il dit qu'une chamelle avait été envoyée par Dieu, qu'elle
buvait le fleuve entier et ne pouvait plus passer entre deux
montagnes, faute d'espace suffisant. Il y avait, dit-il, un
peuple à cet endroit [2] : un jour c'est lui qui buvait l'eau, et
ensuite, c'était la chamelle. Quand elle buvait l'eau, elle les
nourrissait en leur donnant du lait à la place de l'eau. Mais
ces hommes qui, dit-il, étaient méchants, se levèrent et
tuèrent la chamelle. Or elle avait eu une petite chamelle
qui, selon lui, cria vers Dieu après la mort de sa mère, et Il
la prit auprès de lui. Nous leur disons : D'où venait cette
chamelle ? De Dieu, disent-ils. Et nous disons : Un autre
chameau s'est-il accouplé avec elle ? Ils disent que non.
Alors, disons-nous, comment a-t-elle eu un petit ? Nous
voyons, en effet, que votre chamelle n'avait ni père, ni
mère, ni ascendance, et qu'après avoir eu une petite il lui
est arrivé malheur. Mais le mâle n'apparaît pas, et la petite
chamelle a été élevée (auprès de Dieu). Alors pourquoi
votre prophète à qui Dieu a parlé, ainsi que vous le dites,
n'a-t-il pas appris, au sujet de cette chamelle, où elle paît et

2. Le peuple Thamūd. Coran 54, 23-32.

ταύτην ἀμέλγοντες; Ἡ καὶ αὐτὴ μή ποτε κακοῖς ὡς ἡ
20 μήτηρ περιτυχοῦσα ἀνῃρέθη ἢ ἐν τῷ παραδείσῳ πρόδρομος
ὑμῶν εἰσῆλθεν, ἀφ' ἧς ὁ ποταμὸς ὑμῖν ἔσται, ὃν ληρεῖτε, τοῦ
γάλακτος; Τρεῖς γάρ φατε ποταμοὺς ὑμῖν ἐν τῷ παραδείσῳ
ῥέειν· ὕδατος, οἴνου καὶ γάλακτος. Ἐὰν ἐκτός ἐστιν ἡ
πρόδρομος ὑμῶν κάμηλος τοῦ παραδείσου, δῆλον ὅτι
25 ἀπεξηράνθη πείνῃ καὶ δίψῃ ἢ ἄλλοι τοῦ γάλακτος αὐτῆς
ἀπολαύουσι, καὶ μάτην ὁ προφήτης ὑμῶν φρυάττεται ὡς
ὁμιλήσας θεῷ· οὐ γὰρ τὸ μυστήριον αὐτῷ ἀπεκαλύφθη τῆς
καμήλου. Εἰ δὲ ἐν τῷ παραδείσῳ ἐστί, πάλιν πίνει τὸ ὕδωρ,
καὶ ἀνυδρίᾳ ξηραίνεσθε ἐν μέσῳ τῆς τρυφῆς τοῦ παραδείσου.
30 Κἂν οἶνον ἐκ τοῦ παροδεύοντος ἐπιθυμήσητε ποταμοῦ, μὴ
παρόντος ὕδατος — ἀπέπιε γὰρ ὅλον ἡ κάμηλος — ἄκρατον
πίνοντες ἐκκαίεσθε καὶ μέθῃ παραπαίετε καὶ καθεύδετε·
καρηβαροῦντες δὲ καὶ μεθ' ὕπνον καὶ κεκραιπαληκότες ἐξ
οἴνου τῶν ἡδέων ἐπιλανθάνεσθε τοῦ παραδείσου. Πῶς οὖν ὁ
35 προφήτης ὑμῶν οὐκ ἐνενοήθη ταῦτα, μήποτε συμβῇ ὑμῖν ἐν
τῷ παραδείσῳ τῆς τρυφῆς, οὐδὲ περὶ τῆς καμήλου πεφρόν-
τικεν ὅπου νῦν διάγει; Ἀλλ' οὐδὲ ὑμεῖς ἠρωτήσατε αὐτόν,
ὡς ὑμῖν περὶ τῶν τριῶν διηγόρευσεν ὀνειροπολούμενος
ποταμῶν. Ἀλλ' ἡμεῖς σαφῶς τὴν θαυμαστὴν ὑμῶν κάμηλον
40 εἰς ψυχὰς ὄνων, ὅπου καὶ ὑμεῖς μέλλετε διάγειν ὡς
κτηνώδεις, προδραμοῦσαν ὑμῶν ἐπαγγελλόμεθα. Ἐκεῖσε δὲ
σκότος ἐστὶ τὸ ἐξώτερον^e καὶ κόλασις ἀτελεύτητος, πῦρ
ἠχοῦν^f, σκώληξ ἀκοίμητος καὶ ταρτάριοι δαίμονες.

8. Πάλιν φησὶν ὁ Μάμεδ· ἡ γραφὴ « τῆς τραπέζης »
λέγει δὲ ὅτι ὁ Χριστὸς ᾐτήσατο παρὰ τοῦ θεοῦ τράπεζαν καὶ

e. Cf. Matth. 8, 12 ‖ f. Cf. Mc 9, 48

quels sont ceux qui la traient pour boire le lait ? Peut-être qu'ayant elle aussi rencontré un jour des méchants, comme sa mère, a-t-elle été tuée, ou vous a-t-elle précédés dans le paradis, et c'est d'elle que provient votre fleuve de lait au sujet duquel vous dites des sottises ? Vous dites, en effet, que trois fleuves coulent dans votre paradis : un d'eau, un de vin, et un de lait. Si la chamelle qui vous a précédés est hors du paradis, elle est évidemment desséchée de faim et de soif, ou d'autres profitent de son lait, et c'est en vain que votre prophète s'enorgueillit d'avoir été en relation avec Dieu, puisque le mystère de la chamelle ne lui a pas été dévoilé. Mais si elle est dans le paradis, elle boit l'eau à nouveau, et vous vous desséchez de soif au milieu des délices du paradis. Et si vous désirez du vin du fleuve qui passe à proximité, le buvant pur par manque d'eau — puisque la chamelle aura tout bu —, vous êtes enflammés, l'ivresse vous fait divaguer et vous endort. La tête alourdie par le sommeil et complètement ivres de vin, vous oubliez les agréments du paradis. Comment donc votre prophète n'a-t-il pas pensé à ces éventualités, pour qu'elles ne vous arrivent pas dans le paradis de délices, et comment ne s'est-il pas préoccupé de la chamelle, de savoir où elle vit maintenant ? Mais vous ne l'avez même pas interrogé quand, en état de rêve, il vous a renseignés en détail sur les trois fleuves. Quant à vous, nous vous annonçons clairement que votre chamelle prodigieuse vous a précédés dans les âmes des ânes, où vous êtes sur le point de pénétrer à votre tour, comme des bêtes. Là sont les ténèbres extérieures [e], la peine éternelle, le feu bruyant [f], le ver qui ne dort point, et les démons de l'enfer.

L'écrit de La Table **8.** Mahomet dit encore l'écrit de *La Table* [1]. Il dit que le Christ avait demandé à Dieu une table et qu'elle lui fut donnée.

1. Sourate 5 du Coran

ἐδόθη αὐτῷ. Ὁ γὰρ θεός, φησίν, εἶπεν αὐτῷ ὅτι δέδωκά σοι
καὶ τοῖς σοῖς τράπεζαν ἄφθαρτον.

5 Πάλιν γραφὴν « βοιδίου » λέγει καὶ ἄλλα τινὰ ῥήματα
γέλωτος ἄξια, ἃ διὰ τὸ πλῆθος παραδρα|μεῖν οἴομαι δεῖν.
Τούτους περιτέμνεσθαι σὺν γυναιξὶ νομοθετήσας καὶ μήτε
σαββατίζειν μήτε βαπτίζεσθαι προστάξας, τὰ μὲν τῶν ἐν τῷ
νόμῳ ἀπηγορευμένων ἐσθίειν, τῶν δὲ ἀπέχεσθαι παραδούς ·
10 οἰνοποσίαν δὲ παντελῶς ἀπηγόρευσεν.

1. Sourate 2 du Coran.

Selon lui, en effet, Dieu lui répondit : Je t'ai donné, ainsi qu'aux tiens, une table incorruptible.

L'écrit de La Vache
Il dit encore l'écrit de *La Vache* [1] et d'autres paroles risibles, que je crois devoir passer sous silence, à cause de leur nombre.

Pratiques et interdits
Il leur a prescrit, ainsi qu'à leurs femmes, de se faire circoncire. Il a ordonné de ne pas observer le sabbat et de ne pas se faire baptiser, concédant de manger certaines nourritures interdites par la Loi, mais de s'abstenir des autres. Il a aussi interdit absolument de boire du vin.

Διάλεξις Σαρακηνοῦ καὶ Χριστιανοῦ

1. Ἐρωτηθεὶς ὁ Χριστιανὸς παρὰ Σαρακηνοῦ· Τίνα
λέγεις αἴτιον καλοῦ καὶ κακοῦ; Ὁ Χριστιανός· Πάντων τῶν
ἀγαθῶν οὐδένα φαμὲν αἴτιον εἶναι εἰ μὴ τὸν θεόν, κακῶν δὲ
οὔ. Καὶ ἀποκριθεὶς ὁ Σαρακηνὸς εἶπεν· Τίνα λέγεις αἴτιον
5 τῶν κακῶν; Ὁ Χριστιανός· Τὸν ἀπὸ γνώμης ὄντα διάβολον
δηλονότι καὶ ἡμᾶς τοὺς ἀνθρώπους. Ὁ Σαρακηνός· Χάριν
τίνος; Ὁ Χριστιανός· Διὰ τὸ αὐτεξούσιον. Ὁ Σαρακηνός·
Τί οὖν· Αὐτεξούσιος εἶ καί, ὅσα θέλεις, δύνασαι ποιεῖν καὶ
ποιεῖς; Ὁ Χριστιανός· Εἰς δύο μόνα πέπλασμαι ὑπὸ τοῦ
10 θεοῦ αὐτεξούσιος. Ὁ Σαρακηνός· Ποῖα ταῦτα;
Ὁ Χριστιανός· Κακοπραγεῖν καὶ ἀγαθοπραγεῖν, ὅ ἐστι
καλὸν καὶ κακόν. Χάριν τούτου κακὰ μὲν πράττων τιμωροῦ-
μαι ὑπὸ νόμου τοῦ θεοῦ, ἀγαθὰ δὲ πράττων οὐ φοβοῦμαι τὸν

---

1. Nous avons traduit Ὁ Σαρακηνός par le Musulman et non par le
Sarrasin parce que ce mot a été utilisé par des auteurs antérieurs à
Jean Damascène pour désigner les Arabes nomades du désert de
Syrie d'avant l'Islam, dont certains étaient chrétiens, dans un sens
ethnique dépourvu de tout contenu religieux (EUSÈBE, citant Denys
d'Alexandrie, *PG* 20, 613 B, et CYRILLE DE JÉRUSALEM, Catéch. 6,
22). Or dans le cas présent il s'agit d'une controverse religieuse et le
mot Ὁ Σαρακηνός est utilisé dans le sens exclusif de musulman.

CONTROVERSE
ENTRE UN MUSULMAN
ET UN CHRÉTIEN

La liberté de l'homme   **1.** Le Chrétien est interrogé par le Musulman[1] : Qui, selon toi, est l'auteur du bien et du mal ? Le Chrétien : Nous disons que Dieu seul est l'auteur de tous les biens, mais Il ne l'est pas du mal.

En réponse, le Musulman dit : Qui est, selon toi, l'auteur du mal ?

Le Chrétien : Évidemment celui qui, de plein gré, est le diable, ainsi que nous les hommes.

Le Musulman : A cause de quoi ?

Le Chrétien : En vertu du libre arbitre.

Le Musulman : Quoi donc ? Tu possèdes le libre arbitre, et il t'est possible de faire ce que tu veux et tu le fais ?

Le Chrétien : Dieu m'a créé libre dans deux domaines seulement.

Le Musulman : Quels sont-ils ?

Le Chrétien : Faire le mal et faire le bien, ce qui est bon et ce qui est mauvais. En conséquence, si je fais le mal, la loi de Dieu me punit, mais si je fais le bien, je ne crains

νόμον, ἀλλὰ καὶ τιμῶμαι καὶ ἐλεοῦμαι ὑπὸ τοῦ θεοῦ.
15 Ὁμοίως καὶ ὁ διάβολος πρὸ τῶν ἀνθρώπων αὐτεξούσιος
πέπλασται ὑπὸ τοῦ θεοῦ καὶ ἥμαρτησεν, καὶ ὁ θεὸς τῆς ἰδίας
τάξεως ἐξέωσεν αὐτόν. Ἀλλ᾽ ἴσως καὶ ἐρεῖς μοι ἀντιλέγων·
Ποῖά εἰσιν ἃ λέγεις καλὰ καὶ κακά ; Ἰδοὺ ὁ ἥλιος καὶ ἡ
σελήνη καὶ οἱ ἀστέρες καλοί εἰσιν· ποίησον ἓν ἐκ τούτων.
20 Οὐ χάριν τούτου προλέγω σοι· κατὰ τῶν ἀνθρώπων
ἐργάζομαι καλὰ καὶ κακά. Καλὰ μὲν, οἷόν ἐστι δοξολογία
θεοῦ καὶ προσευχὴ καὶ ἐλεημοσύνη καὶ τὰ τούτοις ὅμοια,
κακὰ δὲ πορνεία, κλεψία καὶ τὰ ὅμοια.

Ἐπεί, ὡς λέγεις σύ, καλὰ καὶ κακὰ ἐκ θεοῦ | εἶναι,
25 εὑρεθήσεται ὁ θεὸς κατὰ σὲ ἄδικος, ὅπερ οὐκ ἔστιν· ἐπεὶ
γὰρ ὁ θεὸς προσέταξεν, ὡς οὐ λέγεις, τὸν πόρνον πορνεύειν
καὶ τὸν κλέπτην κλέπτειν καὶ τὸν ἀνδροφόνον ἀνδροφονεῖν,
ἄξιοί εἰσιν τιμῆς· τὸ γὰρ θέλημα τοῦ θεοῦ ἐποίησαν.
Εὑρεθήσονται καὶ οἱ νομοθέται σου ψευδεῖς καὶ τὰ βιβλία
30 σου ψευδεπίγραφα, ἐπειδὴ προστάττουσι τὸν πόρνον καὶ τὸν
κλέπτην δέρεσθαι ποιήσαντας τὸ θέλημα τοῦ θεοῦ καὶ τὸν
ἀνδροφόνον ἀποκτανθῆναι, ὃν ἔδει τιμηθῆναι, ἐπειδὴ τὸ
θέλημα τοῦ θεοῦ ἐποίησεν.

Ὁ δὲ Σαρακηνός· Τίς, φησί, πλάττει τὰ βρέφη ἐν
35 κοιλίαις γυναικῶν ; Τοῦτο γὰρ προβάλλονται οἱ Σαρακηνοὶ
πρὸς ἡμᾶς πρόβλημα δεινότατον θέλοντες ἀποδεῖξαι τὸν
θεὸν αἴτιον τῶν κακῶν. Εἰ γὰρ ἀποκριθεὶς λέγω ὅτι ὁ θεὸς
πλάττει τὰ βρέφη ἐν κοιλίαις γυναικῶν, ἐρεῖ ὁ Σαρακηνός·
Ἰδοὺ ὁ θεὸς σύνεργός ἐστι τῷ πόρνῳ καὶ τῷ μοιχῷ.

40 Ὁ Χριστιανὸς πρὸς ταῦτα ἀποκρίνεται· Οὐδαμῶς εὑρίσ-

pas la loi. Au contraire, je suis récompensé par Dieu et j'obtiens sa miséricorde. De la même manière, avant l'homme, le diable avait été créé libre par Dieu, et il a péché, et Dieu l'a chassé de sa condition propre. Mais peut-être m'objecteras-tu : « Qu'appelles-tu choses bonnes et choses mauvaises ? Voici le soleil, la lune et les étoiles qui sont des choses bonnes. Fabrique l'une d'entre elles ! » Ce n'est pas dans ce sens que je t'ai parlé auparavant ; je fais le bien et le mal qui sont du pouvoir de l'homme. Par exemple, le bien c'est la louange de Dieu, la prière, la charité et ce qui y ressemble ; et le mal c'est la fornication, le vol, et toute action semblable.

Dieu est juste   Si, comme tu le prétends, le bien et le mal viennent de Dieu, Dieu apparaît injuste. Ce qu'Il n'est pas. En effet, si c'est Dieu qui avait prescrit au fornicateur de forniquer, au voleur de voler, et à l'assassin d'assassiner, comme tu le prétends, ces hommes mériteraient une récompense pour leur obéissance à sa volonté. Cela prouve que tes législateurs sont des menteurs et que tes livres sont mensongers, car ils prescrivent d'écorcher le fornicateur et le voleur, qui n'ont fait qu'obéir à la volonté de Dieu, et de tuer l'assassin qu'il faudrait honorer, puisqu'il a accompli la volonté de Dieu.

Création et procréation   Le Musulman : Qui, dit-il, façonne les enfants dans le sein des femmes ? Les Musulmans nous présentent cette objection très difficile parce qu'ils veulent prouver que Dieu est l'auteur du mal. Si je réponds en disant que Dieu façonne l'enfant dans le sein des femmes, le Musulman dira : « Voici que Dieu coopère avec le fornicateur et l'adultère ! »

Le Chrétien répond à cela : En aucune manière nous ne

κομεν μετὰ τὴν πρώτην ἑβδομάδα τῆς κοσμοποιίας τὴν
γραφὴν λέγουσαν πλάττειν τὸν θεὸν ἢ κτίζειν τι[a]. Εἰ δὲ
ἀμφιβάλλεις περὶ τούτου, δεῖξον σὺ κτίσμα ἢ πλάσμα
οἰονδηποτοῦν μετὰ τὴν πρώτην ἑβδομάδα γενόμενον ὑπὸ τοῦ
45 θεοῦ, ἀλλ᾽ οὐδαμῶς δύνασαι τοῦτο ἀποδεῖξαι · πάντα γὰρ τὰ
ὁρατὰ κτίσματα τὴν πρώτην ἑβδομάδα γεγόνασιν. Ἔπλασεν
γάρ ὁ θεὸς τὸν ἄνθρωπον τὴν πρώτην ἑβδομάδα καὶ
προσέταξεν αὐτὸν γεννᾶν καὶ γεννᾶσθαι εἰπών · « Αὐξάνεσθε
καὶ πληθύνεσθε καὶ πληρώσατε τὴν γῆν[b]. » Καὶ ἐπειδὴ
50 ἔμψυχος ἦν ὁ ἄνθρωπος ἔμψυχον σπέρμα ἔχων, ἐν τῇ ἰδίᾳ
γυναικὶ σπορὰ ἀνεφύη. Ὥστε ἄνθρωπος ἄνθρωπον γεννᾷ,
καθάπερ ἡ θεία γραφὴ λέγει · « Ἀδὰμ γὰρ ἐγέννησε τὸν
Σήθ, καὶ ὁ Σὴθ ἐγέννησε τὸν Ἐνώς, καὶ Ἐνὼς ἐγέννησε τὸν
Καϊνάν, καὶ Καϊνὰν ἐγέννησε τὸν Μαλελεήλ, καὶ Μαλελεὴλ
55 ἐγέννησε τὸν Ἰάρεδ, καὶ Ἰάρεδ ἐγέννησε τὸν Ἐνώχ[c]. » Καὶ
οὐκ εἶπεν · Ὁ θεὸς ἔπλασε τὸν Σὴθ ἢ τὸν Ἐνὼς ἢ ἄλλον
τινά, καὶ ἐντεῦθεν γινώσκομεν ὅτι μονώτατος ὁ Ἀδὰμ
πέπλασται ὑπὸ τοῦ θεοῦ, οἱ δὲ μετ᾽ ἐκεῖνον γεννῶνται καὶ
γεννῶσιν ἕως τοῦ παρόντος. Καὶ οὕτως χάριτι θεοῦ ὁ
60 κόσμος συνίσταται, ἐπειδὴ καὶ πᾶσα βοτάνη καὶ πᾶν φυτὸν
προστάξει τοῦ θεοῦ ἀπὸ τότε γεννᾷ καὶ γεννᾶται — ἔφη γὰρ
ὁ θεός · « Βλαστησάτω ἡ γῆ βοτάνην χόρτου[d] » — καὶ τῷ
προστάγματι αὐτοῦ ἐβλάστησεν ἕκαστον δένδρον, <πᾶν δὲ>
εἶδος βοτάνης καὶ φυτοῦ ἐν ἑαυτῷ ἔχει σπερματικὴν
65 δύναμιν. Ἡ σπορὰ δὲ παντὸς φυτοῦ καὶ βοτάνης ἔμψυχός
ἐστιν, ἥτις ἐν τῇ γῇ πάλιν ἀφ᾽ ἑαυτῆς πίπτουσα ἢ καὶ ὑπὸ
ἄλλου σπερομένη ἀναβλαστάνει, μὴ πλαττομένη ὑπό τινος,
ἀλλὰ τῷ πρώτῳ προστάγματι τοῦ θεοῦ ὑπακούουσα. Ἰδοὺ
καὶ ἐγώ, καθὰ πρώην ἔφην, αὐτεξούσιος ὢν ἐν οἷς μόνοις
70 προεῖπα, ὅπου ἐὰν σπείρω κἂν εἰς ἰδίαν | γυναῖκα, κἂν εἰς
ἀλλοτρίαν τῇ ἐξουσίᾳ μου χρώμενος, ἀναβλαστάνει καὶ
γίνεται τῷ πρώτῳ προστάγματι τοῦ θεοῦ ὑπακούουσα, οὐχ

a. Cf. Gen. 2, 1 ‖ b. Gen. 1, 28 ‖ c. Gen. 5, 3-20 ‖ d. Gen. 1, 11

trouvons affirmé par l'Écriture que Dieu façonne ou crée quoi que ce soit après la première semaine de la création du monde[a]. Si tu le contestes, montre-moi une créature ou un ouvrage quelconque créé par Dieu après la première semaine. Mais tu ne le peux en aucune manière, car tous les êtres visibles ont été créés pendant la première semaine. Ainsi Dieu a façonné l'homme lors de cette première semaine, et Il lui a prescrit d'engendrer et d'être engendré, quand Il a dit : « Croissez, multipliez-vous, et remplissez la terre[b] ». Comme l'homme était un être vivant qui possédait une semence de vie, cette semence a germé dans sa propre femme, et c'est ainsi que l'homme engendre l'homme, comme le dit la divine Écriture : « Adam a engendré Seth. Seth a engendré Enosh, Enosh a engendré Caïn, Caïn a engendré Mahalaléel, Mahalaléel a engendré Yéred, et Yéred a engendré Enoch[c] ». Mais elle ne dit pas que Dieu a façonné Seth, Enosh ou quelqu'un d'autre. Et par là nous savons qu'Adam fut absolument le seul à avoir été façonné par Dieu, tandis que ses descendants ont été engendrés, puis ont engendré, jusqu'au temps présent. Et ainsi, par la grâce de Dieu, le monde est conservé, puisque depuis ce temps, en vertu de ce qu'a prescrit Dieu, toute plante et toute herbe produit et est reproduite. Car Dieu a dit : « Que la terre fasse pousser l'herbe de la pâture[d] ! » » Et sur son ordre tous les arbres ont poussé, et toutes les espèces de plantes et d'herbes ont en elles le pouvoir de se reproduire. La semence de toute plante et de toute herbe est vivante. Si elle tombe d'elle même en terre, ou si elle y est semée, elle repousse. Elle n'est pas façonnée par quelqu'un, mais obéit à l'ordre initial de Dieu. Et voici que moi — possédant, ainsi que je l'ai dit aupravant, mon libre arbitre dans le domaine précédemment énoncé et lui seul —, si je dépose ma semence soit dans ma propre femme soit dans une autre femme en usant de ma liberté, cette semence croît et germe en obéissant à l'ordre initial de Dieu, et non parce

ὅτι καὶ νῦν καθ᾽ ἑκάστην ἡμέραν πλάττει καὶ ἐργάζεται,
ἐπειδὴ ἐν τῇ πρώτῃ ἑβδομάδι « ἐποίησεν ὁ θεὸς τὸν οὐρανὸν
75 καὶ τὴν γῆν καὶ τὸν σύμπαντα κόσμον ἐν ἐξ ἡμέραις καὶ τῇ
ἑβδόμῃ κατέπαυσεν ἀπὸ πάντων τῶν ἔργων αὐτοῦ, ὧν
ἤρξατο ποιεῖν ᵉ », καθὼς καὶ ἡ γραφὴ μαρτυρεῖ μοι.

Ὁ δὲ Σαρακηνός· Καὶ πῶς φησιν ὁ θεὸς πρὸς Ἰερεμίαν·
« Πρὸ τοῦ με πλάσαι σε ἐν κοιλίᾳ ἐπίσταμαί σε καὶ ἐκ
80 μήτρας ἡγίακά σε ᶠ. » Ὁ Χριστιανός· Παντὸς ἀνδρὸς ἐν
κοιλίᾳ ἔπλασεν ὁ θεὸς τὴν ἔμψυχον καὶ σπερματικὴν δύναμιν
ἀπὸ Ἀδὰμ καὶ καθεξῆς. Ἀδὰμ γὰρ ἐν κοιλίᾳ ἔχων τὸν Σὴθ
ἐγέννησεν, ὡς προεῖπον, καὶ Σὴθ τὸν Ἐνώς, καὶ ἕκαστος
ἄνθρωπος προέχων ἐν τῇ κοιλίᾳ αὐτοῦ υἱὸν καὶ ὁ υἱὸς
85 ἐγέννησε καὶ γεννᾷ μέχρι τοῦ παρόντος. Τὸ δὲ « ἐκ μήτρας
ἡγίακά σε » νόησον τὴν ὄντως γεννῶσαν τὰ τέκνα τοῦ θεοῦ
κατὰ τὴν μαρτυρίαν τοῦ ἁγίου εὐαγγελίου· « Ὅσοι γὰρ
ἔλαβον αὐτόν, φησίν, ἔδωκεν αὐτοῖς ἐξουσίαν τέκνα θεοῦ
γενέσθαι, τοῖς πιστεύουσιν εἰς τὸ ὄνομα αὐτοῦ, οἳ οὐκ ἐξ
90 αἱμάτων οὐδὲ ἐκ θελήματος ἀνδρὸς οὐδὲ ἐκ θελήματος
σαρκός, ἀλλ᾽ ἐκ θεοῦ ἐγεννήθησαν ᵍ » διὰ τοῦ βαπτίσματος.

2. Ὁ δὲ ἐναντίος· Καὶ ἦν πρὸ Χριστοῦ βάπτισμα; Ὁ
γὰρ Ἰερεμίας πρὸ Χριστοῦ γεννᾶται. Ὁ Χριστιανός· Ἦν
κατὰ τὴν μαρτυρίαν τοῦ ἁγίου ἀποστόλου φάσκοντος, ὅτι οἱ
μὲν διὰ νεφέλης, οἱ δὲ διὰ θαλάσσης ἐβαπτίσθησαν ʰ. Καὶ ὁ
5 κύριος ἐν εὐαγγελίοις φησίν· « Ἐὰν μή τις γεννηθῇ δι᾽
ὕδατος καὶ πνεύματος, οὐ μὴ εἰσέλθῃ εἰς τὴν βασιλείαν τῶν
οὐρανῶν ⁱ. » Ὥστε ὁ Ἀβραὰμ καὶ Ἰσαὰκ καὶ Ἰακὼβ καὶ οἱ
λοιποὶ πρὸ Χριστοῦ ἅγιοι εἰσερχόμενοι εἰς τὴς βασιλείαν
τῶν οὐρανῶν προεβαπτίσθησαν, ἐπεὶ κατὰ τὴν μαρτυρίαν
10 τοῦ Χριστοῦ, εἰ μὴ ἐβαπτίσθησαν, οὐκ ἂν ἐσώζοντο.

e. Cf. Gen. 2, 1-3 ‖ f. Jér. 1, 5 ‖ g. Jn 1, 12-13 ‖ h. Cf. I
Cor. 10, 1-2 ‖ i. Jn 3, 5

qu'il façonne et travaille chaque jour, et maintenant encore : « Car c'est durant la première semaine que Dieu a fait le ciel, la terre et tout l'univers, en six jours, et le septième, Il s'est reposé de tous les travaux qu'Il avait entrepris de faire[e]. » Comme me l'atteste l'Écriture.

Le père engendre le fils

Le Musulman : Et comment se fait-il que Dieu dise à Jérémie : « Avant de t'avoir formé dans le sein, Je te connais, et dès la matrice, Je t'ai sanctifié[f] ? »

Le Chrétien : Depuis Adam, et par la suite, Dieu a façonné dans le sein de tout homme le pouvoir de transmettre la vie et d'engendrer. En effet, Adam, qui avait Seth dans son sein l'a engendré, et le fils a engendré et engendre jusqu'à nos jours. Pour cette parole : « Dès la matrice je t'ai sanctifié », représente-toi celle qui, en réalité, fait naître les enfants de Dieu, selon le témoignage du Saint Évangile : « Car à tous ceux qui l'ont reçu, dit-il, il a donné le pouvoir de devenir enfants de Dieu, à ceux qui croient en son nom, qui ne sont nés ni du sang, ni de la volonté de l'homme, ni de la volonté de la chair, mais de Dieu[g] » — par le baptême.

Le baptême et le salut

2. L'Adversaire : Le Baptême existait donc avant le Christ ? Jérémie, en effet, est né avant le Christ.

Le Chrétien : Il existait, selon le témoignage du saint apôtre qui affirme que les uns ont été baptisés dans la nuée, d'autres dans la mer[h]. Et le Seigneur dit dans les Évangiles : « Celui qui n'est pas né de l'eau et de l'Esprit n'entrera pas dans le royaume des cieux[i] ». Donc Abraham, Isaac, Jacob, et tous les autres saints qui ont précédé le Christ et qui sont entrés dans le royaume des cieux ont été baptisés auparavant, puisque, selon le témoignage du Christ, s'ils n'avaient pas été baptisés, ils n'auraient pas été sauvés. L'Esprit-Saint en témoigne quand il dit : « Les

Μαρτυρεῖ δὲ τὸ πνεῦμα τὸ ἅγιον λέγον · « Ἀπηλλοτριώ-
θησαν οἱ ἁμαρτωλοὶ ἀπὸ μήτρας [j] », τουτέστι τῆς τοῦ
βαπτίσματος. Χάριν τούτου ὁμολογοῦμεν ὅτι πάντες οἱ
σωθέντες καὶ οἱ σῳζόμενοι διὰ βαπτίσματος ἐσώθησαν καὶ
15 σῴζονται χάριτι θεοῦ.

3. Ὁ Σαρακηνός · Τὸν ποιοῦντα τὸ θέλημα αὐτοῦ τοῦ
θεοῦ καλὸν εἶναι λέγεις ἢ κακόν; Γνοὺς δὲ τὴν πανουργίαν
αὐτοῦ ὁ Χριστιανὸς ἔφη · Ὁ θέλεις εἰπεῖν, ἐπίσταμαι. Ὁ
Σαρακηνός · Φανέρωσόν μοι αὐτό. Ὁ Χριστιανός · Εἰπεῖν
5 θέλεις ὅτι ὁ Χριστὸς θέλων ἔπαθεν ἢ μὴ θέλων; Καὶ ἐάν σοι
εἴπω · Θέλων ἔπαθεν, ἵνα μοι εἴπῃς · Ἄπελθε λοιπόν,
προσκύνησον τοὺς Ἰουδαίους, διότι τὸ θέλημα τοῦ θεοῦ σου
ἐποίησαν. | Ὁ Σαρακηνός · Οὕτως, φησί, σοὶ ἤθελον εἰπεῖν ·
εἰ ἔστι σοι λόγος, ἀποκρίθητί μοι. Ὁ Χριστιανός · Ὅ τι σὺ
10 λέγεις θέλημα εἶναι, ἐγὼ λέγω ἀνοχὴν καὶ μακροθυμίαν. Ὁ
Σαρακηνός · Πόθεν δύνῃ τοῦτο παραστῆσαι; Ὁ Χριστιανός ·
Διὰ πράγματος · διὸ καθημένου ἐμοῦ καὶ σοῦ ἢ ἱσταμένου
δύναταί τις ἐξ ἡμῶν ἄνευ τῆς ἐξουσίας καὶ δεσποτείας τοῦ
θεοῦ ἀναστῆναι ἢ κινηθῆναι; Καὶ ὁ Σαρακηνός · Οὔ. Ὁ
15 Χριστιανός · Τοῦ θεοῦ εἰπόντος · « Μὴ κλέψῃς, μὴ
πορνεύσῃς, μὴ φονεύσῃς [k] », θέλει ἵνα κλέψωμεν καὶ πορνεύ-
σωμεν καὶ φονεύσωμεν; Ὁ Σαρακηνός · Οὐχί · εἰ γὰρ
ἤθελεν, οὐκ ἂν εἶπεν · « Μὴ κλέψῃς, μὴ πορνεύσῃς, μὴ
φονεύσῃς. » Ὁ Χριστιανός · Δόξα τῷ θεῷ, ὅτι σὺ ὡμολόγη-
20 σας λέγων ἃ θέλω εἰπεῖν. Ἰδοὺ συνέθου μοι ὅτι οὐδεὶς ἐξ
ἡμῶν ἄνευ τοῦ θεοῦ δύναται ἀναστῆναι ἢ κινηθῆναι καὶ ὅτι
οὐ θέλει ὁ θεός, ἵνα κλέπτωμεν ἢ πορνεύωμεν. Ἐὰν ἄρτι

j. Ps. 57, 4 ‖ k. Cf. Mc 10, 19

impies se sont dévoyés dès la matrice[j] », c'est-à-dire la matrice du baptême. C'est pourquoi nous proclamons que tous ceux qui ont été sauvés, ou qui le sont, c'est par le baptême qu'ils ont été sauvés ou qu'ils sont sauvés, par la grâce de Dieu.

Volonté et tolérance **3.** Le Musulman : A ton avis, celui qui fait la volonté de son Dieu, diras-tu qu'il est bon ou qu'il est mauvais ?

Mais connaissant sa ruse, le Chrétien dit : Je sais où tu veux en venir.

Le Musulman : Explique-le moi !

Le Chrétien : Tu veux me dire : « Le Christ a-t-il souffert volontairement ou non ? » Et si je te dis : Il a souffert volontairement, tu me diras : « Alors va te prosterner devant les juifs, car ils ont accompli la volonté de ton Dieu ».

Le Musulman : C'est, dit-il, ce que je voulais te dire. Si tu peux me répondre, fais-le !

Le Chrétien : Ce que tu appelles volonté je l'appelle moi, pour ma part, tolérance et longanimité.

Le Musulman : Comment peux-tu le démontrer ?

Le Chrétien : A partir des faits, Ainsi, quand toi et moi sommes assis ou debout, l'un de nous peut-il se lever ou bouger sans la volonté et l'autorité de Dieu ?

Le Musulman : Non.

Le Chrétien : Quand Dieu dit : « Tu ne voleras pas, tu ne commettras pas d'adultère, tu ne tueras pas[k] », veut-Il nous voir voler, commettre l'adultère et tuer ?

Le Musulman : Non, car s'Il voulait, Il n'aurait pas dit : « Ne vole pas, ne commets pas l'adultère, ne tue pas ! »

Le Chrétien : Gloire à Dieu ! parce que tu es d'accord avec moi en disant ce que je veux dire. Voici que tu m'as accordé qu'aucun de nous ne peut se lever ni bouger tant que Dieu ne le veut pas, et que, d'autre part, Dieu nous interdit de voler ou de commettre l'adultère. Si je me lève

ἀναστὰς ἀπέλθω καὶ κλέψω ἢ πορνεύσω, τί αὐτὸ λέγεις
θέλημα θεοῦ ἢ συγχώρησιν καὶ ἀνοχὴν καὶ μακροθυμίαν;

4. Ὁ Σαρακηνὸς νοήσας καὶ θαυμάσας ἔφη· Ἀληθῶς,
οὕτως ἔχει. Ὁ Χριστιανός· Νόησον καὶ τοῦτο ὅτι δυναμένου
τοῦ θεοῦ πατάξαι ἀνεχώρησεν πρὸς τὸ παρόν, τουτέστιν
ἐμακροθύμησεν ἐπὶ τὴν ἁμαρτίαν. Ἀλλ᾽ ὅταν θέλῃ, ἂν οὐ
5 μετανοήσω, ἀποδίδωσί μοι, καθάπερ καὶ τοῖς Ἰουδαίοις
ἐποίησεν. Μετὰ γὰρ ἔτη ὀλίγα ἀνέστησεν κατ᾽ αὐτῶν τὸν
Τίτον καὶ Οὐεσπασιανὸν καὶ τοὺς Ἕλληνας καὶ καθεῖλεν τὰ
φρυάγματα αὐτῶν.

5. Ἐὰν ἐρωτηθῇς ὑπὸ Σαρακηνοῦ λέγοντος· Τί λέγεις
εἶναι τὸν Χριστόν; εἰπὲ αὐτῷ· Λόγον θεοῦ, μηδὲν ἐν τούτῳ
νομίζων ἁμαρτάνειν, ἐπεὶ καὶ λόγος[1] λέγεται παρὰ τῇ γραφῇ
καὶ σοφία[m] καὶ βραχίων[n] καὶ δύναμις θεοῦ καὶ ἄλλα πολλὰ
5 τοιαῦτα· πολυώνυμος γάρ ἐστιν. Καὶ ἀντερώτησον αὐτὸν
καὶ σὺ λέγων· Τί λέγεται παρὰ τῇ γραφῇ σου ὁ Χριστός;
Καὶ ἴσως θελήσει ἐρωτῆσαι σε ἐκεῖνος ἄλλο τι θέλων
ἐκφυγεῖν σε· μὴ ἀποκριθῇς αὐτῷ, ἕως ἂν λύσῃ τὸ ἐρώτημά
σου. Ἀνάγκη πᾶσα ἀποκριθήσεταί σοι λέγων· Παρὰ τῇ
10 γραφῇ μου πνεῦμα καὶ λόγος θεοῦ λέγεται ὁ Χριστός. Καὶ
τότε εἰπὲ αὐτῷ σὺ πάλιν· Τὸ πνεῦμα τοῦ θεοῦ καὶ ὁ λόγος
παρὰ τῇ γραφῇ σου ἄκτιστα λέγονται ἢ κτιστά; Καὶ ἐὰν
εἴπῃ ὅτι ἄκτιστα, εἰπὲ αὐτῷ· Ἰδοὺ ὁμοφωνεῖς μοι· καὶ γὰρ
τὸ μὴ κτισθὲν ὑπό τινος, ἀλλὰ κτίζον θεός ἐστιν. Εἰ δὲ ὅλως
15 τολμήσει εἰπεῖν ὅτι κτιστά εἰσιν, εἰπέ αὐτῷ· Καὶ τίς ἔκτισε
τὸ πνεῦμα καὶ τὸν λόγον τοῦ θεοῦ; Καὶ ἐὰν ἐξ ἀπορίας εἴπῃ
ὅτι ὁ θεὸς αὐτὰ ἔκτισεν, εἰπὲ αὐτῷ· Πρὸ μικροῦ ἔλεγες
ἄκτιστα εἶναι, καὶ ἀρτίως λέγεις ὅτι ὁ θεὸς αὐτὰ ἔκτισε.
Ἰδού, εἰ ἔλεγον ἐγὼ πρός σε τοιοῦτον, ἔλεγες ἂν πρός με
20 ὅτι· Ἠφάνισας τὴν μαρτυρίαν σου, καὶ τοῦ λοιποῦ οὐ
πιστεύω σοι, ὅσα ἂν εἴπῃς. Ὅμως οὖν καὶ τοῦτο ἐρωτῶ σε·

1. Cf. Jn 1, 1 ǁ m. Cf. I Cor. 1, 24. ǁ n. Cf. Lc 1, 51; Ps. 97, 1

à l'instant et que je pars voler ou commettre l'adultère, comment appelles-tu cela : volonté de Dieu ou bien consentement, tolérance et longanimité ?

4. Le Musulman ayant compris et étant admiratif dit : Vraiment, il en est ainsi.

Le Chrétien : Comprends également ceci : Alors que Dieu pouvait sévir, Il s'est abstenu pour l'instant, c'est-à-dire qu'Il a eu de la longanimité à l'égard du péché. Mais quand Il veut , si je ne me repens pas, Il me punit ; et c'est ainsi qu'Il a agi avec les juifs. En effet, quelques années après, Il a excité contre eux Titus, Vespasien et les Grecs, et Il a abaissé leur orgueil.

Le Christ et Dieu **5.** Si le Musulman te demande : Selon toi, qui est le Christ ? Dis-lui : Le Verbe de Dieu, sans crainte de te tromper, car l'Écriture l'appelle[1] Verbe, ainsi que Sagesse[m], Bras[n], Force de Dieu, et de nombreux autres noms semblables. Il possède en effet beaucoup de noms. Et interroge-le à ton tour et demande-lui : Comment le Christ est-il appelé dans ton Écriture ? Si, en guise d'échappatoire, il veut te questionner sur un autre sujet, ne lui réponds pas avant qu'il ait répondu à ta question. Il sera ainsi absolument contraint de te répondre : Dans mon Écriture, le Christ est appelé Esprit et Verbe de Dieu. Alors, dis-lui de nouveau : L'Esprit de Dieu et le Verbe, selon ton Écriture, sont-ils dits incréés ou créés ? S'il te dit qu'ils sont incréés, dis-lui : Voici que tu es d'accord avec moi, car ce qui n'est pas créé par quelqu'un, mais ce qui crée, est Dieu. Mais, s'il ose dire sans réserve qu'ils sont créés, dis-lui : Qui donc a créé l'Esprit et le Verbe de Dieu ? Et si, embarrassé, il dit que c'est Dieu qui les a créés, dis-lui : Il y a peu tu disais qu'ils étaient incréés, et maintenant tu dis que Dieu les a créés ! Eh bien, si je t'avais dit la même chose, tu m'aurais dit : Tu as détruit ton témoignage, et quoi que tu dises désormais, je ne te crois plus. Malgré tout, je te demande

Πρὸ τοῦ κτίσαι ὁ θεὸς τὸ πνεῦμα καὶ τὸν λόγον οὐκ εἶχεν
πνεῦμα οὐδὲ λόγον; Καὶ φεύξεται ἀπὸ σοῦ μὴ ἔχων τι
ἀποκριθῆναί σοι — αἱρετικοὶ γάρ εἰσιν οἱ τοιοῦτοι κατὰ |
25 Σαρακηνοὺς καὶ πάνυ βδελυκτοὶ καὶ ἀπόβλητοι — καί, ἐὰν
αὐτὸν θελήσῃς δημοσιεῦσαι τοῖς λοιποῖς Σαρακηνοῖς,
φοβηθήσεταί σε πολύ.

6. Καὶ ἐὰν ἐρωτήσῃ σε ὁ Σαρακηνὸς λέγων · Τὰ λόγια
τοῦ ὁ θεοῦ κτιστά εἰσιν ἢ ἄκτιστα; Τοῦτο γὰρ προβάλλονται
πρὸς ἡμᾶς ἐρώτημα δεινότατον θέλοντες ἀποδεῖξαι κτιστὸν
εἶναι τὸν λόγον τοῦ θεοῦ, ὅπερ οὐκ ἔστιν. Ἐὰν γὰρ εἴπῃς ·
5 Κτιστά εἰσιν, λέγει σοι ὅτι ἰδοὺ λέγεις κτιστὸν τὸν λόγον
τοῦ θεοῦ. Εἰ δὲ εἴπῃς · Ἄκτιστον, λέγει ὅτι ἰδοὺ πάντα τὰ
λόγια τοῦ θεοῦ ὑπάρχοντα ἄκτιστα μέν εἰσι, θεοὶ δὲ οὐκ
εἰσιν. Ἰδοὺ σὺ ὡμολόγησα, ὅτι ὁ Χριστὸς λόγος ὢν τοῦ θεοῦ
οὐκ ἔστι θεός. Διὸ μηδὲ κτιστὰ μηδὲ ἄκτιστα ἀποκριθῇς
10 αὐτῷ, ἀλλ' οὕτως ἀποκρίθητι αὐτῷ · Ἐγὼ ἕνα μόνον λόγον
τοῦ θεοῦ ἐνυπόστατον ὁμολογῶ ἄκτιστον ὄντα, καθάπερ καὶ
σὺ ὡμολόγησας, τὴν δὲ πᾶσαν γραφήν μου οὐ λέγω λόγια,
ἀλλὰ ῥήματα θεοῦ. Καὶ ἐὰν εἴπῃ ὁ Σαρακηνός · Καὶ πῶς
λέγει ὁ Δαυίδ · « Τὰ λόγια κυρίου λόγια ἀγνά °, » καὶ οὐχί ·

o. Ps. 12, 7

1. Au chapitre 29 de la *Dialectique* Jean Damascène explique que
« énypostasié » peut être utilisé dans le sens de : subsistant en soi, et
correspond donc à l'hypostase. Mais il précise au chapitre 44 que
c'est là une utilisation impropre de ce terme dont la signification
exacte est : ce qui ne subsiste pas en soi-même (Κυρίως δὲ

encore ceci : Avant d'avoir créé l'Esprit et le Verbe, Dieu était-Il sans Esprit et sans Verbe ? Et il te fuira, n'ayant rien à te répondre. En effet, ceux qui disent semblable chose sont considérés comme hérétiques, selon les musulmans, et ils sont rejetés et détestés. Et si tu veux le dénoncer aux autres musulmans, il aura très peur de toi.

Paroles et communications
6. Lorsque le Musulman te demande : Les paroles de Dieu sont-elles créées ou incréées ? — Les musulmans nous posent cette question très difficile afin de prouver que le Verbe de Dieu est créé, ce qui est faux. — Si tu dis créées, il te dit : Te voilà qui affirmes que le Verbe de Dieu est créé. Mais, si tu dis incréées, il dit : Toutes les paroles de Dieu qui existent sont incréées, cependant elles ne sont pas des dieux. Te voici d'accord avec moi, que le Christ, qui est Verbe de Dieu, n'est pas Dieu. C'est pourquoi tu ne répondras ni créées ni incréées, mais tu lui répondras ceci : Je confesse qu'il y a en Dieu un seul Verbe, « énypostasié » [1] et qui est incréé, ainsi que tu l'as confessé toi-même. Or, je n'appelle pas mon Écriture, dans sa totalité, paroles de Dieu, mais communications divines [2]. Si le Musulman te dit : Comment se fait-il que David

ἐνυπόστατόν ἐστιν, ἢ τὸ καθ' ἑαυτὸ μὲν μὴ ὑφιστάμενον, ἀλλ' ἐν ταῖς ὑποστάσεσι θεωρούμενον).

2. Il est difficile de restituer dans une traduction française la différence entre λόγια et ῥήματα. Jean veut signifier que, pour l'Écriture simplement inspirée, il refuse d'utiliser un mot de la même famille que λόγος, réservant ce terme aux paroles du Verbe lui-même. G. W. H. Lampe traduit τά λόγια par : paroles du *Logos* (p. 806) et τά ῥήματα, opposé à τά λόγια par : ce qui est dit (p. 1216). Carrez-Morel, *Dictionnaire Grec-Français du Nouveau Testament*, Neuchâtel, 1971, traduit τά λόγια par : paroles révélées (références : Act. 7, 38 ; Rom. 3, 2 ; Hébr. 5, 12, I Pierre 4, 11) ; τά ῥήματα est traduit par : paroles prononcées (références : Matth. 27, 14 ; Lc 7, 1 ; Act. 2, 14 ; Rom. 10, 18 ; II Cor. 12, 4). D. J. Sahas, *John of Damascus on Islam*, p. 151, traduit τά λόγια par *words* et τά ῥήματα par *utterance*. Il nous a semblé que le mot « communication »

15 Τὰ ῥήματα κυρίου ῥήματα ἁγνά; εἰπὲ αὐτῷ ὅτι ὁ προφήτης
τροπολογικῶς ἐλάλησεν καὶ οὐ κυριολογικῶς.

Καὶ ἐάν σοι εἴπῃ· Τί ἐστιν τροπολογία καὶ κυριολογία;
εἰπὲ αὐτῷ· Κυριολογία μέν ἐστιν βεβαία ἀπόδειξις πράγματος, τροπολογία δέ ἐστιν ἀβέβαιος ἀπόδειξις. Καὶ ἐάν σοι
20 εἴπῃ ὁ Σαρακηνός· Ἐνδέχεται προφήτην εἰπεῖν ἀβέβαιον
ἀπόδειξιν; εἰπὲ αὐτῷ· Ἔθος ἐστὶ τοῖς προφήταις τὰ ἄψυχα
προσωποποιεῖν, καὶ ὀφθαλμοὺς καὶ στόματα τιθέασιν αὐτοῖς, ὡς τὸ « ἡ θάλασσα εἶδεν καὶ ἔφυγεν[p] ». Ἰδοὺ καὶ
θάλασσα ὀφθαλμοὺς οὐκ ἔχει· οὐ γάρ ἐστιν ἔμψυχος. Καὶ
25 πάλιν ὁ αὐτὸς προφήτης ὡς ἔμψυχον αὐτὴν διαλέγεται· « Τί
σοί ἐστι, θάλασσα, ὅτι ἔφυγες[q], » καὶ τὰ ἐξῆς. « Καὶ ἡ
μάχαιρά μου φάγεται κρέα[r] », λέγει ἡ γραφή· τὸ γὰρ
φαγεῖν ἐπὶ στόματος λέγεται τρώγοντος καὶ καταπίνοντος,
ἡ δὲ μάχαιρα τέμνει μέν, οὐ καταπίνει δέ. Οὕτως καὶ τὰ
30 ῥήματα τροπολογήσας ἐλάλησε λόγια, ἅπερ κυρίως οὔκ
εἰσιν λόγια, ἀλλὰ ῥήματα.

7. Καὶ ἐάν σοι εἴπῃ ὁ Σαρακηνός· Πῶς κατῆλθεν ὁ θεὸς
εἰς κοιλίαν γυναικός; εἰπὲ αὐτῷ· Χρησώμεθα τῇ γραφῇ σου
καὶ τῇ γραφῇ μου· ἡ γραφή σου λέγει, ὅτι προεκάθηρεν ὁ

p. Ps. 114, 3 ‖ q. Ps. 114, 5 ‖ r. Deut. 32, 42

pouvait faire penser à la présence d'un intermédiaire, en l'occurrence
l'auteur inspiré, le Christ étant la seule Révélation, la seule Parole de
Dieu.

dise : « Les paroles du Seigneur sont des paroles saintes »,
et non « Les communications du Seigneur sont saintes[o] ? »
Dis-lui que le prophète a parlé au sens figuré et non au
sens propre.

**Sens propre
sens figuré**   S'il te dit : Qu'entends-tu par sens figuré et sens propre ? Dis-lui : Le sens propre est la signification permanente d'une
chose ; le sens figuré est une signification occasionnelle [1].
Si le Musulman te dit : Se peut-il que le prophète utilise
une signification occasionnelle ? Dis-lui : les prophètes ont
l'habitude de personnifier les êtres inanimés, ils leur
attribuent des yeux et des bouches ; comme : « La mer a vu
et a fui[p] ». En vérité, la mer n'a pas d'yeux, car elle est
inanimée. Le prophète l'interpelle de nouveau comme un
être animé : « Qu'as-tu, mer, à t'enfuir[q] ? » Et la suite. De
même : « Mon épée se repaît de chair[r] », dit l'Écriture. Or,
se repaître s'applique à une bouche qui mange et qui boit,
et si un glaive peut trancher, il ne peut boire. Et ainsi, au
sens figuré, il a appelé les communications (de Dieu)
paroles, bien qu'elles ne soient pas exactement des paroles
mais des communications.

L'incarnation   7. Si le Musulman te dit : Comment
Dieu est-Il descendu dans le sein d'une
femme ? Dis-lui : Utilisons ton Écriture et la mienne ! Ton

---

1. Nous n'avons pas trouvé dans la *Dialectique* de Jean Damascène d'explication plus satisfaisante sur le sens propre et le sens figuré.

θεὸς τὴν παρθένον Μαρίαν ὑπὲρ πᾶσαν σάρκα γυναικός, καὶ
5 κατέβη τὸ πνεῦμα τοῦ θεοῦ καὶ ὁ λόγος εἰς αὐτήν, καὶ τὸ
εὐαγγέλιόν μου λέγει. « Πνεῦμα ἅγιον ἐπελεύσεται ἐπὶ σέ,
καὶ δύναμις ὑψίστου ἐπισκιάσει σοι ˢ. » Ἰδοὺ μία φωνὴ
ἀμφοτέρων τῶν λέξεων καὶ ἓν νόημα. Γίνωσκε δὲ καὶ τοῦτο,
ὅτι πρὸς τὴν ἡμετέραν ἰδιότητα λέγει ἡ γραφὴ κατάβασιν
10 θεοῦ καὶ ἀνάβασιν τροπολογικῶς καὶ οὐ κυριολογικῶς ·
κυρίως γὰρ κατάβασις καὶ ἀνάβασις ἐπὶ σωμάτων λέγεται
κατὰ φιλοσόφους, ὁ δὲ θεὸς τὰ πάντα περιέχει καὶ οὐ
περιέχεται ὑπό τινος τόπου. Ἔφη γάρ τις τῶν προφητῶν ·
« Τίς ἐμέτρησε τῇ χειρὶ αὐτοῦ τὸ ὕδωρ τῆς θαλάσσης καὶ
15 τὸν οὐρανὸν σπι|θαμῇ καὶ πᾶσαν τὴν γῆν δρακί ᵗ ; » Καὶ
ὅλως, πάντα τὰ ὕδατα ὑπὸ χειρῶν εἰσιν τοῦ θεοῦ καὶ πᾶς ὁ
οὐρανὸς σπιθαμὴ καὶ πᾶσα ἡ γῆ δράξ. Πῶς ἐνδέχεται αὐτὸς
ἐν ἰδίᾳ χειρὶ τῇ κατεχούσῃ τὰ πάντα καταβῆναι καὶ
ἀναβῆναι ;

8. Ἐὰν ἐρωτήσῃ σε ὁ Σαρακηνὸς λέγων · Καὶ εἰ θεὸς ἦν
ὁ Χριστός, πῶς ἔφαγεν καὶ ἔπιεν καὶ ὕπνωσεν καὶ τὰ ἑξῆς ;
εἰπὲ αὐτῷ ὅτι ὁ προαιώνιος λόγος τοῦ θεοῦ ὁ κτίσας τὰ
σύμπαντα, καθὼς μαρτυρεῖ ἡ γραφή μου καὶ ἡ γραφή σου,
5 αὐτὸς ἔκτισεν ἐκ τῆς σαρκὸς τῆς ἁγίας παρθένου Μαρίας
ἄνθρωπον τέλειον ἔμψυχον καὶ ἔννουν · ἐκεῖνος ἔφαγεν καὶ
ἔπιεν καὶ ὕπνωσεν, ὁ δὲ λόγος τοῦ θεοῦ οὐκ ἔφαγεν οὐδὲ
ἔπιεν οὐδὲ ὕπνωσεν οὐδὲ ἐσταυρώθη οὐδὲ ἀπέθανεν, ἀλλ' ἡ
ἁγία σάρξ, ἣν ἔλαβεν ἐκ τῆς ἁγίας παρθένου, ἐκείνη
10 ἐσταυρώθη. Γίνωσκε δὲ ὅτι ὁ Χριστὸς διπλοῦς μὲν λέγεται
ταῖς φύσεσιν, εἷς δὲ τῇ ὑποστάσει. Εἷς γάρ ἐστιν ὁ
προαιώνιος λόγος τοῦ θεοῦ καὶ μετὰ τὴν πρόσληψιν τῆς

---

s. Lc 1, 35 ‖ t. Is. 40, 12

---

1. Cf. Coran 3, 37.40 ; 19, 21.
2. Chez Jean Damascène ὑπόστασις peut avoir deux sens. Employé

Écriture dit que Dieu a purifié la Vierge Marie au-dessus de toute chair féminine, et que l'Esprit de Dieu et le Verbe sont descendus en elle [1] ; et mon Évangile dit : « L'Esprit-Saint descendra sur toi et la puissance du Très-Haut te couvrira d'ombre [s] ». Ainsi les deux ont même vocabulaire et même intention, mais sache que, c'est en considération de notre nature propre que l'Écriture parle de montée et de descente de Dieu, au sens figuré et non au sens propre. Car, au sens propre, montée et descente sont utilisées en référence au corps, selon les philosophes, alors que Dieu contient tout et n'est contenu dans aucun lieu. L'un des prophètes a dit en effet : « Qui a mesuré l'eau de la mer avec sa main, le ciel avec un empan, et toute les terres dans sa paume [t] ? » En un mot, toutes les eaux sont dans la main de Dieu, tout le ciel dans un empan, et toute la terre dans sa paume. Comment celui qui contient toutes les choses dans sa propre main peut-il descendre ou monter ?

8. Si le Musulman te demande : Si le Christ était Dieu, comment mangeait-il, buvait-il, dormait-il, et tout le reste ? Dis-lui : Le Verbe Éternel de Dieu, qui a créé toutes choses, selon le témoignage de mon Écriture comme de la tienne, a créé de la chair de la Sainte Vierge Marie un homme parfait, possédant une âme et une intelligence. C'est cet homme qui a mangé, bu et dormi. En revanche, le Verbe de Dieu n'a pas mangé, ni bu, ni dormi. Il n'a pas été crucifié et il n'est pas mort. Mais c'est sa sainte chair, qu'il a reçue de la Sainte Vierge qui a été crucifiée. Et sache que le Christ est dit avoir deux natures mais une seule personne [2]. Unique, en effet, est le Verbe Éternel de Dieu,

L'union hypostatique

---

de façon absolue ce mot signifie ἡ οὐσία, l'être, la substance ; mais il peut prendre également le sens d'individu τὸ ἄτομον, et plus exactement de personne τὸ πρόσωπον (*Dialectique*, ch. 29).

σαρκὸς ὑποστατικῶς ἤτοι προσωπικῶς καὶ οὐ φυσικῶς · οὐ γὰρ προσετέθη τῇ τριάδι τέταρτον πρόσωπον μετὰ τὴν ἀπόρρητον ἕνωσιν τῆς σαρκός.

9. Ἐάν σε ἐρωτήσῃ ὁ Σαρακηνός ὅτι, ἣν λέγετε θεοτόκον, ἀπέθανεν ἢ ζῇ ; εἰπὲ αὐτῷ · Οὐκ ἀπέθανεν, θαρρῶν τῇ γραφικῇ ἀποδείξει. Λέγει γὰρ ἡ γραφὴ περὶ τούτου · « Ἦλθεν καὶ ἐπ᾽ αὐτὴν ὁ φυσικὸς τῶν ἀνθρώπων θάνατος,
5 οὐ μὴν καθείρξας ἢ χειρωσάμενος ὡς ἐν ἡμῖν — ἄπαγε —, ἀλλ᾽ ὡς φέρε εἰπεῖν · Ὁ πρῶτος ἄνθρωπος ὕπνωσεν καὶ τὴν πλευρὰν ἀφῃρέθη [u]. »

10. Ἐάν σοι εἴπῃ ὁ Σαρακηνός · Ἰδοὺ πέπληγμαι ἔν τινι τόπῳ τῆς σαρκός μου, καὶ πληγεῖσα ἡ σάρξ μώλωπα ἀπετέλεσεν, καὶ ἐν τῷ μώλωπι ἐγένετο σκώληξ. Τίς οὖν
5 αὐτὸν ἔπλασεν ; εἰπὲ αὐτῷ, ὡς προείπομεν, ὅτι μετὰ τὴν πρώτην ἑβδομάδα τῆς κοσμοποιίας οὐχ εὑρίσκομεν οἱονδηποτοῦν πρᾶγμα πλάσαντα τὸν θεὸν ἢ πλάττοντα, ἀλλὰ τῷ προστάγματι τοῦ θεοῦ, ὃ προσέταξεν ἐν τῇ πρώτῃ ἑβδομάδι, γίνονται τὰ γινόμενα. Μετὰ γὰρ τὴν παράβασιν κατεκρίθη ἡ
10 γῆ, ἀκάνθας καὶ τριβόλους ἀνατέλλειν. Καὶ μέχρι τὸ δεῦρο

u. Gen. 2, 21

---

1. La citation en question n'est pas biblique. Elle est extraite d'un sermon sur la Dormition d'André de Crète (*Oratio* XII, *In Dormitionem S. Mariae*, *PG* 97, c. 1052 C 8-10, C 13-D 2). Le texte de Th. Abū Qurra est plus clair : « La côte du premier homme lui fut ôtée

même après avoir pris chair, en tant que personne et non en tant que nature. Car une quatrième personne n'a pas été adjointe à la Trinité après l'union ineffable (du Verbe) avec la chair.

La dormition **9.** Si le Musulman te demande : Celle que vous appelez mère de Dieu, est-elle morte ou vivante ? Dis-lui : Elle n'est pas morte, ayant foi dans ce que prouve l'Écriture. L'Écriture dit en effet à ce sujet [1] : « La mort naturelle des hommes vint sur elle, mais pas en contraignant ou en asservissant, comme pour nous » — tant s'en faut ! — mais comme lorsqu'on dit : « Un sommeil profond s'empara du premier homme, et la côte lui fut ôtée [u] ».

La création est achevée **10.** Si le Musulman te dit : Voici que j'ai reçu un coup en un endroit quelconque du corps, et, après avoir été frappé, le corps a formé une plaie, et dans la plaie un ver est né. Qui l'a façonné ? Dis-lui, comme nous l'avons déjà fait [2], qu'une fois passée la première semaine de la création du monde, nous ne trouvons rien qui ait été façonné par Dieu ou qui le soit ; mais c'est sur l'ordre de Dieu, comme il l'a prescrit la première semaine, que vient au jour ce qui y vient. Après la désobéissance, en effet, la terre a été condamnée à faire pousser épines et chardons. Et jusqu'à maintenant, sans même être ensemencée, elle fait pousser

pendant son sommeil. De la même façon, c'est comme dans un sommeil que la mère de Dieu a remis son âme très sainte à Dieu » (Op. 37, c. 1593, B 14-C 2).
2. Cf. § 1 : Création et procréation.

καὶ μὴ σπερομένη ἀκάνθας καὶ τριβόλους ἀνατέλλει ᵛ. Τότε
δὲ καὶ ἡ σὰρξ ἡμῶν κριθεῖσα μέχρι τῆς σήμερον φθεῖρας καὶ
σκώληκας ἀνατελεῖ.

11. Ὁ Σαρακηνὸς ἐρώτα τὸν Χριστιανὸν λοιπόν · Τίς
ἐστι παρὰ σοὶ μείζων, ὁ ἁγιάζων ἢ ὁ ἁγιαζόμενος ; Γνοὺς δὲ
ὁ Χριστιανὸς τὴν ἔνοπλον αὐτοῦ ἐρώτησιν εἶπεν · Ὃ θέλεις
εἰπεῖν, γινώσκω. | Ὁ Σαρακηνός · Καὶ εἰ οἶδας, ἀνάγγειλόν
5 μοι. Ὁ Χριστιανὸς ἔφη ὅτι · Ἐάν σοι εἴπω · Ὁ ἁγιάζων
μείζων τοῦ ἁγιαζομένου, ἐρεῖς μοι · Ἄπελθε, προσκύνησον
τὸν βαπτιστὴν Ἰωάννην ὡς βαπτίσαντα καὶ ἁγιάσαντα τὸν
Χριστόν σου. Ὁ δὲ Σαρακηνός · Οὕτως, φησί, σοὶ ἤθελον
εἰπεῖν. Αἰνιγματωδῶς ἔφη ὁ Χριστιανὸς πρὸς τὸν Σαρακη-
10 νόν · Ἀπερχομένου σου μετὰ τοῦ δούλου σου ἐν τῷ βαλανείῳ
καὶ λουόμενος ὑπ' αὐτοῦ καὶ καθαιρόμενος, τίνα ἔχεις εἰπεῖν
μείζονα, ἐκεῖνον τὸν οἰκτρὸν δοῦλον καὶ ἀργυρώνητον ἢ σὲ
τὸν καθαρθέντα ὑπ' αὐτοῦ ὥς τε καὶ δεσπότην αὐτοῦ ὄντα ;
Ἐμαυτὸν λέγω μείζονα τὸν κτησάμενον ἢ ἐκεῖνον τὸν ὑπὲρ
15 ἐμοῦ κτηθέντα, εἶπεν ὁ Σαρακηνὸς πρὸς τὸν Χριστιανόν. Ὁ
δὲ Χριστιανὸς ἀπεκρίθη · Εὐχαριστῶ τῷ θεῷ. Οὕτως μοι
νόει καὶ τὸν Ἰωάννην ὡς δοῦλον καὶ οἰκέτην ὑπουργήσαντα

v. Cf. Gen. 3, 18

---

1. Le texte grec dit plus précisément : Connaissant sa question
armée.
2. Il nous a paru difficile de suivre ici le texte de l'éd. Kotter :
« Tu me dis que moi, le créateur, je suis plus grand que celui que j'ai

épines et chardons[v]. Autrefois notre chair aussi a été damnée, et jusqu'à nos jours elle fera apparaître poux et vers.

Le Christ est plus grand que Jean-Baptiste

11. Le Musulman interroge encore le Chrétien : Qui est, selon toi, le plus grand, celui qui sanctifie ou celui qui est sanctifié ? Connaissant l'hostilité de sa question [1], le Chrétien dit : Je sais ce que tu veux dire.

Le Musulman : Eh bien ! Si tu le sais, annonce-moi !

Le Chrétien dit : Si je te dis que celui qui sanctifie est plus grand que celui qui est sanctifié, tu me diras : Vas-y, adore Jean-Baptiste, puisqu'il a baptisé et sanctifié ton Christ !

Le Musulman : C'est, dit-il, ce que j'allais te dire.

Sous forme d'énigme, le Chrétien dit au Musulman : Quand tu vas au bain accompagné de ton esclave et qu'il te lave et te purifie, qui est le plus grand à ton avis : cet esclave misérable acheté avec l'argent ou toi qui a été purifié par lui et qui es son maître ? Je dis que moi, l'acheteur, je suis plus grand que celui que j'ai acheté [2], dit le Musulman au Chrétien.

Le Chrétien répondit : Je rends grâce à Dieu ! Sache de même que, pour moi, Jean était aussi un esclave et un

créé » (Ἐμαυτὸν λέγεις μείζονα τὸν κτισάμενον ἢ ἐκεῖνον τὸν ὑπὲρ ἐμοῦ κτισθέντα). En empruntant la leçon λέγω (au lieu de λέγεις) au manuscrit Z, et les leçons κτησάμενον et κτηθέντα au manuscrit O, nous pensons préserver davantage la logique du dialogue. La traduction latine de Lequien (*PG* 94, c. 1595, A 9-10 : *Meipsum majorem dico, qui possideo, quam illum qui a me possidetur*) repose du reste sur un choix identique.

τῷ Χριστῷ ἐν τῷ Ἰορδάνῃ, ἐν ᾧ βαπτισθεὶς ὁ σωτήρ μου
τῶν ἐκεῖσε ἐμφωλευόντων πονηρῶν δαιμόνων τὰς κεφαλὰς
20 συνέτριψεν.
Ὁ δὲ Σαρακηνὸς σφόδρα θαυμάσας καὶ ἀπορήσας καί τι
ἀποκριθῆναι μὴ ἔχων τῷ Χριστιανῷ ἀνεχώρησεν μηκέτι
προσβάλλων αὐτῷ.

serviteur qui assistait le Christ dans le Jourdain, où mon Sauveur a été baptisé et a fracassé la tête des mauvais démons qui y avaient leur gîte.

Le Musulman, fort surpris et déconcerté, n'ayant plus rien à répliquer au Chrétien, se retira à court d'objections.

LEXIQUE
DES TERMES ARABES UTILISÉS

'Abd : Serviteur, esclave ; condition de l'homme face à son Dieu (*'Abd Allah*)

'Āda (pl. *'Ādāt*) : Habitude (de Dieu)

'Ādil : Juste. *Al-'Ādil* : Un des noms de Dieu

Ahl al-Kitāb : « Les gens du Livre », ceux qui croient en un Livre révélé, c'est-à-dire les chrétiens, les juifs et les sabéens

Ahl al-'Adl wa l-Tawḥīd : « Les défenseurs de la justice et de l'unicité de Dieu », appellation que se donnaient les mu'tazilites

Ahl al-Sunna : Les gens fidèles à la tradition du Prophète, les musulmans « orthodoxes »

Allāh Akbar : « Dieu (est) le plus grand », invocation répétée fréquemment au cours de la prière et lors du pèlerinage à la Mecque

'Āmil : Intendant fiscal ou responsable de l'administration

Aslama : Faire sa soumission (à Dieu), se faire musulman

al-Asmā' al-Ḥusnā : Les plus beaux noms (de Dieu)

Āya (pl. *Āyāt*) : Signe, miracle, verset coranique

Bilā kayf : « sans comment ». Principe de théologie ash'arite qui consiste à accepter les attributs de Dieu sans chercher à les comprendre

Dajjāl : Imposteur, « Antéchrist »

Dhikr : « rappel ». Technique utilisée par les mystiques, qui consiste à psalmodier sans fin le nom de Dieu, dans le but d'atteindre l'extase

Dhimmī : Homme qui bénéficie du statut de protection en Islam

Dīnār : Pièce d'or, le denier ; le *dirham*, le dragme, étant la pièce d'argent

Dīwān : Administration financière, puis « conseil de gouvernement »

Diya : « Prix du sang », indemnité versée qui implique l'abandon de la loi du talion

Dhū al-Ḥijja : Mois du pèlerinage dans le calendrier musulman. C'est le dernier mois de l'année lunaire

Falsafa : Philosophie arabo-musulmane hellénisante

Farḍ : Obligation légale

Fiqh : Droit musulman

Ḥadīth : Tradition rapportant les faits et les gestes du Prophète permettant d'expliciter les passages obscurs du Coran

al-Ḥajar al-Aswad : « La Pierre Noire », sertie dans un des coins de la Kaʿba et vénérée au cours du pèlerinage

Ḥanīf : Homme pieux de la période anté-islamique ayant renoncé aux idoles et attiré par le monothéisme

Ḥashwiyya : Anthropomorphisme. Ce terme a un sens péjoratif : bourrage, discours prolixe et vide ; parti de ceux qui parlent pour ne rien dire, c'est-à-dire les anthropomorphistes hanbalites, extrémistes anti-ashʿarites

Ḥulūl : Inhabitation, infusion du divin dans la créature. Pour les chrétiens : union hypostatique ; pour les musulmans : union mystique

ʿid al-Aḍḥā : Fête du sacrifice, commémorant le sacrifice d'Abraham, qui a lieu le 10 *dhū al-Ḥijja*, pendant le pèlerinage

ʿid al-Kabīr : Nom donné en Afrique du Nord à la fête du sacrifice

Imām : Chez les sunnites, celui qui dirige la prière. Les shīʿites désignent ainsi celui qui, par hérédité prophétique, dispose de l'autorité spirituelle suprême sur la communauté et à qui doit revenir le califat

Islām : Soumission (à Dieu)

Isrāʾ : Voyage nocturne de Mahomet, de la Mecque à Jérusalem

Isnād : Chaîne de rapporteurs de traditions. Un *Ḥadīth* n'est retenu que si une chaîne ininterrompue de rapporteurs reconnus remonte jusqu'au Prophète

Isrāʾīliyyāt : « données juives », informations sur les personnages bibliques rapportées par les juifs convertis à l'Islam

Ittiḥād : Unification, identification. Pour les musulmans union mystique ; pour les chrétiens union hypostatique

Ittiṣāl : Union par jonction (terme de la mystique musulmane)

Jawhar : Substance, essence, substrat à un accident

Jihād : Effort (sur le chemin de Dieu), d'où guerre sainte

Jizya : Capitation (due par les « Gens du Livre »)

Kaʿba : « Temple » de la Mecque, de forme cubique

Kalām : Parole telle qu'elle est utilisée dans la controverse. *ʿilm al Kalām* : Théologie dialectique musulmane, condamnée par les fidéistes littéralistes

Kalima : Verbe, parole, *Logos* (pour les chrétiens)

Karīm : Généreux. *Al-Karīm* : un des cent noms de Dieu

Kasb : Acquisition, imputation à l'homme des actes créés par Dieu

Kātib : Scribe, secrétaire. Personne chargée de rédiger la correspondance ou les documents administratifs

Kharāj : Impôt foncier (dû sur les terres des « Gens du Livre »). A partir de ʿUmar II les musulmans paient aussi cet impôt

Kharaja : Sortir. De là vient le nom de la secte des khārijites

Kitāb : Livre. *Al-Kitāb* : un des noms donnés au Coran

Kufr : Impiété

Kuttāb : École élémentaire, puis école Coranique

Majāz : Métaphore

Maqām : Station. *Maqām Ibrāhīm* : Pierre sur laquelle Abraham est monté pour construire le temple de la Kaʿba, actuellement située à proximité de cet édifice

Mawlā : (pl. *Mawālī*) : A l'époque umayyade c'est le non-Arabe qui s'agrège à l'arabité en adoptant l'Islam et en se liant comme client à une tribu

Milla : Religion. *Millat Ibrāhīm* : Religion d'Abraham, c'est-à-dire l'Islam

Miʿraj : Voyage mystique de Mahommet du sommet du Temple jusqu'au trône de Dieu

Muḥallil : Celui qui dissout un serment, qui rend licite ; second mari d'une femme, qui la rend à nouveau licite pour le premier mari qui l'avait répudiée. Cela n'est nécessaire qu'en cas de triple répudiation

Mukattib : Chargé d'enseignement au *Kuttāb*

Muṣḥaf : Livre, recueil. Coran

Muslim : Soumis (à Dieu), musulman

Mutakallimūm : Ceux qui pratiquent la théologie dialectique en Islam

Mu'jiza : Miracle prophétique (le Coran)

Nazala : Descendre, *Nazala 'alā* : Parole de Dieu quand elle descend sur un prophète

Nikāḥ : Mariage

Qaḍā' : Prédétermination

Qadar : Décret divin

Qāḍī : Juge musulman

Qawl : Parole, locution, discours de Dieu (différent du Kalām)

Qudra : Pouvoir, puissance de l'homme sur ses actes

Rabb al-Ka'ba : Nom donné au dieu principal de la Mecque avant l'Islam

Rūḥ : Esprit. *Al-Rūḥ al-Amīn* : « l'Esprit Fidèle », l'ange Gabriel

Rūḥ al-Quds : « l'Esprit de Sainteté », l'ange Isrāfil

Al-Rūḥ al Qudūs : l'Esprit Saint (pour les chrétiens)

Rūm : « Romain », c'est-à-dire Byzantin

Salām : Paix, sécurité, salut, partie de la prière rituelle

Shakhṣ : Personne

Shay' : Chose

Shī'a : Parti, secte. Shī'ites : partisans de 'Alī

Shirk : Acte d'associer une créature au créateur. « association-nisme ». Accusation portée contre les chrétiens du fait du dogme de la Trinité

Sunna : Coutume, tradition du Prophète, comprenant le Coran, les *Ḥadith* et l'*Ijma'* (*consensus*)

Taḥrīf : Altération, corruption des Écritures par les chrétiens et les juifs

Ṭalāq : Répudiation. *Al-Ṭalāq* : Titre d'une sourate du Coran

Tanzīl : Révélation

Taṣawwuf : Mystique musulmane

Tathlīth : Trinité

Tawḥīd : Unité et unicité de Dieu

Ta'wīl : Interprétation allégorique

Uqnūm (pl. *Aqānīm*) : Personne de la Trinité

'*Ulamā*' : Savants, experts en science islamique

Uṣūl al-Dīn : Fondements de la religion (musulmane)

Walad : Engendré

Wālī : Gouverneur, titre militaire

Ẓāhir : Apparent. Ẓāhirisme : Doctrine théologique qui insiste
sur le sens apparent du texte coranique (refuse le *ta'wīl* et le
majāz)

MOTS ARABES TRANSCRITS EN GREC DANS LE TEXTE

Arabe	*Grec*
Ka'ba	Chabata(n)
Kabir	chabar
Muhammad (Mahomet)	Mamed
Zayd	Zeid

OUVRAGES ET ARTICLES CITÉS

J.-M. 'ABD AL-JALĪL, *Marie et l'Islam*, Paris 1950.

A. ABEL, « La Prise de Jérusalem par les Arabes (638) », dans *Conférences de Saint Etienne, 1910-1911*, p. 105-144, Paris 1911.

— « Les Caractères historiques et dogmatiques de la polémique Islamo-Chrétienne du VIIᵉ au XIIIᵉ siècle », communication polycopiée au IXᵉ Congrès International des Sciences Historiques, Paris 1950.

— art. « Baḥīrā », *NEIs*, Leyde 1960, t. 1, p. 950 s.

— « La Polémique damascénienne et son influence sur les origines de la théologie musulmane », dans l'ouvrage collectif : *L'Élaboration de l'Islam*, Paris 1961, p. 61-85.

— « Le Chapitre CI du *Livre des Hérésies* de Jean Damascène : son inauthenticité », *SIs* XIX (1963), p. 5-25.

— art. « Dajdjal », *NEIs*, t. 2, p. 77-78, 1977.

M. ABIAD, *Culture et éducation arabo-islamique au Šām pendant les trois premiers siècles de l'Islam*, Damas 1981.

ABŪ AL-FARĀJ AL-ISFAHĀNĪ, *Kitāb al-Aghānī*, Le Caire, 20 vol., à partir de 1928.

ABŪ 'ISĀ AL-WARRĀQ, *Le Livre pour la réfutation des trois sectes chrétiennes*, Ed. A. Abel (polycopié), Bruxelles 1949.

J. T. ADDISSON, *The Christian approach to the Moslem*, New-York 1942.

APHRAATE, *Les Exposés*, t. 1 SC nº 349, t. 2 SC nº 359 (tr. M.-J. Pierre).

A. AIGRAIN, art. « Arabie », *DHGE*, t. 3, 1924, c. 1253-1292.

B. ALTANER, *Patrologie*, traduction et adaptation par H. Chirat, Paris-Tournai 1961.

M.-Th. d'ALVERNY, « Deux traductions latines du Coran », *AHDLMA*, t. 16, 1947-1948.

G. C. Anawati, art. « 'Īsā », *NEIs*, vol. 4.

— et L. Gardet, *Introduction à la théologie musulmane*, Paris 1948.

— et L. Gardet, *Mystique musulmane*, Paris 1961.

Anonyme, *Contre Mahomet*, PG 104, c. 1448-1457.

A. Argyriou, « Une Controverse entre un chrétien et un musulman inédite », *RSR* XLI (1967), p. 237-245.

R. Arnaldez, *Grammaire et théologie chez Ibn Ḥazm de Cordoue*, Paris 1958.

— *Mahomet ou la Prédication prophétique*, Paris 1970.

— *Jésus fils de Marie, prophète de l'Islam*, Paris 1980.

'Asākir, (Ibn), *Tārīkh madīnat Dimashq* (Histoire de Damas), édit. de Damas 1349 h (qui n'est que l'impression d'un texte abrégé, sous le nom de *Tahdhīb tarikh Dimashq*).

Ash'arī, *Ibāna 'an uṣūl al-diyāna* (Exposé des fondements de la religion), édit. du Caire 1348 h.

C. Bacha, *Mimars de Théodore Abū Qurra, Évêque de Harran*, Beyrouth 1904.

— *Biographie de saint Jean Damascène*, texte original arabe, Harissa 1912.

— *Un Traité des œuvres arabes de Thérodore Abū Qurra, Évêque de Harran*, Harissa (sans date).

al-Balādhurī, *Kitāb futūḥ al-buldān* (Récit de la conquête des territoires), Leyde 1886 (Beyrouth 1958).

al-Bāqillānī, *Kitāb al-tamhīd*, Beyrouth 1957.

Barthélémy d'Edesse, *Réfutation d'un Agarène*, PG 104, c. 1384-1448.

H. Beck, « Vorsehung und Vorherbestimmung in der theologischen Literatur des byzantiner, *OCA* 114, Rome 1937.

R. Bell, *The Origin of Islam in its christian environment*, Londres 1968.

R. Blachère, *Le Problème de Mahomet*, Paris 1952.

— *Introduction au Coran*, Paris, 1959.

— *Le Coran*, traduction française, Paris 1980.

R. Blake, « Deux lacunes comblées dans la Passio XX monachorum sabaïtarum », *AB*, t. 68 (1950), p. 27-43.

J. Boulos, « De l'expansion arabo-islamique à la conquête turco-ottomane (640-1517) », *Peuples et civilisations du Proche-Orient*, vol. IV, La Haye 1964.

G.-H. Bousquet, *L'Éthique sexuelle de l'Islam*, Paris 1953.

— *Le Droit musulman*, Paris 1963.

L. Bréhier, *Le Monde byzantin* : t. 1, Vie et mort de Byzance, Paris 1947 ; t. 2, Les Institutions de l'Empire byzantin, Paris 1949 ; t. 3, La Civilisation byzantine, Paris 1950.

Cl. Cahen, *L'Islam, des origines au début de l'Empire ottoman*, t. 14 de l'Histoire Universelle, Paris 1970.

Carrez-Morel, *Dictionnaire grec-français du Nouveau Testament*, Neuchâtel 1971.

R. Caspar, « Dialogue entre le calife al-Madhī et le catholicos nestorien Timothée Iᵉʳ » (Introduction, édition critique du texte arabe et traduction), *Islamochristiana* III (1977), p. 107-175.

A. Chappet, art. « Cosmas de Maïouma », *DACL*, t. 3, 2ᵉ Partie, c. 2993-2997.

H. Charles, *Le Christianisme des Arabes nomades sur le limes et dans le désert syro-mésopotamien aux alentours de l'Hégire*, Paris 1936.

R. Charles, *Le Droit musulman*, Paris 1960 (Coll. « Que sais-je ? »).

F. H. Chase, *Saint John of Damascus. Writings*. (Traduction), vol. XXXVII de la collection : The Fathers of the Church, New-York, à partir de 1958.

L. Cheikho, « Traité de Théodore Abū Qurra : De l'existence du Créateur et de la vraie religion », *al-Mashriq* 15 (1912), Beyrouth, p. 757-774 ; 825-842.

— « L'Origine du mot Sarrasin », *al-Mashriq* 7, p. 340 s.

J. Chelhod, *Introduction à la sociologie de l'Islam*, Paris 1958.

C. Chevalier, *La Mariologie de saint Jean Damascène*, Rome 1936.

R. Chidiac, *La Réfutation excellente* (Édition et traduction du livre de Ghazzālī : *al-radd al-jamīl*), Paris 1939.

T. Christiensen, « Johammes Damaskenos Opgør med Islam », *Dansk Theologisk Tiddkrift* 32 (1969), p. 34-50.

Constantin Acropolite, *Sermo in S. Joannem Damascenum*, *PG* 140, c. 812-885.

H. Corbin, *Histoire de la philosophie islamique*, Paris 1964.

N. Daniel, *Islam and the west. The Making of an image.* Édimbourg 1966.

Denis de Tell-Mahré, *Chronique*, Édition et traduction française de J.-B. Chabot, Paris 1895.

E. Dermenghem, *Mahomet et la tradition islamique*, Paris 1956.

P. Dib, art. « Maronite », *DTC* 10, 1ʳᵉ partie, c. 8-27.

I. Dick, « Un continuateur arabe de saint Jean Damascène : Abuqurra, évêque de Harran. La personne et son milieu », *POC* XII (1962), p. 209-223 ; 319-332 ; XIII (1963), p. 114-129.

F. Diekamp, *Doctrina Patrum de Incarnatione Verbi*, Florilège des auteurs grecs des VIIᵉ et VIIIᵉ siècles, 1ʳᵉ éd. 1907 (2ᵉ éd. par B. Phanourgakis, Münster 1981).

— « Eine ungedruckte Abhandlung des heiligen Johannes von Damaskus gegen die Nestorianer », *Tehol. Quartalschri Schr.*, t. 83 (1901), p. 555-595.

A. Ducellier, *Le Miroir de l'Islam. Musulmans et Chrétiens d'Orient au Moyen Âge* (VIIᵉ-XIᵉ siècle), Paris 1971.

R. Duval, *La Littérature syriaque*, 2ᵉ éd., Paris 1900.

C. Dyovouniotes, Ἰωάννης ὁ Δαμασκηνός, Ahtènes 1903.

N. Elisséeff, *L'Orient musulman au Moyen Age, 622-1260*, Paris 1977.

— art. « Dimashḳ », *NEIs*, t. 2, 1977, p. 286-299.

Éphrem de Nisibe, *Hymnes sur le Paradis*, SC n° 137 (Tr. Lavenan).

Eutychès, *Annales* (Éditées par L. Cheikho, B. Carra de Vaux et H. Zayyat), *CSCO* 51 (1954).

A. Fattal, *Le Statut légal des non-musulmans en pays d'Islam*, Beyrouth 1958.

J.-M. Fiey, « Īšöʿyaw le Grand », *OCP* 36, 1970.

L. Gardet, (en collaboration avec Anawati) *Introduction à la théologie musulmane*, Paris 1948.

— *La Pensée religieuse d'Avicenne*, Paris 1951.

— *La Cité musulmane*, Paris, 1954.

— (en collaboration avec Anawati) *La Mystique musulmane*, Paris 1961.

— *Dieu et la destinée de l'homme*, Paris 1967.

— art. « Allāh », *NEIs*, t. 1, 1975, p. 422-424.

— art. « al-Ḳaḍā' wa-l-ḳadar », *NEIs*, t. 4, 1978, p. 381-383.

— art. « Kasb », *NEIs*. t. 4, p. 720 s.

— *Les Hommes de l'Islam*, Paris 1984.

G. GARITTE, « Le Début de la vie de saint Étienne le sabaïte retrouvée en arabe au Sinaï », *AB*, t. 77 (1959), p. 332-369.

M. GAUDEFROY-DEMOMBYNES, (en collaboration avec Platonov) *Le Monde musulman et byzantin jusqu'aux croisades*, coll. *Histoire du monde*, t. VII 1, Paris 1931.

— *Les Institutions musulmanes*, Paris 1953.

— *Mahomet*, Paris 1957.

S. GÉRO, « Byzantine iconoclasm during the reign of Leo III », *CSCO* 346 (Subsidia 41), Louvain 1973, p. 67-71.

AL-GHAZĀLĪ, « La Réfutation excellente », Éd. et traduction française de R. Chidiac, Paris 1939.

D. GIMARET, *Théories de l'acte humain en théologie musulmane*, Paris 1980.

— *Les Noms divins en Islam*, Paris 1988.

I. GOLDZIHER, *Le Dogme et la loi de l'Islam*, traduction française, Paris 1958.

M. GORDILLO, « Damascenica, I : Vita marciana », *OC* VII, Rome 1926.

GRÉGOIRE DE NYSSE, « Sur la divinité du Fils et de l'Esprit-Saint », *PG* 46, c. 557 B.

A. GUILLAUME, « Some remarks in free will and predestination in Islam, together with a translation on kitabu -l Qadar from the Salih of Bukhari », *JRAS*, 1924, p. 43-63.

G. GÜTERBOCK, *Der Islam im Lichte der byzantinischen Polemik*, Berlin 1912.

R. HADDAD, *La Trinité divine chez les théologiens arabes*, (750-1050), Paris 1985.

J. HAJJAR, *Les Chrétiens uniates du Proche-Orient*, Paris 1962.

M. HAMIDULLAH, Le Prophète de l'Islam, 2 vol., Paris 1959.

I. HAUSHERR, art. « Centuries », *DSp*, t. 2, Paris 1953, p. 416-418.

264 OUVRAGES ET ARTICLES CITÉS

M. HAYEK, *Le Christ de l'Islam*, Paris 1959.

— *Le Mystère d'Ismaël*, Paris 1964.

HÉFÉLÉ-LECLERCQ, *Histoire des conciles d'après les documents originaux*, t. III, Paris 1910.

B. HEMMERDINGER, « La Vie arabe de saint Jean Damascène et BHG 884 », *OCP* XXVIII (1962).

P. K. HITTI, *Précis d'histoire des Arabes*, traduction française de M. Planiol, Paris 1950.

— *History of Syria*, New York 1951.

— J. HOECK, « Stand und Aufgaden der Damaskenos-Forschung », *OCP*, XVII (1951), p. 5-60.

IBN ḤAZM, *Kitāb al-fiṣal fī l-milal*, Ed. du Caire 1347 h.

AL-JĀḤIẒ, *Kitāb fī l-radd ʿalā al-naṣārā* (Réfutation des chrétiens), traduction française par Allouche, *Hesperis* 26 (1939), p. 123-155.

A. JAMME, « La Religion Sud-Arabe pré-islamique », *Histoire des Religions* par Brillant et Aigrain, t. IV, ch. v, Paris 1953.

A. JEFFERY, art. « Abū Kurra », *NEIs*, t. 1, p. 140.

J. JOMIER, *Bible et Coran*, Paris 1958.

M. JUGIE, art. « Jean Damascène », *DTC*, t. VII, Paris 1924, c. 693-751.

— « Une Vie de saint Jean Damascène », *EO* XXIII (1924), p. 137-161.

— « Une Nouvelle vie et un nouvel écrit de saint Jean Damascène ». *EO* XXVIII (1929), p. 35 s.

AL-JUWAYNĪ (appelé aussi Imam al-Ḥaramayn), *al-Irshād*, Éd. et traduction française de J. D. Luciani, Paris 1938.

A. KALLIS, « Handapparat zum Johannes Damaskenos », in *Ostkirch Studien*, Studien 16 (1967).

René R. KHAWAM, *L'Univers culturel des chrétiens d'Orient*, Paris, 1987.

A.-Th. KHOURY, *Les Théologiens byzantins et l'Islam* : t. 1, *Textes et auteurs*, Munster 1969 ; t. 2, *Polémique byzantine contre l'Islam*, Munster 1973.

P. KHOURY, « Jean Damascène et l'Islam », *POC* 7 (1957), p. 44-63 ; *POC* 8 (1958), p. 313-339.

M. O. King, « S. Joannis Damasceni, 'de Haeresibus' cap. ci and Islam », *Studia Patristica* VII (TU 93), Berlin 1966, p. 76-81.

B. Kotter, *Die Überlieferung des Pege Gnoseos des hl. Johannes von Damaskos*, Studia Patristica et Byzantina 5, Ettal 1959.

— *Die Schriften des Johannes von Damaskos* :
  — *PTS* 7, Berlin 1969.
  — *PTS* 12, Berlin 1973.
  — *PTS* 17, Berlin 1975.
  — *PTS* 22, Berlin 1981.
  — *PTS* 29, Berlin 1988.

E. Kuran, art. « Ka'ba », *NEIs*, t. 4, 1978, p. 331-337.

J. Labourt, *Le Christianisme dans l'Empire perse*, Paris 1904, p. 248-251.

H. Lammens, « Le Chantre des Omiades. Notes bibliographiques et littéraires sur le poète arabe chrétien Aḥtal », *JA*, 1894, p. 94-176, 193-241, 381-459.

— « Un poète à la cour des Omayyades », dans *Études sur le siècle des Omayades* (paru auparavant dans *ROC*, t. 9, 1904).

— « Études sur le règne du calife Omaiyade Mu'awia Ier », *MFO*, t. 1, 2, 3, Beyrouth 1908.

— *Études sur le siècle des Omayades*, Beyrouth 1930.

G. W. H. Lampe, *A Patristic greek lexicon*, Oxford 1961.

J. Langen, *Johannes von Damaskus. Eine Patristiche monographie*, Gotha 1879.

H. Laoust, *Les Schismes dans l'Islam*, Paris 1965.

H. Leclercq, art. « Jean Damascène (saint) », *DACL* VII, c. 2186-2190, Paris 1926.

— art. « Sabas », *DACL* XV, 1re partie, c. 189-211, Paris 1950.

— art. « Sarrasin », *DACL* XV, 1re partie, c. 902-903, Paris 1950.

M. Lequien, *Sancti patris nostri Johannis Damasceni monachi et presbyteri hierosolymitani, Opera omnia quae exstant*, 2 vol., Paris 1712, Venise 1748.

H. Lesêtre, art. « Songe », *Dictionnaire de la Bible*, t. 5, c. 1834.

J.-D. Luciani, traduction du livre *al-Irshād* (al-Juwaynī), Paris 1938.

A. MAALOUF, *Les Croisades vues par les Arabes*, Paris 1983.

D. B. MACDONALD, *Development of muslim theology, jurisprudence and constitutional theory*, Lahore 1964.

— art. « Ḳadarīya », *SEIs*, p. 200-201.

A. MAI, *Scriptorum veterum nova collectio*, t. 4, Rome 1831.

J. D. MANSI, *Sacrorum conciliorum nova et amplissima collectio*, Paris, 1901.

R. MANTRAN, *L'Expansion musulmane, VIIe-XIe siècles*, Paris 1969.

MANUEL II PALÉOLOGUE, *Entretiens avec un Musulman, 7e Controverse* (éd. A.-Th. Khoury, Paris 1966, (*SC 115*).

L. MASSIGNON, *Essai sur les origines du lexique technique de la mystique musulmane*, Paris 1954.

D. MASSON, *Le Coran et la révélation judéo-chrétienne*, 2 vol., Paris 1968.

J. MERKUROPOULOS, « *Vita* » de saint Jean Damascène, éditée par A. Papadopoulos (voir cet auteur).

J. M. MERRIL, « Of the tractate of John of Damascus on Islam », *MW* XLI (1951), p. 88-97.

J. MEYENDORFF, « Byzantine views of Islam », *DOP* XVIII (1964), p. 115-132.

A. MICHEL, art. « Songes », *DTC*, t. 14, 2e vol., Paris 1941, col. 2366.

MICHEL LE SYRIEN, *Chronique universelle*, Éd. et traduction par J.-B. Chabot, 4 vol., Paris 1899-1910.

MIRCEA ELIADE, art. « Enfers et Paradis », *Encyclopaedia Universalis*, 1985, t. 6, p. 1011.

E. MONTET, « Un Rituel d'abjuration des musulmans dans l'Église grecque », *RHR* LIII (1906), p. 145-163.

Y. MOUBARAC, art. « La Naissance de l'Islam », dans *L'Islam, Lumière et Vie*, n° 25, Saint Alban-Leysse 1956, p. 9-30.

— *Abraham dans le Coran*, Paris 1957.

J. NASRALLAH, *Saint Jean de Damas, son époque — sa vie — son œuvre*, Harissa 1950.

F. NAU, art. « Abraham », n° 20, *DHGE*, t. 1, c. 165.

NICÉTAS CHONIATE (ou Acominate), *Le Trésor de la foi ortho-doxe*, ch. XX : « La religion des Agaréniens », *PG* 140, c. 105-121.

R. A. NICHOLSON, art. « Ittiḥād », *NEIs*, t. 4, Leyde 1978, p. 295-296.

K. PANAGIOTES, *Ioannes o Damaskènos*, Encyclopédie des Religions et des Morales, vol. VI, Athènes 1965.

A. PAPADOPOULOS-KERAMEUS, *Analecta Hierosolymitikes Sta-chiologias*, Bruxelles : Culture et Civilisation, 1963 (4 vol.).

P. PEETERS, « La Passion de saint Pierre de Capitolias », *AB* LVII (1939), p. 299-333.

— « Saint Romain le néomartyr, d'après un document géor-gien », *AB* XXX (1911), p. 393-427.

Ch. PELLAT, art. « *Ghaylān* », *NEIs*, t. 2, p. 1050.

PIERRE LE VÉNÉRABLE, *Adversus nefendam sectam sive haeresim Saracenorum*, *PL* 189, p. 661-720.

E. PONSOYE, *La Foi orthodoxe, suivie de la Défense des images, Introduction, traduction et notes*, Paris 1966.

M. RICHARD, « ἀπό φωνῆς », *Byzantion* XX (1950), p. 191-222.

RICOLDO DE MONTE-CROCE, *Confutatio Alcorani*, *PG* 154, c. 1037-1152.

M. RODINSON. « L'Arabie avant l'Islam », *Encyclopédie de la Pléiade*, Histoire Universelle, t. 2, Paris 1957.

— *Mahomet*, Paris 1975.

— art. « Arabisme », *Encyclopaedia Universalis*, t. 2, p. 464.

P. RONDOT, *Les Chrétiens d'Orient*, Paris 1957.

F. ROSENTHAL, art. « Hashwiyya », *NEIs*, t. 3, Leyde 1975, p. 276-277.

D. J. SAHAS, *John of Damascus on Islam, the « Heresy of the Ismaelites »*, Leiden 1972.

J.-M. SAUGET, « Giovanni Damasceno, santo », *BSa* VI, Rome 1965, p. 732-739.

M. SCHWARZ, « Acquisition (*Kasb*) in early kalām » in essays presented to R. Walzer, *Islamic philosophy and the classical tradition*, Oxford 1972, p. 355-387.

M. S. SEALE, *Muslim theology. A study of origins with reference to the church Fathers*, Londres 1964.

D. ET J. SOURDEL, *La Civilisation de l'Islam classique*, Paris 1983.

J. STARCKY, « Palmyréniens, Nabatéens et Arabes du Nord avant l'Islam », *Histoire des Religions* par Brillant et Agrain, vol. 4, ch. 4, Paris 1956.

B. STUDER, art. « Saint Jean Damascène », *DSp* VIII (1974), col. 454-466.

J. W. SWEETMAN, *Islam and christian theology. A study of the interpretation of theological ideas in the two religions*, Londres, 1ʳᵉ partie, vol. 1, 1945 ; vol. 2, 1947 ; 2ᵉ partie, vol. 1, 1955.

G. TARTAR, *Dialogue islamo-chrétien sous le calife al-Ma'mūn (813-834)*, Paris, 1985.

THÉODORE ABŪ QURRA, « Opuscula », *PG* 94, c. 1585-1597 ; *PG* 97, c. 1461-1609.

— *Mimars de Th. Abū Qurra*, présentés par C. Bacha, Beyrouth 1904.

— « De l'Existence du Créateur et de la vraie religion », publié par L. Cheikho, *al-Mashriq* 15 (1912).

THÉOPHANE LE CONFESSEUR, *Chronographie*, *CSHB*, vol. XXXIX, Bonn 1839.

TOR ANDRAE, *Mahomet, sa vie et sa doctrine*, Paris 1945.
— *Les Origines de l'islam et le christianisme*, Paris 1955.

D. URVOY, *Penser l'Islam : Les Présupposés islamiques de « l'Art » de Lull*, Paris 1980.

S. VAILHÉ, « Les Écrivains de Mar Saba », *EO* 1899, p. 1-11 ; 33-47.

— « Le Monastère de Saint-Sabas », *EO* 1899, p. 332-341 ; 1900, p. 18-28.

— « Date de la mort de saint Jean Damascène », *EO* 1906, p. 28-30.

S. VAN DEN BERG, art. « Djawhar », *NEIs*, t. 2, Leyde 1977, p. 505-506.

J. VAN ESS, art. « Ḳadariyya », *NEIs*, t. 4, Leyde 1978, p. 384-388.

J. W. VOORHIS, « The Discussion of a Christian and a Saracen », *MW* XXV (1935), p. 206-273.

— « John of Damascus on the moslem heresy », *MW* XXIV (1934) New-York, p. 391-398.

P. Voulet, *Homélies sur la Nativité et la Dormition*, de saint Jean Damascène, *SC* 89, Paris 1961.

G. Vajda, art. « Ja'd b. Dirham », *NEIs*, t. 3, Leyde 1975, p. 770.

W. M. Watt, *Mahomet à la Mecque*, Paris 1958.

— *Mahomet à Médine*, Paris 1959.

— *Free will and predestination in early Islam*, Londres 1948.

— « The Origin of the islamic doctrine of acquisition », *JARS*, 1943, p. 234-247.

— art. « Djabriyya », *NEIs*, t. 2, Leyde 1977, p. 375.

— art. « Djahmiyya », *NEIs*, t. 2, Leyde 1977, p. 398-399.

A. J. Wensinck, art. « Ibrāhīm », *EIs*, t. 2, Leyde 1913, p. 458.

— art. « Ka'ba » (J. Jomier), *NEIs*, t. 4, Leyde 1978, p. 331-337.

Zigabène Euthyme, *Panoplie dogmatique*, ch. 28 : « Contre les Sarrasins », *PG* 130, c. 1332-1361.

TABLE DES MATIÈRES

SOURCES CHRÉTIENNES

Fondateurs : † H. de Lubac, s.j.
† J. Daniélou, s.j.
† C. Mondésert, s.j.
Directeur : D. Bertrand, s.j.
Directeur-adjoint : J.-N. Guinot

Dans la liste qui suit, dite « liste alphabétique », tous les ouvrages sont rangés par nom d'auteur ancien, les numéros précisant pour chacun l'ordre de parution depuis le début de la collection. Pour une information plus complète, on peut se procurer deux autres listes au secrétariat de « Sources Chrétiennes » — 29, rue du Plat, 69002 Lyon (France) — Tél. : 78.37.27.08 :

1. la « liste numérique », qui présente les volumes et leurs auteurs actuels d'après les dates de publication ; elle indique les réimpressions et les ouvrages momentanément épuisés ou dont la réédition est préparée.
2. la « liste thématique », qui présente les volumes d'après les centres d'intérêt et les genres littéraires : exégèse, dogme, histoire, correspondance, apologétique, etc.

LISTE ALPHABÉTIQUE (1-383)

SOUS PRESSE

Les Apophtegmes des Pères. Tome I : J.-C. Guy.

DIDYME L'AVEUGLE : **Traité du Saint-Esprit.** L. Doutreleau.

GRÉGOIRE DE NAZIANZE : **Discours 42-43.** J. Bernardi.

ORIGÈNE : **Commentaire sur saint Jean.** Tome V. C. Blanc.

PROCHAINES PUBLICATIONS

BERNARD DE CLAIRVAUX : **À la gloire de la Vierge Mère.** I. Huille, J. Regnard.

CÉSAIRE D'ARLES : **Œuvres monastiques.** Tome II : **Œuvres pour les moines.** J. Courreau, A. de Vogüé.

HERMIAS : **Moquerie au sujet des païens.** R. P. C. Hanson †.

JEAN CHRYSOSTOME : **Homélies contre les anoméens.** A.-M. Malingrey.

Livre d'Heures ancien de Sainte-Catherine. M. Ajjoub.

ORIGÈNE : **Homélies sur les Juges.** M. Borret, P. Messié, L. Neyrand.

ÉGALEMENT AUX ÉDITIONS DU CERF

LES ŒUVRES DE PHILON D'ALEXANDRIE

publiées sous la direction de

R. ARNALDEZ, C. MONDÉSERT, J. POUILLOUX.

Texte original et traduction française.